古龙：为现代武侠小说"别开生面"的重量级作家，以令人耳目一新的文笔和意境，将武侠文学推上一个新的高峰。古龙的作品永不褪流行，以独辟蹊径的文学，写石破天惊的故事。他与金庸、梁羽生被公认当代武侠作家三巨擘。

新版古龙全集

血鹦鹉

下

古龙 著

太白文艺出版社

古龍兄為人慷慨豪邁、跌宕
自如，變化多端，文如其人，且繪事
奇氣，惜英年早逝，余與古兄書
畫皆好，且喜藏其書畫，今除不見其
人，每見新作了遺，深且悵惘。

金庸 [印]
一九六、十、十一 香港

第二十九回 解 谜

疏星凄清，烟雾迷离。

烟雾中静静的站着一个人。

这个人身上的衣服沾满了泥土灰尘，却仍可以分辨得出那是一袭官服。

官服象征官家的威严。

这个人的面上哪里还有丝毫威严之色。

一种说不出，却又可以感觉得到的倦意充满了他整个身子。

在他的面上有的只是落寞。

这落寞之中，却又仿佛透着一种深沉的悲痛。

这个人果然就是附近百里官阶最高的安子豪！

鹦鹉楼那一夜之后，他就像烟雾一样在这个平安镇消失。

现在他却又出现在这天井的烟雾之中。

这之前他到底去了什么地方？现在又为什么竟会在这里出现？

一个人倒在安子豪身边。

红色的衣裳，雪白的肌肤，美丽的面庞，窈窕的身材。

李大娘！

安子豪的目光并没有在李大娘动人的身子之上。

他正在望着王风。

那条绳子赫然握在他的手中。——

王风一出了石牢就发觉石牢出口的旁边站着一个人。

他做梦也想不到这个人竟是安子豪。

那刹那他的眼中充满了敌意。

他却几乎立即认出了安子豪。

满眼的敌意成满眼的疑惑，他瞪着安子豪手中的绳子，就连面上也充满了疑惑的神色。

两个人都没有开口。

一种难言的静寂充斥天地之间。

也不知过了多久，王风吁了一口气，终于开口道："安子豪！"

安子豪淡然应道："王风！"

王风道："我实在想不到是你。"

安子豪道："很多事情你都想不到。"

王风道："救我的是你还是鹦鹉？"

安子豪道："是鹦鹉，也是我。"

王风道："是鹦鹉叫你来的？"

安子豪道："是。"

王风瞪着他，道："方才的说话并不是出自你口中？"

"难道你这也分辨不出？"

这一次回答的绝不是安子豪的声音。

安子豪并未开口。

语声是从王风的后面传来。

怪异而奇特的语声，仿佛带着某种妖异与邪恶，王风已并不陌生。

他应声回头，瞪着立在那边月洞门上的血鹦鹉。

他只有苦笑。

血鹦鹉即时又说道："你不是早已相信十万神魔，十万滴魔血，滴成了一只鹦鹉的这传说？"

王风苦笑道："我不信也不能。"

血鹦鹉道："能！"

王风不由的一怔。

他怔怔的瞪着那只血鹦鹉，忍不住叫道："你不就是那只血鹦鹉，不就是在说人话？"

血鹦鹉道："你再听清楚。"

"呱"一声，它突然展翼，飞离了月洞门上面的瓦脊，飞向安子豪。

"你再听清楚。"

又一声。

一样的语声，一样的说话。

血鹦鹉已飞离月洞门，飞向安子豪，说话语声却没有随它飞走。

说话语声仍是在那边的月洞门传来。

王风瞪着月洞门那边，脱口道："谁？"

一个人应声从月洞门转入。

僵尸！

冷漠的脸庞，残酷的眼神，标枪一样挺直的身躯。

月洞门外走进来的那个人赫然是铁恨！

"铁手无情"铁恨。

铁恨死了已不止十天，尸体已变成僵尸。

现在他却不是僵尸那样子一步一跳的进来，而是常人一样的缓步进入。

王风当场目定口呆。

铁恨一直走到王风的面前才停下脚步。

他看着王风，冷漠的脸庞已变的温暖，残酷的眼神亦变的柔和。

王风却由心寒了出来。

就连他的语声也起颤抖。"你到底是人还是僵尸？"

铁恨没有回答，伸手握着王风的手。

王风竟由得这僵尸将自己的手握住。

手温暖，铁恨的眼中亦仿佛涌出了热泪，开口道："抱歉骗了你这么久。"

王风听的很清楚，这的确是铁恨的声音。

他肯定眼前的铁恨一定是一个人，绝不是一个僵尸。

僵尸的手绝不会温暖，僵尸也绝不会说人话。

叮当的一声他手中的短剑突然脱手坠地，他反手握住了铁恨的手，道："铁兄，怎么你还没有死？"

他的语声又变得急速而嘶哑，一面的激动之色。

铁恨居然笑了起来，道："你难道很想我变成僵尸？"

他并不是一个喜欢笑的人，对于王风他却好像有着很大的好感。

王风却叹了一口气，沙哑着声音道："你快快告诉我整件事的真相，否则你这位风兄闷闷只怕也要闷死了！"

铁恨点头道："我一定会告诉你整件事的真相。"

两个人相握的手缓缓松开。

铁恨负手踱了一个圈，仰天吁了一口气，缓缓道："在我看见你杀入七海山庄，诛除海龙王这个恶贼之时，我已经知道，你是一个正义的剑客，本来，早就想告诉你事实，不相瞒你。"

王风的目光跟着他转动，立即接了口，道："为什么你又要瞒我？"

铁恨道："因为早在四年前，我们就已经发誓不再信任任何人。"

王风道："你们？"

铁恨解释道："我们是包括十三个人。"

王风道："哪十三个人？"

铁恨道："十二个血奴，一个公主。"

王风一愣道："公主！"

铁恨目光落向王风怀中的血奴，道："公主就是你现在抱着的血奴。"

王风又是一愣，目光一落，道："你说她是个公主？"

铁恨道："真正的公主。"

王风抱着血奴的那只手立时好像软了，哑声道："那十二个血奴又是——"

铁恨截口道："是鹦鹉的部属。"

王风道："鹦鹉呢？"

铁恨的目光转落在燃烧中的石牢，缓缓的道："鹦鹉本来是王府的侍卫统领，与我们一齐负责魔王的安全。"

王风追问道："你口中的王府到底是什么王府？"

铁恨一字一顿的说道："太平安乐富贵王府。"

王风惊问道："魔王岂非就——就是太平安乐富贵王？"

铁恨肃容道："是！"

王风一个头几乎变成两个。

铁恨虽然告诉他这些,他仍是一头雾水。

他想想,道:"血奴不是十三个?"

铁恨道:"本来是十三个。"

王风道:"还有的一个怎样了?"

铁恨道:"变了一个叛徒,鹦鹉不会再要这种部属,我们也不会再认这种兄弟。"

王风道:"他是哪一个?"

铁恨恨声道:"老蛔虫!"

王风"哦"一声,说道:"你也是一个血奴?"

铁恨颔首道:"我排行第八。"

安子豪即时插口道:"我排行第六。"

王风转头望着他,叹道:"看来我的确很多事情都想不到。"

安子豪道:"其他的血奴你也见过几个了。"

王风道:"哦!"

安子豪道:"韦七娘,甘老头,萧百草,郭易,不是都已跟你见过面?"

王风脱口道:"郭易,萧百草也是十三个血奴之一?"

安子豪道:"是!"

王风摇摇头,回顾铁恨道:"萧百草既然是你的兄弟,当然不肯割开你的肚子。"

铁恨道:"我既然没有变成僵尸,他当然没有要割我的必要。"

王风上上下下的打量了他几眼,道:"实在不明白。"

铁恨道:"不明白我为什么死而复生?"

王风道:"你是我亲自送入衙门的验尸室的,在我的感觉中,当时你绝不可能是一个活人。"

铁恨道:"感觉,并不能肯定一个人的死活。"

王风道:"可是一出了验尸室,你便给钉入了棺材,到你变做僵尸出现为止,其间最少有七八天,一个人七八天不进食,不饮食,就算本是一个活人只怕也得变做死人。"他又摇摇头,道:"何况那七八天我都在棺材左右,你却在棺材里面全无动作,甚至全无声息,这件事如何解释?"

铁恨忽问道:"你有没有听说过世上有一种叫做瑜珈的武功?"

王风沉吟了一下道："那好像并不是中原的武功。"

铁恨道："并不是。"

王风道："据我所知好像是源自西域。"

铁恨点头道："是西域密宗的一种内功心法，严格来说根本不能够叫做一种武功。"

王风道："这与你的死亡有何关系？"

铁恨说道："我由五岁开始，就已经苦练瑜珈。"

王风道："这是说你是一个瑜珈高手。"

铁恨道："可以这样说。"

王风摇摇头，他仍不明白。

铁恨知道还不能够使他明白，随即解释道："不少人认为瑜珈是一种魔术，这因为一个人苦练瑜珈，一到了登峰造极的地步，无论体质抑或肌能都迥异常人，既能够忍受常人不能够忍受的痛苦，也能够做出很多常人不能够做出的举止，很多不可思议的事情。"

王风静静的听着。

铁恨又道："假死是其中的一种。"

这句千方百计仍是从他的口中说出来，接着的一句就不是了。

他接道："腹语亦是其中的一种。"

接着的这句话赫然是从他身体内传出来的。

他的嘴唇紧紧的闭着，腹部也不见起伏，可是说话分明是来自他的腹中。

腹语！

语声怪异而奇特，仿佛带着某种诡异与邪恶，不就是血鹦鹉说话的声音？

王风不由自主的一声呻吟。

铁恨旋即回复本来的语声，嘴唇翁动道："你所听到的鹦鹉说话只是我利用腹部所发出的声音。"

王风点头。

铁恨接着又道："你所见我的伏尸坟头，其实只是我整个人进入假死的状态。"

王风只有点头。

　　铁恨道："在假死期间，我无须进食任何东西，甚至不必用口鼻来呼吸，全身都僵硬，却仍有少许知觉。"

　　王风忍不住问道："你为什么要在我的面前装死？"

　　铁恨道："因为当时我正被人监视，已被迫的不能不装死来应付。"

　　王风追问道："那是什么人？"

　　铁恨道："万通！"

　　王风一愕道："我记得这个人好像是毒剑常笑的十三个手下之一。"

　　铁恨道："你没有记错。"

　　王风沉默了下去。

　　他默默的思索了一会，叹了一口气，道："你能否将整件事情由始至终详细的给我说个清楚明白？"

　　铁恨道："能。"

　　王风反而奇怪道："现在你怎么又答应的这样爽快？"

　　铁恨看着他，缓缓道："因为我们每一个人现在都已将你当做朋友。"一顿他又道："如果还瞒你，我们又怎能过意得去？"

　　王风道："你那还不赶快跟我说？"

　　"这得从七年多前说起！"铁恨仰天长叹道："七年多前我们还远在西域，还没有臣服当今天子。"

　　"我们有自己的国家，有自己的国王。"

　　"我们的国家信奉魔教，'天魔波旬'是我们最尊敬的魔神，我们更尊敬我们的国王，是以我们一向都称呼我们的国王'魔王'，这其实是一个尊敬的称呼。

　　"十万神魔，十万滴魔血化成一只血鹦鹉，本是魔教的一个传说，传说中的魔王原是'天魔波旬'，我们既然尊称我们的国王'魔王'，自然就将负责我王安全的侍卫统领称为'血鹦鹉'，将统领属下的十三个心腹侍卫，称为'血奴'，这种称呼，只是在我们的国家中流传。

　　"虽则我们的国家信奉魔教，我们的国民却热爱和平，国家更富有，所以我们的国家又叫做太平安乐富贵国，我们的国王又叫做太平安乐富贵王。

　　"当今天子威震四方，诸国臣服，我们的国家，我们的国王向来心仪天朝文明，是以亦不例外，臣服当今天子座下，同时东入中土，设府天南，当今天子也就名为太平王府，尊我王为太平安乐富贵王。

"我们的国民并没有反对这件事，深宫中却有一个人对于这件事深表不满，那是我们国王最宠爱的四个姬妾之一，也即是现在的李大娘。"

语声陡顿，铁恨的目光利箭般射向倒卧在地上的李大娘，接着又道："她原是邻近一个部落民族的女王，却并非部落真正的王位继承人，她之所以能够成为女王，全是由于她的妖媚手段，而她之所以不惜下嫁我王，则因为看中我王的财富。"

王风插口道："这段婚姻并不是太平王的主意？"

铁恨摇头道："是我王提出来的，最初虽然出于她有意无意之间的暗示，便到后来，我王已被她的美色迷惑，非娶她不可。"他一声轻叹，道："她贵为王妃，获赐多珍，却并不满足，因为她目的一直就是在我们的国库藏宝，当时随同她进宫的还有她的心腹侍女以及她族中的十三把魔刀，这些人手下都有几下子，可是那十三把魔刀都被安排在外宫，内宫禁卫森严，鹦鹉与我们十三个血奴的武功更在他们之上，他们并不敢轻举妄动。"

王风道："好像李大娘那种人即使还未到手，私下想必已将你们国库藏宝视为己有。"

铁恨点头道："是以我王的东入中土，设府天南，她最是反对，因为我王非独带去了库藏珠宝的大半数，还准备将其中的部分奉献当今天子，用以表示我国的尊敬，诚恳，以及体面，这更是她最难以忍受的事情。"

王风道："她当然亦没有你们的办法。"

铁恨道："在我们入住太平王府之后，她就有办法了。"

王风道："哦！"

铁恨道："也亏她想得出那么毒辣的办法，某夜，她竟用她那双魔眼控制了我王的意志，写下了一封通敌的书信，内容明显的表示出我王的东来是另有用意，表面上臣服，私下与当朝的外敌暗通消息，准备在南方招兵买马，一待时机成熟便里应外合，倾覆当朝的天下。"

王风道："一封信我看似乎起不了多大的作用。"

铁恨微喟道："却是我王的亲笔，这倒还罢了，信上还有我王的掌印，以及我王私用的四个印章，绝不可能是假冒。"

王风道："这到底不是事实，两下一对质，始终会水落石出。"

"政治的黑暗，还不是你们江湖人所能够了解。"铁恨摇头道："外敌正所谓惟恐天下不乱，一对质没有也会说成有，而朝中不少大臣，对我王心存顾忌，到时亦难保不落井下石，那一来就不止我王的性命堪忧，我国的国民只怕亦成问题。"

这一点王风倒不难理解。

铁恨接道："我王恢复理智的时候，亦知道事态严重，他很想将信夺回，只可惜信已送出，就连他的性命亦已在李大娘的手中，李大娘旋即召集她的手下。"

王风道："当时，你们是必亦觉察事态有异？"

铁恨点点头，道："我们却已不能够加以阻止。"

王风颔首道："你们当然得兼顾太平王的安全。"

铁恨道："她露出本来面目之后，跟着就说出她的企图。"

王风道："她要王府库藏的珠宝？"

铁恨道："所有的珠宝。"

王风道："这个女人的胃口倒真不小。"

铁恨道："还不止这样简单。"

王风道："哦？"

铁恨道："她还要我王发誓，永远不将此事揭露，永不再追究此事，然后才将我王放回，将那封信交出。"

王风道："她也算小心了，如果此事公开，即使你们不追究，最低限度绿林的朋友也会纷纷找到她头上。"

铁恨道："没有几分聪明，几分胆识，她也不敢打这个主意。"

王风道："她就不怕太平王出言反悔？"

铁恨一正面色道："我们国家向重信义，我们的国王更就是一言九鼎。"他一顿，接又道："一国之君，言出无信，如何治国家，如何服国民？"

王风道："恕我失言。"

铁恨道："不知不罪。"

王风转回话题，道："太平王结果如何应付？"

铁恨道："我王不能不接受她的条件？"

王风道："因为那封信？"

铁恨道："要不是那封信已经送出，以我王的行事作风，势必死也不肯受她威胁，而我王一死，她们一伙亦难以幸免。"

"太平王一死，你们再没有顾虑，恨怒之下自然痛下杀手。"王风接问道："那封信到底送到什么地方？"

铁恨道："不知道，据她说是已经安排送交朝中的一个大臣，她方面一有问题，那封信就会落在那大臣的手中。"

王风道："她说的可是事实？"

铁恨道："就不是事实我们也要当做事实，我们不能以十万国民的性命来冒这个险。"

王风道："太平王就为了十万臣民的生命忍辱偷生，答应了李大娘的条件？"

铁恨面上露出了尊敬之色，道："是。"

王风道："事情到这个地步，岂非就已经了结。"

铁恨道："哪里有这么简单？"

王风试探着问道："可是那些珠宝发生了问题？"

铁恨点头道："那些珠宝之中有部分是准备献给当今天子，珠宝的名称，数量，甚至于形式，早已做好了记录，在我们未进中土之前，便已遣使送入京城，呈与当今天子，我们若将之全给了李大娘，无疑就是犯了欺君大罪，更何况我王东入中土，谁都知道带来了无数奇珍异宝，一进入中土竟变了一无所有，这件事你说应该如何解释？如何交代？"

王风目光一闪道："是不是这个原因，你们安排了血鹦鹉的出现？"

铁恨道："这是没有办法之中的办法。"

王风"哦"一声，沉默了下去。

铁恨道："整件事情由始至终都是秘密进行，我们方面除了我们的国王之外，知道这件事情参与这个行动的有侍卫统领鹦鹉，我们十三个血奴，王后与国王至爱的三个王妃，宝库的八个护卫，王府总管郭繁以及他的外甥金翼。"语声忽一顿，他面色一沉，道："这金翼自幼父母双亡，十岁时就已开始寄养郭繁家中，郭繁一辈子就只得一个儿子郭兰，却是个白痴，所以，对于这个外甥特别宠爱，而这个金翼也有几分小聪明，更懂人意思，也实在是郭繁的一个好帮手，坏就坏在有些贪财，这一点郭繁虽然多少感觉得到，只以为人之常情，并没有加以纠正。"

王风插口道："对于这个金翼你说得如此详细，莫非在他方面又出了什么问题？"

铁恨点点头，道："那时正好是七月，我们就选定七月望日进行这件事情。"

王风道："七月十五日的确是一个适当的日子。"

"修行记"上面有这样的记录："七月中元日，地官降下，定人间善恶，道士于是日夜诵经，饿鬼囚徒亦得解脱。"

七月十五也就是鬼节。

鬼节也就是鬼门关大开的日子。

在这个日子进行与妖魔鬼怪有关的事情，的确是最适当不过。

也就在这一日的晚上，鹦鹉，十三血奴与宝库的八个护卫，总管郭繁与他的外甥金翼在李大娘亲临之下，黄夜将太平王府宝库之中的如山珠宝完全搬走。

所有的珠宝在清点过之后，放进二十个箱子之内，在极度秘密的安排之下，经由王府的后门送出，临时停放在附近一间早已准备好的庄院里面。

到了第二日，郭繁就宣布了这件事。

由于其他人都被蒙在鼓里，整个王府都为之轰动。

太平王按照规矩，请来了当地的官员捕吏，他们当然不能够找出什么。

失窃的珠宝之中，有部分是贡品，当地的官员知道关系重大，不敢敷衍塞责，严令手下加紧侦查，限日破它。

这件案嫌疑最大的自然就是王府的总管郭繁。

因为宝库一共有十三重门户，所有的钥匙都由他掌管，宝库的门户并无破坏的痕迹，惟一能够进入宝库将里面的珠宝一夜之内搬走的，只有他一个人。

尽管他是太平王的连襟，又是太平王的亲信，但案情严重，当地的官员亦只有追查到他的头上，他也知道脱不了关系，准备以死来表示清白。

就在当天傍晚他将自己锁在房间之内，将一支匕首刺入了胸膛。

这当然也是计划之中的一个步骤。

匕首刺入胸膛，郭繁就冲了出来，佯言他遇上了血鹦鹉，已得到血鹦鹉的三个愿望，并已将他的第一个愿望向血鹦鹉提出。

他的第一个愿望就是要血鹦鹉将那批失窃的珠宝找回来。

这件事王府中的人都是半信半疑。

他们虽然知道在自己的国家有这种传说，到底没有遇过那种事情。

他们更从来没有见过血鹦鹉。

正在查案的官员更不肯相信，太平王也就在那时告诉了他们那个传说。

他们也就当是一个传说。

到了第二天的早上，侍卫统领鹦鹉就带着十三个血奴以及金翼将那些珠宝从那个庄院搬到太平王府门外。

他们都经过易容改装，鹦鹉就化装成一个衣冠楚楚的中年人，佯言是阴曹地府中的判官，因为手下索命的鬼卒昨夜拘错了一个人的魂魄，说死的本来是另一个人，却拘走了郭繁的独生子郭兰人，所以特地去找来那些珠宝作为补偿。

他们都有一身很好的武功，即使左右手各托一箱珠宝，也一样能够高来高去，加上神针韦七娘出神入化的易容术，判官鬼卒简直就活灵活现，震惊了在场的所有人。

放下了珠宝之后，他们旋即就在韦七娘施放的烟雾中离开。

当时天色还未尽白，朝雾凄迷，尽管浓了一些也不会使人起疑，金翼的轻功虽然不大好，但在两个血奴的帮助之下亦如飞鸟般轻捷，鬼魅般在烟雾之中消失，到那些官差上前之时，那边的地方就只剩下二十箱珠宝。

那的确就是太平王府宝库神秘失窃的全部珠宝。

郭繁清点过之后，太平王亦小心检视过了一遍，那非独一件不缺，且完整无损，在场的官差捕吏与以及王府的侍卫随从等人看在眼内，都不由捏了一把冷汗。

他们本来都还有疑惑，那下子都已相信将那些珠宝送来的是鬼不是人。

绝对没有人去冒那么大的危险，将太平王府宝库所有的珠宝偷掉又当面送回来，那已不是一种玩笑。

太平王府更不是一个开玩笑的地方。

那些珠宝在太平王过目之后立即送进宝库锁上，同去的官差捕吏参观了宝库的设计，都无不认为没有钥匙，根本不可能进入宝库之内。

他们只有承认那是鬼神的恶作剧，他们只担心那个自称来自阴曹地府的判官所说是否事实，如果是事实，郭繁的独生子郭兰人的生命安全便大成问题的了。

其中最忧虑的自然就是做父亲的郭繁。

他表现得坐立不安，这倒只是表现给别人看，事实他心里确是难受，虽则他知道白痴的郭兰人活在这世上无论对什么人，甚至在郭兰人自己本身来说也是一种痛苦，虽则他早已打算牺牲郭兰人的性命，毕竟是自己骨肉。

太平王自然早就已下令搜寻郭兰人行踪。

搜遍了整个王府，他们都找不到郭兰人，官差捕吏正准备出外搜索，郭兰人的尸体就给人送回来了。

郭兰人死得很恐怖，也很吓人，据讲失足坠水淹死，这一点不难看得出来。

所有不知内情的人看到了郭兰人的尸体，都不由心胆俱寒。

郭兰人的死非独证明了判官的说话，更证明了他们方才所见到的绝不是人。

是鬼！

第三十回 血鹦鹉的愿望

"郭兰人是不是真的死了?"王风忍不住打断了铁恨的话。

铁恨摇摇头,道:"并不是。"

王风道:"那是怎么一回事?"

铁恨道:"我们强使他陷入假死状态,再由李大娘用特殊的药物处理过他的肌肤,使他呈现出被淹死的样子,由于他本来就是一个白痴,几乎已没有个人的意志,所以我们使他假死,并没有多大的困难。"

王风道:"我相信你们有这种本领。"

铁恨道:"我们也只要他暂时假死,因为我们还要他复活,藉以表现血鹦鹉的魔力,使这件事看来更真实。"

王风会意道:"血鹦鹉每次降临人间都带来三个愿望,郭繁只用去一个,还有两个愿望,他既只得郭兰人一个儿子,第二个愿望在情理都应该是向血鹦鹉要回他儿子的性命。"

铁恨颔首道:"应该是如此,每一个人也都是这样想,所以没有人离开,都等在大堂周围,这正合我们心意,因为我们已安排好血鹦鹉的出现,正需要他们见证。"

王风的目光不由的转向那已停落在安子豪肩头上的血鹦鹉,道:"这只血鹦鹉到底是什么来历?"

铁恨的目光亦转了过去,道:"这本来是我们的侍卫统领蓄养的一头异种鹦鹉,但是经过修剪染画之后,与原来的样子已大有不同,却与我们的国家古来流传下来的画图所描绘的完全符合。"

王风叹了一口气。

现在他终于知道这只血鹦鹉真正的秘密。

这只血鹦鹉只是一只异种鹦鹉,并非魔血所化成,却已不下两次使得他惊心动魄。

他忽然记起了铁恨曾经说过的几句话。

——那也因为世人的愚昧无知，所以才会有这种故事。

——有窃案就一定有主谋，就算世上真的有妖魔鬼怪，也不会来偷窃人间的珠宝。

他只有叹气。

铁恨接下去道："在郭兰人将要苏醒的时候，我们就放了那只血鹦鹉。"

夜更深，风更急。雨暴风狂。血鹦鹉终于在王府的大堂中出现，就像是一团火焰。郭繁嘶声叫出了他的第二个希望。也没有多久，大堂中突然响起了敲打的声音。声音正是从棺材之中传出，接着就有人在棺材中大声呼叫，叫人将他放出来。那正是郭兰人的声音。他虽然是一个白痴，亦知道恐惧。棺材中一片漆黑，就连坐起来都不能做得到，他当然想叫人放他出来。那些听见郭兰人声音的人吓的晕倒，郭繁却听的心都快要裂开两边，他冲了出去。

太平王与李大娘这位王妃连忙在左右拉住他。李大娘是作态，太平王却是真的想将他拉住。绝不是因为事情神秘恐怖，怕他被魔祟，只因为郭繁一出去就是死路一条。这亦是他们计划之中的一个步骤。

太平王却并未能够将郭繁拉住。李大娘立即拔出了一把短刀，一刀将郭繁刺死。这一阵的耽搁，郭兰人已然在棺材之内死亡。

棺材虽不是密封，郭兰人却非独智能低，无论在精神抑或在体力方面都比较衰弱，那片刻的惊慌已足以使他心胆俱裂。

那正好是郭繁气绝毙命之时，看来简直就像是他的人一死，愿望亦失效，他的儿子便不能复生。

那些珠宝亦同时再次神秘失踪。

王风道："人们的注意力全部集中在厅堂之时，你们就再次进入宝库搬走那些珠宝？"

铁恨道："我们的计划正是这样。"

王风道："这无疑是一个很好的计划，郭繁父子的死亡，使得事情更具说服力，不过能够不死却是更好。"

铁恨道："没有人希望看见这种死亡。"

王风忽问道："郭繁是自愿还是被迫？"

铁恨道："这个计划是他提出的。"

王风道："哦？"

铁恨道："在想出这个计划之时，他已决定了牺牲。"

王风沉吟道："太平王平日对待他一定很好。"

铁恨道："对我们，以至全国的百姓也是一样，因此我们每一个人都甘愿为他效死。"他随即补充一句，道："例外当然也是有的。"

王风道："珠宝既全部到手，李大娘自应心满意足，事情也应了结了。"

铁恨道："这才是开始。"他一声叹息。"当时虽然风狂雨暴，宝库的八个护卫，亦尽所能掩护我们离开王府，但为了安全起见，我们还是以个人最大的努力，最快的行动，将那珠宝再次搬到那个庄院，谁都没有时间理会他人，一直到了那个庄院将箱子放下，才兼顾其他，因为大家都相信参与这件事的每一个人都不会打那些珠宝的主意。"

王风道："事实却有人在打那些珠宝的主意？"

铁恨叹息道："是。"

王风道："那个人莫非就是金翼？"

他面色一寒，道："鹦鹉与我们十三个血奴全都到了，却仍不见他，我们都知道他双臂有千斤之力，虽然托着两箱珠宝亦能够奔走如飞，是以只会比我们早到，没有可能迟迟不见人，当时就感到有些不妙，留下了一人看守，其他的分头外出搜寻。"

王风道："你们没有找到他？"

铁恨道："并没有，却在第二日头上，我们知道城东当夜发生了一件罕见的劫杀案，被劫杀的是一个车把式，一家大小无一生还，家中的东西却仍齐齐整整，只是不见了这家人仗以为生的一辆车马，有人认为是仇杀，我们却知道不是，因为在事发前一日的中午，曾有人向附近的一间店铺打听哪里才可以找到一辆马车，店铺中的一个伙计当时就介绍了那一个车把式，而根据那个伙计的描述，向他打听的那个人无疑就是金翼。"

王风道："看来，他是早就决定那么做了的。"他遂又问："就少了两箱，还有十八箱珠宝，李大娘怎么还不满足？"

铁恨道："如果失去的那两箱珠宝不是二十箱珠宝之中最名贵的两箱，

我相信她已肯罢休，只可惜就连她一心要得到的王府五宝也是在那两个箱子之内？"

王风说道："她要你们将那两箱珠宝找回来？"

铁恨微喟道："她甚至认为是我们暗中做的手脚，要将我们的国王扣押起来，一直到那两箱珠宝到手才放人。"

王风道："这口气你们咽不咽得下？"

铁恨道："咽不下，所以我们私底下商量好，准备先将我们的国王从她的手中抢回来，才与她再说条件，我们就决定次日正午用膳之际乔装下人采取行动，谁知道她竟然先得消息，在我们进入寝宫之时，她人已不在，我王亦给她带走。"

王风道："是谁给她的消息？"

铁恨恨声道："老蛔虫。"

王风道："他本来是你们的兄弟……"

铁恨道："当时在他的心中却就只知道有一个李大娘。"

王风诧声道："他是李大娘的什么人？"

铁恨道："什么人也不是。"

王风道："那他的背叛……"

铁恨道："是因为他已被李大娘的美色所迷惑，已成了李大娘的肉体俘虏，已不能自拔。"

王风道："你们当时是怎样发现？"

铁恨道："到我们发现，已是三年之后的事情。"他转过话题，道："当时我们虽然找不到她的人，却找到了她留下的一封信，她说已知道我们所说的事实，但无论如何，一定要我们将珠宝找回来，她也知道我们初入中土，并不熟识中土的地方，所以特别给我们三年限期，三年之后的七月望日，在王府向她交待。"

王风道："你们当时有没有再搜查她的踪迹。"

铁恨道："在信末她虽已警告我们要为太平王的安全设想，不要追踪她，我们还是忍不住追下去。"

王风道："追到了没有？"

铁恨道："我们先搜索那个庄院，发觉她所有手下已经离开，珠宝亦带走，就分为五批，一批留在王府应变，四批分从四个方向追踪，鹦鹉与甘老头的一批终于在城北十里的江边找到了他们，其时他们正在一艘大船之上，鹦鹉说服她，准许他侍候在王左右。"

王风道："鹦鹉的武功如何？"

铁恨道："在我们之上。"

王风奇怪道："李大娘怎会被这样的一个人追随在左右？"

铁恨的神情忽变的悲痛，道："因为鹦鹉接受了她的条件，金针刺穴，散去了一身的内功。"

王风轻叹道："好一个忠心的鹦鹉。"他遂又问道："甘老头当时又怎样了？"

铁恨道："他本想同去，可是被鹦鹉喝止，最后只有带着悲痛的心情，将这个消息带回王府。"

王风忽然想起了什么，道："不是说郭繁死后，宝库的护卫全都自杀谢罪？杀他的那位王妃不到三天就发了痴，太平王心痛他的爱妃又心痛他的珠宝，也变成了一个白痴？"

铁恨道："那个太平王与王妃现在仍活在太平王府。"

王风道："他们并不是真正的太平王与李大娘？"

铁恨道："他们是我们十三个血奴之中的一个以及他的妻子，我们的国王与及李大娘这个王妃的失踪无论如何是不能给外人知道，唯有这个办法，不过韦七娘的易容术尽管出神入化，一个国王并不是轻易冒充得来，他要接见很多的官员，甚至不久之后要北上面谒当今天子，只有装痴才可以避免这些事情。"

王风道："就装痴相信也并不易。"

铁恨道："所以他们要深居简出，极尽小心才掩饰过去，但饶是如此，仍然立即被一个人看破了？"

王风道："谁？"

铁恨道："我们的公主，我王惟一的女儿——血奴。"

王风道："她真的叫做血奴？"

铁恨道："她喜欢这个名字。"

王风道："这件事其实应该让她知道。"

铁恨道："我们之所以隐瞒，是怕她年少气盛，一时沉不住气，闯出祸来。"

血奴的脾气怎样，王风已不陌生，道："她知道之后怎样？"

铁恨道："大出我们的意料之外，她问清楚我们之后，只是哭了一会子，然后就要我们准许她参与行动，尽快将金翼以及那两箱珠宝找回来。"

王风道："你们当然不能不答应。"

铁恨他们也根本不能拒绝。血奴并不是什么人，是他们的公主，他们的少主人。除了易容顶替太平王那个血奴之外，其他十二个血奴以及那位血奴公主立即分头出动。他们到处追寻金翼的下落，铁恨甚至重金买下了一个捕头的职位，间接地利用官府的力量。

三年过去了，铁恨的努力使他成为六扇门中的四大名捕之一。他恨的是乱臣贼子，盗匪小人，如落在他的手中，他绝不留情。江湖上的朋友，于是都称呼他为"铁手无情"。那三年之中，被他侦破的案件，死在他手下的盗贼已不知多少。连天子都知道了有他这个人，下旨要他追查太平王府这件案。鬼神的传说毕竟难以令人信服，朝中不少人始终在怀疑，天子亦没有例外。

铁恨这样卖力，其实是有他的原因。

这是由于他认为金翼会将那些珠宝出卖，正常的珠宝商人大都不会买入来历不明的珠宝，金翼迟早都会找到那些买卖贼赃的人的头上，那种人终日与贼匪打交道，除非替金翼守秘，否则一露口风自必然有盗匪打金翼的主意，那种人无疑大都守口如瓶，但亦有例外，说不定自己亦动起金翼的脑筋来。

这一来，金翼便如何武勇，觊觎他那些珠宝的盗匪纵使都被他击退，不敢再犯他，亦必然继续监视，等待下手的机会，甚至召集其他的同道。是以铁恨从盗匪这方面着手。

他的推测居然没有错误，到了第三年，终于从落在他手中的一个采花贼的口里知道了金翼的下落。

金翼虽然知道应该改姓埋名，却不懂得易容化装。

那个采花贼原是觊觎金翼那些珠宝的盗匪之中的一个，他原是去找两个有本领的助手，路上瞧上了一户人家的姑娘，夜里去采花，谁知道就遇了铁恨。

他知道铁恨的手段，在铁恨准备杀他之时，赶紧说出这个消息，希望用这个消息来换取他的生命。

铁恨结果还是要杀他。

他痛恨盗匪，更痛恨出卖朋友的人。

然后他召集各人，日夜赶程前往金翼藏匿的地方。

他们到了繁华的扬州。

金翼实在是一个聪明人，他走到扬州这种热闹的地方，非独不易被人察觉，更易将珠宝卖出去。

不过最聪明却是不要将那些珠宝卖出。

也许他亦已考虑到这方面，可惜无论怎样的聪明人，生活一成问题，往往就变得不大聪明的了。

铁恨道："我们赶到扬州的那天晚上，觊觎那些珠宝的贼匪恰又展开行动，这一次他们一共来了九个人，都是高手，金翼力杀三人，结果还是死在乱刀之下，剩下那六个贼匪正将那些珠宝搜出，我们十二个人就到了。"

王风道："二对一，他们当然不是你们的对手。"

铁恨道："我们杀了他们五个人，赔上一个兄弟的性命，结果还是走脱了一个。"

王风道："是谁有这么好的本领？"

铁恨道："满天飞。"

王风道："据我们所知，他一向是独来独往。"

铁恨道："偶然也会例外的。"

王风道："这个人暗器轻功都不简单。"

铁恨道："所以他能够击毙我们的一个兄弟逃去。"

王风道："那些珠宝如此应该是回到你们手中的了？"

铁恨道："其中的一部分已被卖掉，幸好卖给什么人他都有记录。"

王风道："你们于是去找那些人，结果又怎样？"

铁恨道："得回一半，其余的一半已被再次卖出。"

王风道："得回的那一半你们是用钱买回来还是用强抢回来？"

铁恨道："抢回来，我们根本没有那么多的钱买。"

王风道："你们于是追下去？"

铁恨道："六个追下去，其他的五个赶回王府，因为三年的限期已经到了。"

王风忽然道："你们加上血奴应该是十三个人，就算死去了一个，应该还有十二个。"

铁恨道："那三年之中，我们之中的一个离开王府之后，就不知所向。"

王风道："老蛔虫？"

铁恨道："就是他！"他一顿又道："我们回到王府的时候，李大娘并不见人，只来了她一个手下，带来她的一封信，着我们将珠宝送到这个平安镇。"

王风道："哦？"

铁恨道："我们来到平安镇，就见到了老蛔虫，那时我们才知道他的反叛。"

王风道："那是四年之前的事情？"

铁恨道："由那时开始，我们就发誓不再相信任何人。"

王风叹了一口气。"这个庄院当时已经建好了。"

铁恨道："当时我们就是在这个庄院会见李大娘，希望她收下我们寻回的那些珠宝之后就满足，就放人，可是她坚持要回全部的珠宝。"

王风道："也许当时太平王已经不在人间，她根本无法将人交出，却又知道如果不与你们联络，你们势必起疑，凭你们的本领，迟早必然会找到她的行踪，所以，只有如期会见你们。"

铁恨冷笑道："也许当时她就已知道我们根本没有可能寻回全部的珠宝。"

王风道："失去的两箱珠宝到底包括什么珠宝在内，难道没有记录？"

铁恨道："没有，我们手上只有王府一份总录，郭繁也就是根据那份总录清点珠宝。"

王风道："对于失去的那两箱珠宝，你们到底以什么做准则？是金翼那份出卖珠宝的记录？"

铁恨道："还有李大娘对照那份总录之后给我们的一份记录。"

王风道："这两份记录能够作准？"

铁恨道："原则上李大娘那份应该可以作准。"

王风道："金翼那份呢？"

铁恨道："在他的记录，只卖出王府五宝之一的"辟毒珠"，可是在他剩下来的珠宝之内却没有其他的四宝在内。"

王风道："李大娘给你们的那份失物名单却有那其他的四宝？"

铁恨道："有，所以，我们想到满天飞可能顺手牵羊，要不是，就是金翼的记录并不完整。"

王风道："王府的五宝未必就是全都放在那两个箱子之中。"

铁恨点点头。

王风道："那颗辟毒珠后来不是萧百草在郭易的大腿内侧剖出来？"

铁恨道："金翼卖出去的那颗辟毒珠一再易手，落在二龙山黑白双煞的手上，郭易追到二龙山，格杀黑白双煞，取回辟毒珠，自己亦中了双煞的毒药暗器，他一来为了疗伤，二来恐怕再次失去那颗辟毒珠，所以剖开大腿的肌肉，将那颗辟毒珠藏在里头。"

王风道："哦？"

铁恨道："可惜他想到将那辟毒珠放入大腿内侧之际，已不是时候，毒已进入了他的血脉，那颗辟毒珠虽然还能够帮助他活下去，他却已只得半条人命，如果将那颗辟毒珠取出来，就连那半条人命都保不住了，我们当然不忍心这样做，反正其他的珠宝都仍未寻回，所以我们决定在寻回全部珠宝之后，才要那颗辟毒珠……到了那个时候我们就算不忍心也要忍心的了。"他忽的叹息一声，道："可惜他根本不能等到那个时候，你在墓地见到他之时，已是他油尽灯枯之际，所以他替自己准备了棺材，就放出信鸽，通知在附近衙门的萧百草。"

王风道："信鸽？"

铁恨道："就是你所见那种脖子上系着响铃的怪鸟，那种鸽子原产于我国，是以形状与一般的鸽子有些不同，再经我们的修饰，更见得怪异的了。"

王风道："原来这样子！"

铁恨道："当时我恰好走过附近，接下信马上就赶去墓地，在我未到之时你已经先到了，他只当你是官府中人，再加上他这个人天生就是古古怪怪的性格，索性就跟你说起故事来。"

王风苦笑。

铁恨道："当时我对你亦有些怀疑，所以索性也跟他胡诌下去。"

王风苦笑道："你为了要取回那颗辟毒珠，自然要将他搬回衙门解剖。"

铁恨道："那点小手术还用不到萧百草，我将他搬回衙门只因为你死跟在左右。"

王风道："我这个人的好奇心有时实在大得很，当时我想你简直就将我当做官府的密探看待了？"

铁恨道："差不多。"

王风道："随后在衙门验尸房的窗外出现的那只信鸽又是怎么一回事？"

铁恨道："那是萧百草暗中放出，好教我有借口将你与万通引到我们安排血鹦鹉出现的地方，目睹我在血鹦鹉的笑声中倒下。"

王风道："当时万通已在外窥伺？"

铁恨道："是。"

王风道："为什么你要选择那个时候装死呢？"

铁恨道："在我们进入衙门之时，因为手续上需要，我是不是曾经离开你一段时间？"

王风道："是。"

铁恨道："那一段时间之内，除了见过当日的押司之外，我还见过萧百草，告诉他这件事，他却告诉我一件更严重的事。"

王风道："什么事？"

铁恨道："常笑已怀疑到我头上，并且派人暗中追踪我。"

王风道："他何以对你起疑？"

铁恨道："因为满天飞，我们打从扬州一路找寻他，到了顺天府，本来很接近的了，可是他却在顺天府做案失手被擒，押入了顺天府的大牢，我们知道了这个消息，为了要知道那一夜他有没有在扬州带着部分珠宝，只有追进去。"

王风道："你是天下四大名捕之一，进牢找他问话还不简单？"

铁恨恨道："我追问了三天三夜，甚至在他的身上下了毒药，声明他不将实情供出必死，可是，到他毒发身亡也只是问出了一方宝玉。"

王风道："也许他就只是取走了那一方宝玉。"

铁恨点头道："也许。"

王风道："据我们所知顺天府大牢，警卫森严，你在牢中将犯人毒死只怕很成问题。"

铁恨道："所以我说他七日之前已经中毒，七日之前他还在牢外。"

王风道："狱吏相信你的说话？"

铁恨道："警卫森严的牢狱未必就特别看重犯人的死。"

王风道："你为什么一连三天三夜追问一个犯人，相信总要向上面申报。"

铁恨道："这都是无可避免，就因为满天飞与太平王府库藏珠宝的失窃有关，而我又是奉旨调查这件案，所以才能够顺利进入大牢私行审问。"他又是一声叹息，道："常笑其实已奉命暗中调查，知道了这件事又岂会不赶到顺天府，以他的行事作风，一定会重新检验满天飞的尸体。"

王风说道："他想必发现了什么可疑的地方。"

铁恨微哂道："我想就是了，否则他不会从那时开始就复查我所有的行动，更着人追踪我。"

王风道："因此你装死？"

铁恨道："我装死其实还有第二个原因，那才是主要的原因。"接道："在同一时间，我们的两个兄弟找到了另外一批被列入李大娘那份记录的珠宝，却发现那些珠宝并不是来自金翼，是卖自另外一个人，他们找到了那个人，赫然是李大娘的一个心腹手下，他虽然以死守口，我们已知道蹊跷，再加上常笑的人已经迫近，所以决定将常笑引入平安镇，让他与李大娘拼一个死活，他们一拼上，武三爷是必伺机发动，我们就乘乱入这个庄院，搜索我王与鹦鹉。"

王风道："你们早已知道武三爷在觊觎那些珠宝？"

铁恨道："多少已猜到，因为我们已摸清他的底子，好像他那样的一个大强盗，绝不会无聊到走来这个小镇跟李大娘争土地。"

王风想起了武三爷说的话，道："李大娘那些外出变卖珠宝的手下也有一个落在他的手中。"

铁恨并不怀疑王风的说话。

王风想了想，又道："谭门三霸天想必也抓住了李大娘的一个手下，所以才会跑到这里来。"

铁恨道："哦？"

王风转又问道："杀他们，究竟是什么人？"

安子豪一旁应声道："我！"

王风一怔道："常笑那些手下的验尸结果是真的了？"

安子豪道："是真的。"

王风道："你好强的手力，竟用三块石头就击碎了他们的膝盖。"

安子豪道："我练的是密宗金刚指力。"

王风道："你杀他们是因为他们要踢那副棺材。"

安子豪道："他们一脚踢出，力道何只百斤，铁恨假死之中，不能运气护体，若是给他们一脚踢碎棺材，就非死不可了。"

王风道："长街上李大娘那个手下又是死在什么人手中？"

安子豪道："武三爷的手下。"他瞟了一眼铁恨，道："化尸散并非我们才有。"

王风亦望着铁恨，道："万通却一定在你手下尸化了。"

铁恨道："不杀他不成，因为在他伸手入棺材打算取去我口含的辟毒珠，被我用七星铁刺刺入他的手指之时，他已知道我未死，如果不杀他，我假死的秘密就会被揭露。"他一声冷笑，道："常笑的手下没有一个是好东西，这些年下来也不知枉杀了多少人，我早就想将他们除去。"他又一声冷笑。"安子豪手下那个捕快却是被吓死，他财迷心窍，扶了万通到楼下，转头又上来，伸手来拿那颗辟毒珠，猛见我在棺材里坐起来，吓的心胆俱裂。"

王风道："你是什么时候，假死中苏醒过来？"

铁恨道："棺材震动的时候，我从假死中苏醒，一定要活动一下手脚。"

王风苦笑一声，道："当时我几乎没有给你吓死。"

铁恨道："我也听到了你的声音，知道你在棺材上面时，想出棺材与你细说分明，萧百草一句话，你就不惜为朋友如此跋涉，我相信自己绝对没有看错，像你这种人绝非常笑一伙。"

王风道："你有这自信？"

铁恨道："否则在你中毒发狂奔出鹦鹉楼，倒在乱葬岗之时，我不会将仅有的一颗解毒丹放入你的口里。"

王风一怔道："是你救了我?"

铁恨道："是,当时,我还想待你醒来与你说话,可是一想还不是时机,所以就先自离开。"

王风道："看来你真的早已对我信任。"

铁恨说道："韦七娘也是,所以她着人给你那张地图以及钥匙,好让你进来这个庄院保护血奴,以便她帮助我们搜寻我王与鹦鹉的所在。"

王风道："我亦已想到,那可能是她给我的。"他接道:"在鹦鹉楼中你既想与我细说分明,后来又何以打消此念?"

铁恨道："因为当时我听到有人走来。"

王风点点头,他没有忘记棺材停止震动之后,万通就带着两个捕快闯入。

铁恨道："你现在都明白了?"

王风道："只有一点不明白。"

铁恨道："哪一点?"

王风说道："血奴怎会留在鹦鹉楼这个地方?"

铁恨道："她负责将我们找到珠宝交给李大娘,李大娘却又不欢迎她住在这个庄院,所以她只有住在鹦鹉楼。"

王风摇摇头,还是不明白。

铁恨道："我们都是男人,有哪一种女人经常有男人找她而不被人怀疑?"

王风总算明白。那一种女人就是妓女。妓女岂非就应该住在妓院?

铁恨道："也许还有其他更好的办法,可是她认为那么最好。"

王风轻叹道："她实在是一个好女儿。"

铁恨道："本来就是的。"

王风道："宋妈妈真的是她的奶妈?"

铁恨说道："不是,她其实是李大娘的奶妈。"

王风道："她留在血奴身边还是为了监视血奴?"

铁恨道："主要是为了将血奴到手的那些珠宝转给李大娘。"

王风道："何必这样子麻烦?"

铁恨道："因为李大娘当时已发觉武三爷真正的用意并不是只在与她争气,与她争夺土地。庄院的周围,全都在武三爷的监视之中,所以到后来，为了安全起见，甚至转由安子豪来做。"

这也就是安子豪与李大娘往来的秘密。王风沉默了下去。

铁恨反问道："还有什么不明白?"

王风摇头道："没有了。"

一个声音即时从他的怀中响起："你难道已知道我佯装魔祟之时，怎会变成那么可怕的样子?"

这当然就是血奴的声音。她已又苏醒过来。她一脸哀伤，神态仍安详。

王风看着她，道："我还不清楚，不过我已猜测得到你也是一个瑜珈高手。"

血奴道："还不是高手，只是已能够控制全身肌肉，随意做出自己要做的动作，要变的表情。"

她说着从王风怀中站直了身子，走到火牢的面前。火焰已随同浓烟从牢中冒出。她看着炽烈的火焰，眼中又流下了眼泪。

王风的目光也落在火焰之上，道："太平王、鹦鹉两人的骨身在牢中……"

血奴悲笑道："死在烈火中，本来在我们来说就是一种荣幸。"

王风赶紧走前去几步。血奴听得脚步声，回头看了他一眼，道："你放心，我不会跳进火牢中。"

王风点点头，他知道血奴是一个坚强的女孩子，她说过不会就不会。

他转顾安子豪脚下的李大娘，道："你们准备将她怎样?"

血奴一字一顿道："投入这火牢之中。"

王风道："那封信……"

铁恨截口道："我们国家所有的国民，向来就不在乎自己的生命，随时都准备为我们的国王效死，我王已死，我们生又何妨，死又何妨。"

安子豪接口说道："更何况，那封信上面所说的我们私通的外敌，在今年的六月已向当朝臣服。"

王风道："这是说那封信已经没有多大作用的了。"

安子豪道："也许本来就没有那封信，只是李大娘的诡……"

"诡"字下面的"计"字还未出口，安子豪的语声就突然断下。

王风、血奴、铁恨同时瞠目结舌。一把锋利的匕首，正抵在安子豪的咽喉之上，森冷的刃锋封住了安子豪的语声。

匕首正握在李大娘的手中，她本来倒在地上，现在却已站起来。

她冷笑，美丽的容颜已转变的狰狞道："这次是你说对了，本来就没有那封信。"

安子豪一个字都说不出来，面色似也被匕首上森冷的寒气冻的苍白。

李大娘冷笑接道："可惜你这一次所点的穴道并没有你这一次的推测那么准确。"

血奴铁恨不约而同抢前了一步。李大娘连声喝叫道："再上前我立即杀死他。"

血奴厉声道："放开他！"

李大娘说道："答应我的条件，我就放开他。"

血奴道："你还有什么条件？"

李大娘道："你们四个人，发誓不得杀我，由得我离开。"

安子豪冷笑道："你在做梦！"他虽然给匕首抵住咽喉，语声仍很坚定。

李大娘道："你难道不怕死？"

安子豪道："早在七年前，我就准备死的了。"

看他的样子，就准备拼命。李大娘不禁有些慌了，握着匕首的右手已在颤动。颤动的刀锋割开了安子豪咽喉的肌肤，血流下。触目的鲜血，血奴铁恨眼都已瞪大，只恨得咬牙切齿。

王风即时一声大喝，道："我们答应不杀你。"

李大娘还未接口，安子豪已嘶声道："我死也不肯答应……"

王风打断了他的说话，道："你们若还当我是朋友，这一次就听我的。"

安子豪哪里肯依，正要说什么，那边铁恨突然开声道："好，这一次我们听你的。"

连铁恨都答应，安子豪血奴不由都呆住。铁恨随即道："由现在开始，你替我们来做主。"

安子豪破口大骂道："你疯了！"

铁恨道："没有这种事，若是你还认我这兄弟，你就听我说的话！"

安子豪的眼泪已流下。他闭上嘴巴。

李大娘瞪着王风，道："你真的答应？"

王风道："我们哪一个要杀你，都不得好死。"

李大娘这才松过口气，她收起了匕首，放开了安子豪。铁恨厉声道："滚！"

李大娘并没有滚，扭动着腰肢，施施然离开。安子豪牙龈咬得出血，怒瞪着铁恨。血奴也瞪着铁恨。铁恨却瞪着王风。王风突然一步横跨，拦住李大娘的去路。

李大娘面色一变，说道："你这是什么意思？"

王风道："我很想提醒你一件事。"

李大娘道："什么事？"

王风道："我方才是说我们哪一个杀你，都不得好死，并非说我们哪一个杀你，全都不得好死。"

李大娘颤声道："你……"

王风道："我这个人本来就不会好死。"

李大娘面色都青白了，失声道："你要杀我？"

王风笑笑道："你的心肠这么毒，若是留你在世上，以后也不知会害死多少人，不杀你怎成！"

李大娘面色更白，厉喝道："你敢！"她的语气虽然凶恶，语声却已丝索一样颤抖。

王风道："这世上，还没有我不敢做的事情。"他连随一步迫前。

"你真的这样狠心！"李大娘的眼中闪起了泪光。

王风瞪着她的眼，道："这一次我不会再上你的当了。"这句话出口，他眼前就见红影一闪，旋即就听到了李大娘一声惨叫。凄厉已极的一声惨叫，惊破寂静的空气。红影这刹那已落在李大娘的手中，赫然就是那只血红色的鹦鹉。一声恐怖的鹦鹉啼声旋即在李大娘的手中爆发，鹦鹉同时已被李大娘握碎，激开了一蓬血水。血水从李大娘的手中滴下。她的眼亦滴下了血水，却不是鸟血，是人血。她的血。她的一双眼睛只剩下一双血洞，动人的一双眼瞳就抓在鹦鹉的一双锐利的鸟爪中。血奴、王风、铁恨不由的目定口呆，安子豪亦不例外，显然他亦不知道一直温温顺顺的停留在他肩上的鹦鹉，怎会在这时候扑击李大娘，抓去李大娘的一双眼珠。李大娘就更不知道。

　　鹦鹉本来并不是残忍的鸟类，长久由人饲养的鹦鹉更不会飞去抓人的眼珠。莫非它原就是来自奇浓嘉嘉普？莫非这就是魔王的诅咒？鹦鹉的报复？天地间霎时仿佛寒冷起来。突来的寒意尖针般刺入了王风血奴四人的骨髓，四人忽然觉得自己的手足已冰冷，整个身子仿佛都冰冷。他们呆呆的瞪着眼睛。

　　李大娘也在瞪着眼睛，没有眼珠的眼睛。血泉水一样涌出，她再次嘶叫，声音夜枭般恐怖，她的面容更恐怖如同恶鬼。她一步一步退后，退向烈焰飞扬的那个火牢。已感到火的酷热，她还要后退。又一声凄厉已极的惨叫，她窈窕的身子突然飞起，飞鸟般投向飞扬的烈焰。没有人阻止，王风血奴四人全身都似已软。飞扬的烈焰刹那吞灭了李大娘的身子，吞灭了她手中的鹦鹉。蓬一声火焰突然高升。黄金一样颜色的火焰仿佛变成了鲜红。鲜红得就像鲜血。

　　天终于变了。漫长邪恶的黑夜终于消逝。阳光从东方升起，斜照入浓烟滚滚的天井。温暖的阳光似已驱去呆立在天井中王风血奴四人身上的寒冷感觉，四人的眼睛终于不再凝结，一转又一转，彼此相望了一眼。王风忽然举起了脚步。

　　血奴立即叫住他："你要去哪里？"

　　王风道："不知道。"

　　"我希望你能够留下来。"血奴看着他，眼瞳中仿佛多了一些什么。

　　王风知道那是什么，血奴的话也已说得很明显。

　　他却摇摇头，道："我不能够留下来，因为我还有很多的事情要去做。"

　　血奴紧盯他，道："你不能留下来我可以跟你离开。"她咬咬嘴唇，又道："你两次救了我的性命，我一定要报答你。"她的话说得更明显。

　　王风好像听不懂，他还是摇了摇头，道："我不要任何人的报答，也不要任何人跟在左右。"

　　他举步走了出去。血奴嘶声道："你怎么这样狠心！"

　　王风没有回答，也没有回头。血奴的眼泪不禁流下。她所受的委屈已实在太多。

　　王风听到了她的哭声，他终于回头，却是望着铁恨，道："那一天我跟郭易在墓地上说话的时候，你是不是早就已在一旁？"

铁恨微喟道："是。"

王风又问道："你有没有听到，我那个故事？"

铁恨道："有。"

王风说道："你能不能替我告诉她那个故事？"

铁恨尚未回答，血奴已忍不住叫道："是什么故事？"

王风凄然一笑道："是属于我的故事，虽然没有血鹦鹉的故事那么美丽，那么迷人，却是真的。"

他再次举起脚步。血奴举步正想追上去，却已被铁恨拉住了她的手。她没有挣扎，眼泪又流下。铁恨的眼中也好像有泪光。王风的眼中呢？谁都看不到他的眼，他的脸。这一次他再没有回头。

风在吹，吹起了漫天烟雾。王风消失在风中，烟中，雾中。

王风的生命岂非就正如风中的落叶？无可奈何。天下间岂非多的是这种无可奈何的悲哀！

碧血洗银枪

目　　录

楔　子

据说近三百年来,江湖中运气最好的人;就是金坛段家的大公子段玉。在金坛,段家是望族,在江湖,段家也是个声名很显赫的武林世家。

他们家传的刀法,虽然温良平和,绝没有毒辣诡秘的招式,也绝不走偏锋,但是劲力内蕴,博大精深,自有一种不凡的威力。他们的刀法,就像段玉的为人一样,虽不可怕,却受人尊敬。

他们家传的武器"碧玉刀",也是柄宝刀,也曾有段辉煌的历史。但是我们现在要说的这故事,并不是"碧玉刀"的故事。

江湖中还有件宝物叫"碧玉钗"。碧玉刀为人带来的,是幸运和财富,碧玉钗为人带来的,却是不祥和灾祸。

据说无论谁拥有了这枚碧玉钗,就立刻会有灾祸降临到他身上。据说它的每一个主人都是死于横祸,没有一个例外。

在江湖中,有关碧玉钗的传说很多,有的甚至已接近神话,充满了妖异和邪恶的幻想。我们现在要说的这故事,也不是"碧玉钗"的故事。

我们现在要说的这故事,是"碧玉珠"的故事。

"碧玉珠"是什么? 是一个人? 一种武器? 一件宝物? 还是一种神奇的丹药?

第一回　四　公　子

严冬。酷寒,雪谷。

千里冰封,大地一片银白。一个人在雪地上挖坑,挖了一个三尺宽,五尺深,七尺长的坑。

他年轻、健康、高大、英俊、而且有一种教养良好的气质。他身上穿的是一袭价值千金的貂裘,手里拿着对光华夺目的银枪。枪杆是纯银的,上面刻着五个字:

"凤城,银枪,邱。"

这么样一个人,本不是挖坑的人,这么样一对银枪,也不该用来挖坑的。

这里是个美丽的山谷,天空澄蓝,积雪银白,梅花鲜红。

他是骑马来的,骑了一段很远的路。马是纯种的大宛名驹,高贵,神骏,鞍辔鲜明,连马蹬都是纯银的。

这么样一个人,为什么要骑着这么样一匹好马,用这么样一对武器,到这里来挖坑?

坑已经挖好了。他躺了下去,好像想试试坑的大小,是不是可以让他舒舒服服的躺在里面。这个坑难道是为他自己挖的?

只有死人才用得着这么样一个坑,他年轻健康,看起来绝对还可以再活好几十年,为什么要为自己挖这么样一个坑? 难道他想死? 这人活得好好的,为什么想死? 为什么一定要到这地方来死?

雪昨夜就已停了,天气晴朗干冷。他解下马鞍,轻轻拍了拍马头,道:"你去吧,去找个好主人。"健马轻嘶,奔出了这片积雪的山谷。他在马鞍上坐了下来,仰面看着蓝天,痴痴的出神,眼睛里带着种说不出的悲痛和忧虑。

这时候雪地上又出现了一行人,有的提着食盒,有的抬着桌椅,还有个人挑了两坛酒,从山谷外走了进来。走在最前面的一个人,看来像是个酒楼的堂倌,过来赔笑问讯:"借问公子,这里是不是寒梅谷?"

挖坑的少年茫然点了点头,连看都没有看他们一眼。

这人又问:"是不是杜家大少爷约你到这里来的?"挖坑的少年连理都不

理他了。

这人叹了口气，讪讪的自言自语："我真想不通，杜公子为什么要我们把酒菜送到这里来？"

另一人笑道："有钱人家的少爷公子，都有点怪脾气的，像咱们这种穷光蛋当然想不通。"

一行人在梅树下摆好桌椅，安排好杯盏酒菜，就走了。又过半天，山谷外忽有人曼声长吟。

真的有铃声在响，一个人骑着青驴，一个人骑着白马。进了山谷。骑驴的人脸色苍白，仿佛带着病容，但却笑容温和、举止优雅，服饰也极华贵。

另一人腰悬长剑，头戴银狐皮帽，着银狐裘，一身都是银白色的，骑在一匹高大神骏的白马上，顾盼之间，傲气逼人。他也的确有他值得骄傲之处，像他这样的美男子的确不多。

挖坑的少年还是一个人坐在那里，痴痴的出神，好像根本没看见他们。他们也不认得他。

这三个年轻人不一样，后面这两位，是为了踏雪寻梅，赏花饮酒而来。那挖坑的少年，却是来等死的。

酒在花下。面带病容的少年，斟了杯酒，一饮而尽，道："好酒。"

花在酒前，花已尽发。他又喝了一杯，道："好花！"花光映雪，红的更红，白的更白。他再举杯，道："好雪。"三杯下肚，他苍白的脸上也已有了红光，显得豪气逸飞，意气风发。

他的身子虽然弱，虽然有病，可是人生中所有美好的事，他都能领略欣赏。他好像对什么事都很有兴趣，所以他活得也很有趣。

那骑白马，着狐裘，佩长剑的美少年，脸色却很阴沉冷静，好像对什么事都没有兴趣。

面带病容的贵公子微笑道："如此好雪，如此好花，如此好酒，你为什么不喝一杯？"

美少年道："我从来不喝酒。"

贵公子道："到了这里来，你不喝酒，岂非辜负这一谷好雪，千朵梅花？"

美少年冷冷道："无论到了什么地方，我都不喝酒。"

贵公子叹了口气，喃喃道："这个人真是个俗人，真扫兴，我怎么会交到这种朋友的？"

挖坑的少年还在发呆。贵公子忽然站起来，走过去，围着他挖的坑绕了个圈子,道:"好坑。"挖坑的少年不理他。贵公子道:"这个坑挖得好。"挖坑少年不理他。

贵公子索性走到他面前。贵公子道:"这个坑是不是你挖的?"

挖坑的少年不能不理他了,只有说:"是。"

贵公子道:"我一直说你这个坑挖得好,你知不知道是什么意思?"

挖坑少年道:"你想让我陪你喝酒。"

贵公子笑了,道:"原来你不但会挖坑,而且善解人意。"

挖坑少年道:"可惜我不会喝酒。"

贵公子不笑了,道:"你也从来不喝酒?"

挖坑的少年道:"高兴喝的时候就喝,不高兴喝的时候就不喝。"

贵公子道:"现在你为什么不喝?"

挖坑的少年道:"因为现在我不高兴喝。"

贵公子非但没有生气,反而笑了:"现在我知道你是谁了。我常听人说,银枪公子邱凤城的脾气,就像他的枪一样,又直又硬,你一定就是邱凤城。"挖坑的少年又不理他了。

贵公子道:"我姓杜,叫杜青莲。"邱凤城还是不理他,就好像从来没有听见过这名字。

其实他是知道这个名字的,在江湖中走动的人,没有听见过这名字的还不多。

武林中有四公子,银枪,白马,红叶,青莲。这一代江湖中的年轻人,绝没有任何人的锋芒能超过他们。他们彼此间虽然并不认得,杜青莲的名字,邱凤城总应该知道。他也应该知道,那骑白马,着狐裘,佩长剑的美少年,就是白马公子马如龙。但是他却偏偏装作不知道。

杜青莲叹了口气,道:"看来你今天是决心不喝酒了。"

忽然间,山谷外有个人大声道:"他们不喝,我喝。"

喝酒的人来了。雪停了之后,比下雪的时候更冷,他们穿着皮裘,还觉得冷。这个人身上穿着的,却只不过是件薄绸衫,料子虽然不错,却绝不是在这种天气里穿的衣裳,所以他冷得在发抖。虽然冷得要命,他手里居然还拿着把折扇。

桌上有酒壶,也有酒杯。但见他冲过来,就捧起酒坛子,嘴对着嘴,喝了一大口,才透出口气,道:"好酒。"杜青莲笑了。

这人又喝了一大口,道:"不但酒好,花好,雪也好。"三大口酒喝下去,他总算不再发抖了,脸上也有了人色。

这人虽然穷,却不讨厌。他甚至可以算是个很让人喜欢的人,长得眉清目秀,笑起来嘴角上扬而且还有两个酒涡。杜青莲已经开始觉得,这个人可爱极了。

这人又道:"此情此景,此时此刻,不喝酒的人真应该……"

杜青莲道:"应该怎么样?"

这人道:"应该打屁股。"

杜青莲大笑。那挖坑的少年仍然不闻不问,除了他心里在想着的那个人,那件事之外,别的人他看见了也好像没看见。别的事他更不放在心上。

马如龙眉目间虽然已有了怒气,但是他并没有发作。他不是不敢,他只不过是不屑跟这种人一般见识而已。

这人却偏偏要找他,捧起酒坛子,道:"来,你也喝一口。"

马如龙冷冷道:"你不配。"

这人道:"要什么样的人才配跟你喝酒!"

马如龙道:"你是什么人?"

这人不回答,却"刷"的一下把手里的折扇展开。扇面上写着七个字,字写得很好,很秀气,就像他的人一样。

"霜叶红于二月花。"

这个人虽然落拓潦倒,这把扇子却是精品。扇面上这七个字,无疑也是名家的手笔。

杜青莲举杯一饮而尽道:"好字。"

这人也捧起酒坛子来喝了一大口,道:"你的眼光也不错。"

杜青莲道:"这字是谁写的?"

这人道:"除了我之外还有谁能写得出这么好的字来?"

杜青莲大笑,道:"现在我也知道你是谁了。"

这人道:"哦?"

杜青莲道:"除了沈红叶外,哪里还能找得出你这么狂的人?"

武林四公子中,最傲的是"白马"马如龙,最刚的是"银枪"邱凤城,最潇洒的当然是杜青莲,最狂的就是沈红叶。

马、邱、杜,三家都是豪富、望族,白马、银枪、青莲,都是有名有姓的贵公子。红叶的身世却很神秘。

据说他就是昔年天下第一名侠"沈浪"的后人。

据说"小李探花"生平最好的朋友,天下第一快剑"阿飞",就是他的祖先。

阿飞的身世,本来就是个谜,所以红叶的身世也如谜。他也从来没有说起过自己的来历,人们把他列入四公子,只因为他从小就是在叶家长大的。叶家就是"叶开"的家。叶开就是"小李飞刀"惟一的传人。——小李飞刀是什么人,有什么人不知道?

现在武林四公子都已经来齐了,但是他们并不是自己约好到这里来的。

这里距离他们每一个人的家都有好几千里路,杜青莲的雅兴就算很高,也绝不会奔波几千里,只为了要到这里来赏花喝酒。

邱凤城也用不着奔波几千里,到这里来等死,一个人如果要死,无论什么地方都一样可以死的。他们为什么到这里来?来干什么?

马如龙还是冷冷的坐在那里,态度绝没有因为听到沈红叶这名字而改变,但是他的手已经移近了他的剑柄,他凝视着沈红叶忽然道:"很好。"

沈红叶道:"什么事很好?"

马如龙道:"你是沈红叶就很好。"

沈红叶道:"为什么?"

马如龙道:"本来我认为你不配,不配让我拔剑,我的剑下从不伤小丑。"

沈红叶道:"现在呢?"

马如龙道:"沈红叶不是小丑,所以现在你只要再说一句轻佻无礼的话,你我两个人之间,就要有一个人横尸五步,血溅当地。"

沈红叶叹了口气,苦笑道:"我只不过想找你喝口酒而已,你又何必生气!"杜青莲道:"他不喝,我喝。"他接过沈红叶手里的酒坛子,嘴对着嘴,灌了好几口,才吐出口气,道:"好酒。"

沈红叶又把坛子从他手里抢回来,喝了一大口,叹着气道:"这么样的酒,就算有毒,我也要拼命喝下去。"

杜青莲微笑道:"一点也不错。如果我们现在能死在这里,倒也是我们的运气。"

沈红叶道:"为什么!"

杜青莲道:"因为,这里有个人会挖坑。"

沈红叶道:"他的抗挖得很好?"

杜青莲道:"好极了。"

沈红叶忽然站起来,捧着酒坛子走过去,围着那个坑绕了个圈子,喃喃道:"这个坑果然是个好坑,一个人死了之后,若是能埋在这么好的一个坑里,倒真是运气。"

杜青莲道:"只可惜这个坑不是为我们挖的。"

沈红叶道:"只有死人才用得着这么样一个坑,难道他想死?"

杜青莲道:"看样子好像是的。"

沈红叶好像很吃惊,道:"像他这么样一个人,为什么想死?"

杜青莲道:"因为他也跟我们一样,也接到一封信,叫他今天到这里来。"

沈红叶道:"那封信也是碧玉夫人给他的!"

杜青莲道:"一定是。"

沈红叶道:"碧玉夫人叫我们到这里来,是为了要在我们四个人之中,选一个女婿。"

杜青莲道:"不错。"

沈红叶道:"碧玉夫人是天下公认的第一位高人,碧玉山庄中,每个人都是天香国色,我接到那封信时,高兴得连觉都睡不着。"

杜青莲道:"我可以想得到。"

沈红叶道:"如果她选中我做女婿,我说不定会高兴得发疯。"

杜青莲道:"你最好不要疯,碧玉夫人绝不会要一个疯子做女婿。"

沈红叶道:"她会不会要一个死人做女婿?"

杜青莲道:"更不会。"

沈红叶道:"那么我们这位邱公子,好好的为什么想死?"

杜青莲道:"因为他是个痴情的人,而且已经跟一位美丽的姑娘,订下了生死不渝的山盟海誓。"他叹了口气,又道:"如果碧玉夫人选中他做女婿,他就没法子和那位姑娘共偕白首了。"

沈红叶道:"所以只要碧玉夫人一选中他做女婿,他就决心死在这里。"

杜青莲道:"一点也不错。"

沈红叶想了想,道:"这件事还有另一种说法。"

杜青莲道:"什么说法。"

沈红叶道:"碧玉夫人是不是一定会看见这个坑?"

杜青莲微笑道:"这么大一个坑,想要看不见,恐怕都很难。"

沈红叶道:"她看见了这个坑,就知道邱公子已经抱定了决死之心,说不定就会放过他,选我做碧玉山庄的姑爷了。"

杜青莲叹道:"你真是个聪明人,聪明人的想法,总是跟别人不一样的,跟痴情人更不一样。"

沈红叶笑了笑,道:"痴情人也未必就不是聪明人。"

邱凤城脸色已经变了,忽然站起来,瞪着杜青莲,道:"你怎么知道这件事的!"这是个秘密,这秘密本来只有两个人知道,可是这句话问了出来,就无异已证实了杜青莲说的不假。

杜青莲叹了口气道:"你想不到我会知道这件事?"

"我自己也想不到,只可惜那位美丽的姑娘……"

他没有说完这句话,脸上忽然起了种奇异的变化,苍白的脸忽然变成种可怕的死黑色,他看着沈红叶,张开口,想说话,但是声音已完全嘶哑。

沈红叶道:"你是不是……"声音也忽然嘶哑,只说出了这四个字,他的脸上也起了种奇怪的变化。两个人面对面站着,你看着我,我看着你,眼睛里都带着恐惧之极的表情。

"波"的一声,沈红叶手里的酒坛子掉了下去,掉在坑里,砸得粉碎。他脸上忽又露出种悲伤而诡秘的笑容,用嘶哑的声音一字字道:"看来还是我的运气比你好,我就站在这个坑旁……"这就是他说的最后一句话,这句话还没有说完,他的人也掉进坑里去。这个坑虽然并不是为他准备的,可是他已经掉了下去,活人又怎么能去跟死人争一个坑。

第二回 杀 手

杜青莲也已倒下。在他倒下去的时候，嘴角已有血沁出来。但是他又挣扎着爬起，桌上的酒壶里还有酒，他挣扎着爬起来，喝尽了这壶酒，大笑道："好酒，好酒。"笑声惨厉而悲伤。

"这么好的酒，就算我明知有毒，也要喝的，你们看，我现在是不是已经喝下去了。"他大笑着冲过来，一个斤斗跌入坑里，他不愿让沈红叶独享。天色忽然阴了，冷风如刀，但是他们却永远不会觉得冷了。

邱凤城，马如龙，吃惊的看着他们倒下去，自己仿佛也将跌倒。这变化实在太突然、太惊人、太可怕。

也不知过了多久，邱凤城终于慢慢的抬起头，瞪着马如龙。他的眼色比风更冷，他的眼睛里仿佛也有把刀，仿佛想一刀剖开马如龙的胸膛，挖出这个人的心来。他为什么要用这种眼色看着马如龙？马如龙已经恢复了镇静。杜青莲是他的朋友，他的朋友忽然死在他面前，他并没有显得很悲伤。杜青莲死得这么突然，这么离奇，他也没有显出震惊的样子。

别人是死是活？是怎么死的？他好像根本没有放在心上。因为他还没有死，因为他还是马如龙，永远高高在上的"白马公子"马如龙。

邱凤城盯着他，忽然问道："你真的从来都不喝酒？"

马如龙拒绝回答。他一向很少回答别人问他的话，他通常只发问，发令。

邱凤城道："我知道你喝酒的，我也看过你喝酒，喝得还不少。"

马如龙既不承认，也不否认。

邱凤城道："你不但喝酒，而且常喝，常醉，有一次在杭州的珍珠坊，你日夜不停的连喝了三天，把珍珠坊所有的客人都赶了出去，因为那些人都太俗，都不配陪你喝酒。"他接着道："据说那一次你把珍珠坊的所有的女儿红都喝完了，二十斤装的陈酒，你一共喝了四坛，这纪录至今还没有人能打破。"

马如龙冷冷道："最后一坛不是女儿红，真正的女儿红，珍珠坊一共只有三坛。"

邱凤城道："你喝了六十斤陈酒后，还能分辨出最后一坛酒的真假，真是好酒量。"

马如龙道："是好酒量。"

邱凤城道："可是，今天你却滴酒不沾。"他的眼色更冷："今天你为什么不喝？是不是知道酒里有毒？"马如龙又闭上了嘴。邱凤城道："你和杜青莲结伴而来，当然知道他在哪里叫的酒菜，要买通一个人在酒里下毒，当然也容易得很。"

马如龙虽然没有承认，居然也没有否认。

邱凤城道："我已决心宁死不入碧玉山庄，现在杜青莲和沈红叶也死了，碧玉夫人也不必再选，阁下已当然是她东床快婿。"他冷笑："这真是可贺可喜。"

马如龙沉默着，过了很久，才冷冷道："我已明白你的意思。"

邱凤城道："你应该明白。"他已握住了他的银枪。

马如龙一个字都没有再说，慢慢的走过来，面对着他。就在这时候，忽然有个人出现了："邱凤城是我的，这次还轮不到你。"

这个人不知道是什么时候来的，很可能就是在杜青莲和沈红叶突然暴毙时候，那时候谁也不会注意到别的事。这个人瘦削，颀长，颧骨高高耸起，一双手特别大。这双大手里握着杆金枪。四尺九寸长的金枪，金光灿烂，就算不是纯金的，看来也像是纯金的。

这个人穿着一身衣裳也是金色的，质料高贵，剪裁合身，这就是他的标布。所以江湖人只要一看见他，立即就会认出他，"金枪"金振林。

江湖中最有名的一杆枪，本来就是这杆金枪，金振林的金枪。可是现在情况变了，因为"银枪公子"已经在三年前击败了这杆金枪。从此金枪和银枪之间，就结下了谁都无法化解的仇恨。

金振林道："我们还有旧账，旧账一定要先算。"

他用手里的金枪指着邱凤城："今天就是我们算账的时候。"

邱凤城冷笑，道："你这个时候选得真巧。"金振林也在冷笑，忽然间拧身，垫步，金枪毒蛇般刺出。金光闪动间，银枪也出手。马如龙只有退后。旧账先算，这本是武林的规矩。

金枪毒辣，迅速，有力，而且比银枪长，一寸长，一寸强。但是银枪却更灵活,更快,招式的变化也远比金枪更多。看来金枪这次又必败无疑。邱凤城显然很想赶快结束这一战,出手间已使出了全力。就在他以全力去对付金振林的时候,一株积雪的梅花后,忽然又有个人窜了出来。

一个黑衣人,黑衣劲装,黑帕蒙面,全身都是黑的。这个人比金振林更长更瘦,就像是一根黑色的箭,身法之快,也像是一枝箭。

他手里有刀,一把薄而利的雁翎刀。刀光一闪,斜劈邱凤城的左颈,这是绝对致命的一刀。

邱凤城虽然在危急中避开这一刀,前胸却已空门大露。金振林的金枪立刻闪电般刺入了他的心脏。

这一枪也是绝对致命的杀手!金振林一击命中,绝不再停留,凌空翻身,掠出四丈。

鲜血溅出,邱凤城倒下去时,金振林已在十丈外,黑衣人退得比他更快。

马如龙没有去追,却窜到邱凤城的身旁。他从不关心别人的死活,可是现在他不去追凶,却抢着来看邱凤城是不是已经死了,所以他错过了一件事,一件任何人都想不到的事!金振林已追上了那黑衣人,两个人并肩向外窜,黑衣人渐渐落后。忽然间,刀光又一闪,黑衣人掌中的雁翎刀,忽然闪电般劈出,一刀劈在金振林的左颈后,这一刀比刚才他的出手更快,更狠。

金振林惨呼,鲜血箭一般射出,想回头来扑这黑衣人。他的身子刚扑起,就已倒了下去。

黑衣人一刀得手,也绝不再停留,身形起落,向谷外猛窜。他杀人的动作干净、利落,而且极有效,显然有极丰富的经验。他杀人之后,杀了就走,连看都不再看一眼。可惜他还是慢了一步。

他忽然发现前面有人挡住了他的去路,他杀人灭口,别人也同样要杀他灭口。他立刻想到了这一点。不等对方出手,他已先出手,他的刀比毒蛇更毒。他杀人一向很少失手,可惜这一次他的对象选错了人。

并肩站在山谷外,挡住他去路的有三个人,一个高大威猛,一个肥胖臃肿,一个是和尚。高大威猛的是个银发赤面的老人,相貌堂堂,气势雄壮。和尚如果在江湖中走动,就一定有点来历,"乞丐,女子,出家人",一向都是江湖中最难斗的三种人,大家都知道。

一个有经验的人要杀人,当然要选最弱的一个。他选的是那看来非但臃肿,而且迟钝的胖子。

他做梦也想不到这胖子竟是当今天下的刀法第一名家，"五虎断门刀"的当代掌门人彭天霸。当今江湖中最快，最狠，最有名的一把刀，就是彭天霸的家传五虎断门刀。

彭天霸当然带着刀，刀在腰，刀在鞘，可是忽然间就到了这黑衣人的咽喉。黑衣人的刀劈出，才看见眼前有刀光闪动，等他看见刀光时，刀锋已割断了他的咽喉。

那高大威猛的老人轻呼："留下他的活口……"可惜他说出这句话的时候，黑衣人的头颅几乎已完全脱离了他的脖子。

彭天霸叹了口气，道："你说得太迟了！"

高大威猛的老人也叹了口气，道："其实我早就应该想到，你的刀下是从来没有活口的。"

那和尚淡淡道："彭大侠的杀孽虽重，杀的人却都是该杀的人，这人片刻间刀伤五命，死得并不冤枉。"

高大威猛的老人道："我只不过想问问他，'聚丰楼'的那五个堂倌和小厮，既非江湖中人，跟他也不会有什么仇恨，他为什么一定要将他们置之死地？"

彭天霸道："现在他虽然死了，这件事我们迟早还是问得出的。"

老人道："问谁？这件事除了他之外，还有谁知道？"

忽然有个人大声道："我知道！"

邱凤城居然还没有死。他挣扎着，推开了马如龙，喘息着道："这件事幸好还有我知道。"

自从移花宫主姊妹仙去之后，武林中最神秘，也最神奇的一个女人，就是碧玉夫人，天下最神秘的地方就是碧玉山庄。江湖中碧玉山庄里的情况，了解得并不多，甚至不知道这山庄究竟在哪里。因为碧玉山庄也和移花宫一样，是女子的天下，男人的禁地。

据说那里的女人不但都很美，而且都有一身极神奇的武功。但是无论多能干的女人，都有需要男人的时候，如果想传宗接代，更少不了男人。

现在碧玉夫人的千金已长大了，碧玉夫人并不想要这惟一的女儿独身到老，她也像别的母亲一样，想找个满意的女婿。目前江湖中最有资格做她的女婿的，无疑就是四公子。

可惜她只有一个女儿，所以她只能在这四个人中挑选一个，所以她要这四个人到这寒梅谷来。碧玉夫人的邀请,从来没有人能拒绝,也没有人敢拒绝。

所以邱凤城、马如龙、杜青莲、沈红叶,这四位名公子全来了。碧玉夫人并没有一定要他们保守秘密,但是他们自己却没有把这件事说出来。因为四个人中只有一个人能中选,如果选不中,当然是件很没面子的事,四公子的声名全都如日中天,谁都丢不起这个人。

想不到酒里居然有毒,杜青莲和沈红叶竟被毒死,更想不到邱凤城的死敌金枪金振林也找到这里,而且还找了个经验丰富的杀手来。除了他们自己之外,绝没有人会知道邱凤城今天在这里。金振林怎么会知道的?

——当然是某一个人把他找来的,另外还找了个以杀人为职业的刺客陪他来——因为这个人知道金振林未必是邱凤城的敌手。——这个人当然也就是在酒中下毒的人——这个人要金振林和那刺客埋伏在途中,把"聚丰楼"送酒菜到这里来的五个堂倌小厮全都杀了灭口。

——这个人又要那刺客,在事成之后,把金振林也杀了灭口——他不怕这刺客泄漏他的秘密,因为一个以杀人为生的人,不但要心黑、手辣、刀快,还得要嘴稳——所以这刺客就算没有死,也绝不会泄漏这位雇主的秘密。

邱凤城最后的结论是:

"我本来应该已经死在金振林的枪下,你们三位本来却不该到这里来的,所以这个人的计划本来应该已完全成功,而且永远没有人能揭破他的阴谋和秘密,碧玉夫人不必再费心挑选,这个人已当然是碧玉山庄的东床快婿。"

邱凤城并没有说出这个人是谁,也不必再说出来。这个人是谁,每个人心里都已很明白,每个人都在冷冷的看着马如龙。

马如龙没有反应。别人用什么眼色看他,别人心里对他怎么想,他都不在乎。

彭天霸一直不停的在来回走动,他的人虽然胖,却极好动。这时他才停下来,停在金振林尸身旁,捡起了那杆金枪,掂了掂分量,喃喃道:"这杆枪并不重"。

邱凤城道:"他练的是家传梨花枪,走的本来是轻灵一路。"

彭天霸道:"据说有人曾经试过,把七个铜钱从他面前抛出去,他一枪刺出,绝对可以把七个钱眼全都刺穿。"

邱凤城道:"他出手的确极准。"

彭天霸叹了口气，道："他自己一定也想不到，这次居然会失手。"

邱凤城道："这次他也没有失手。"

彭天霸淡淡道："既然他没有失手，你为什么没有死？"

邱凤城没有直接回答这句话，却挣扎着，解开了自己的衣襟。他外面穿的是貂裘，里面还有三件紧身衣，贴身的衣服内襟，有个暗袋，正好在心口上，暗袋里藏着个荷包。

荷包上绣着朵并蒂花，绣得极精致，显然是出自一个极细心的女子之手。现在荷包已经被刺穿了，正刺在那一双并蒂花之间。荷包里的一块玉佩，也已经被刺得粉碎。

金振林那一枪并没有失手，那一枪本来绝对可以刺穿邱凤城的貂裘，刺入他的心脏。但是金振林没有想到他还贴身藏着块玉佩，而且正贴在他的心上。

邱凤城道："这是小婉送给我的，她要我贴身藏着，她要我不要因为别人而忘了她。"

他的眼神忽然变得很温柔："我没有忘记她，所以我还活着。"小婉无疑就是他的情人，他宁死也不愿背弃情人。

彭天霸叹了口气，目中已经有了笑意，道："原来一个人痴情也有好处。"

那高大威猛的老人忽然道："邱公子，我虽然不认得你，你这对银枪，我却是认得的。"

邱凤城道："这是晚辈家传之物，晚辈并不敢以此自炫。"

老人道："我知道"。他的词色也很温和："昔年令尊以这对银枪力战'长白群熊'时，我也在场。"

"长白群熊"几兄弟个个都是强悍凶恶的巨寇，雄踞辽东多年，江湖中从来没有人敢去轻犯他们的地盘。

邱凤城的父亲约得了"奉天大侠"冯超凡，力闯长白山，以一对银枪和冯超凡一对纯钢混元牌，荡平长白群熊的窝。这一战不但当时轰动天下，至今犹脍炙人口。

邱凤城道："前辈莫非是冯大侠！"

老人道："不错，我就是冯超凡。"

他微笑道："你看见了他刚才那一刀，想必也该知道他是谁了。"

除了五虎断门刀之外，天下实在没有那么"绝"的刀法。刀绝、情绝、人绝、命绝！一刀绝命，永无活口。

邱凤城叹了口气,道:"此人一定是作恶多端,才会遇见了五虎断门刀。"

彭天霸笑了笑,道:"刚才出手的若是这和尚,他死得只怕更快。"这和尚的出手难道比五虎断门刀更绝?

邱凤城动容道:"这位前辈莫非是少林的绝大师?"

彭天霸道:"不错,他就是绝和尚。"

少林绝僧的人更绝,情也更绝,天生嫉恶如仇,一个人如果有什么过错落在他手里,这一生中就休想有片刻安稳了。

邱凤城长长叹息,道:"想不到苍天竟将三位前辈送到这里来了。"

彭天霸道:"可是我们本来的确不该来的,也不会来的。"

冯超凡道:"我们本来只不过想到聚丰楼去喝杯酒。"他是聚丰楼的老主顾。

饭馆里的老主顾都有固定的堂倌侍候,因为只有这堂倌知道这位老主顾的脾气,喜欢吃点什么,喝点什么,都用不着再吩咐。但是这天他去的时候,专门伺候他的童倌"小顾"却送了一桌酒菜到寒梅谷去了。——如此严寒,居然还有人在寒梅谷赏花饮酒,这人想必是个雅人。

彭天霸道:"三杯下肚,我们这三个老头子也动了豪气,想到寒梅谷看看这位雅人。"

冯超凡叹道:"想不到我们走到半路,就看见小顾他们的尸身。"

彭天霸道:"每个人都是一刀就已致命,杀得好干净,好利落!"

冯超凡道:"他也是用刀,当然更忍不住来看看是谁有这么快的一把刀!"

彭天霸道:"所以我们这三个不该来的人就来了。"

这真是天意。邱凤城仰面向天,喃喃道:"天纲恢恢,疏而不漏,杀人者死!"

他忽然站起来,面对着马如龙一字字道:"这三句话,你以后一定要牢记在心,千万不要忘记。"这时天色已渐渐暗了,冬天的夜晚总是来得特别早的。

第三回 天 杀

马如龙还是没有反应。如果是别人，到了这种时候，纵然还没有逃走，也一定会极力辩白。可是他没有。他还是静静的站在那里，别人说的这件事，好像跟他全无关系。

——他不辩白，是不是因为他知道这件事已无法辩白了？

——他不逃走，是不是因为他知道无论谁在这三个人面前都逃不了的？

绝大师也一直静静的站在那里，淡漠的脸上也全无表情。这时他才开口："我好像听一个人说过，天下刀法的精萃，尽在五虎断门刀中，所以天下各门各派的刀法，他没有不知道的。"

彭天霸道："你的确听人说过，不是好像是听人说过。"

绝大师道："我是听谁说的？"

彭天霸道："当然是听我说的。"

绝大师道："你说的话，我一向都很相信。"

彭天霸道："我虽然也会吹牛，却只在女人面前吹，不在和尚面前吹。"也笑笑又道："在和尚面前吹牛，就像是对牛弹琴，一点用处都没有。"

绝大师既不动怒，也不反讥，脸上还是冷冷淡淡的全无表情，道："刚才那黑衣人一刀就想要你的命，他用的那一刀，想必是他刀法中的精萃。"

彭天霸道："在那种情况下，他当然要把他全身本领都使出来。"

绝大师道："你好像说过，天下各门各派的刀法精萃，你没有不知道的。"

彭天霸道："我说过。"

绝大师道："他那一刀是哪一门，哪一派的？"

彭天霸道："不知道。"他回答得真干脆，江湖中人人都知道"五虎断门刀"的当代掌门，是个最干脆的人。

绝大师却偏偏还要问："你真的不知道？"

彭天霸道："不知道就是不知道，还有什么真的假的。"

绝大师道："你不知道，我知道。"

彭天霸显然很意外，脱口问道："你真的知道？"

绝大师道:"知道就是知道,也不分什么真假。"

彭大霸笑了:"他用的那一刀,是哪一门哪一派的刀法?"

绝大师道:"那是天杀!"

天杀!

彭天霸道:"我又不懂了,什么叫天杀?"

绝大师道:"你去解开他的衣服来看看。"

黑衣人的胸膛上,有十九个鲜红的字,也不知是用硃砂刺出来的,还是用血?"天以万物予人,人无一物予天,杀!杀!杀!杀!杀!杀!杀!"

彭天霸道:"这就叫天杀?"

绝大师道:"是的。"

彭天霸道:"可惜我还是不懂。"

绝大师道:"这是个杀人的组织,这组织中的人以杀人为业,也以杀人为乐,只要你出得起金钱,你要他杀什么人,他就杀什么人。"

彭天霸道:"你怎么知道的?"

绝大师道:"我追他们,已经追了五年。"

彭天霸道:"追什么?"

绝大师道:"追他们的根据地,追他们的首领,追他们的命!"他淡淡的接着道:"杀人者死,他们杀人无算,他们不死,天理何存!"

彭天霸道:"你没有追出来?"

绝大师道:"没有。"

彭天霸道:"可是你总有一天会追出来的,追不出来,你死也不肯放手。"

绝大师道:"是的。"

天暗了,冷风如刀。彭天霸又俯下身,将黑衣人的衣襟拉起来,好像生怕他会冷。死人绝不会怕冷的。

这黑衣人如果还活着,就算冻死,彭天霸也不会管。但是无论谁对死人都反而会特别仁慈些,因为每个人都会死的。等到他自己死了后,他也希望别人能够对他仁慈些。彭天霸拉起了这死人的衣襟,就有样东西从这死人衣襟里掉了下来。

掉下来的是块玉。玉,是珍中的珍,宝中的宝。玉是吉物,不但避邪,而且可以为人带来吉祥、平安、如意。

在古老的传说中,甚至说玉可以"替死",替主人死,救主人的命。小婉送给邱凤城的那块玉,就救了邱凤城的命。

这块玉却要马如龙的命。因为这块玉上结着条丝条,丝条上系着块金牌,金牌的正面,是一匹马,金牌的反面是四个字!

"天马行空"

这是天马堂的令符,马如龙就是天马堂主人的长公子。

天马堂的令符,怎么会到了这刺客身上? 这只有一种解释:马如龙用这块玉和这令符,收买了这刺客,叫这刺客来为他杀人。杀杜青莲,杀邱凤城,杀金振林,杀聚丰楼的堂倌和小厮。

可是他想不到邱凤城居然没有死,更想不到彭天霸、冯超凡和绝大师会来。这是天意,天杀不是天意,天间是戒杀的!

直到现在为止,谁也没有说出"这个人"的名字,因为这件事的关系太大,杜青莲,沈红叶,金振林,每一个人的死,足以震动武林,而且极可能引起江湖中这几大世家的仇杀!

只要他们的仇杀一开始,就绝不是短时期可以结束的,也不知会有多少无辜的人因此而死。这绝不是可以轻率下判断的事。可是现在动机和证据全有了,而且铁证如山。

冯超凡沉着脸,一字字道:"现在我们应该听听马如龙有什么话说。"

马如龙没有说话,他慢慢的解下了身上的银狐裘,缓缓说道:"这是我三叔少年时,夜猎大雪山所得,先人的遗物,我不能让它毁在我的手里。"

他将这狐裘交给了彭天霸:"我知道阁下昔年和我三叔是朋友,我希望你能把他的遗物送回天马堂,交给我的三婶。"

彭天霸叹了口气,道:"马三哥英年早逝,我……我一定替你送回去。"

马如龙又慢慢的解下了他那柄剑光夺目的长剑,交给了绝大师。

他说:"这柄剑本来是武当玄真观主送给家父的,少林武当,本是一脉相传,希望你能把这柄剑送回玄真观去,免得落入非人之手!"

绝大师道:"可以。"

马如龙又从身上取出一叠银票和金叶子,交给了冯超凡。

冯超凡道:"你要把这些东西,交给谁?"

马如龙道:"钱财本是无主之物,交给谁都无妨。"

冯超凡沉吟着,终于接了过来,道:"我拿去替你救几个人,做点好事。"

现在每个人都已看出马如龙这是在交代后事,一个人在临死前交代的事,很少有人会拒绝的。他们用两只手捧着马如龙交给他们的遗物,心情也难免很沉重。

马如龙长长吐出口气,喃喃道:"现在只剩下这匹马了。"

他的白马还系在那边一棵梅树下,这种受过严格训练的名种良驹,就像是个江湖高手一样,临危不乱,镇静如常。马如龙走过去,解开了它的缰绳,轻拍马股,道:"去!"白马轻嘶,小步奔出。

马如龙转过身,面对着冯超凡,道:"现在我只有一句话要说了。"

冯超凡道:"你说。"

马如龙冷冷道:"你们都是猪!"

这句话说出,他的身子已箭一般倒窜了出去,凌空翻身。他的白马开始时是用小步在跑,越跑越快,已在数十丈外。马如龙用尽全力,施展出"天马行空"的绝顶轻功。这种轻功身法最耗力,可是等到他气力将衰时,他已追上了他的马。这匹万中选一的快马,现在身子已跑热了,速度已到达巅峰。马如龙一掠上马,马长嘶,行如龙,人是纯白的,马也是纯白的,大地一片银白。

冯超凡和彭天霸也展动身形追过来,手里还拿着马如龙交给他们的金叶子和狐裘。等到他们发觉自己的愚蠢时,这一人一马已消失在一片银白中。冯超凡跺了跺脚,将手里一叠金叶子用力摔在地上:"我真是个猪。"

天色更阴,风更冷。冷风刀一般迎面刮过来,马如龙胸中却像是有一团火。怒火!因为他自己知道自己绝不是凶手,绝没有在酒里下毒。只可惜除了他自己,谁都不会相信他是清白无辜的。他看出了这一点。他只有走!

死,他并不在乎,能够和那些认定了他是凶手的人决一死战,本是件快事!但是他若死在他们手里,这冤枉就永远再也没法子洗清了。他要死,也要死得清白,死得光明磊落。他发誓,等到这件事水落石出,真相大白的那一天,他一定还要找他们决一死战!

真正的凶手是谁?是谁在酒里下的毒?是谁买通了那天杀的刺客?他连一点线索都没有。

无论这个人是谁,都一定是个极阴沉毒狠的人,这计划之周密,实在是无懈可击。他是不是能揭穿这阴谋,找出真凶?现在他是连一点把握都没有,现在他根本还不知道应该往哪里下手?他只知道,在真凶还没有找出来的时候,他就是别人眼中的凶手。

如果冯超凡,彭天霸,和少林绝大师都说一个人是凶手,江湖中绝没有人还会怀疑,不管他走到哪里,都一定有人要将他置之死地。他更不能把这麻烦带回去。一个千夫所指的凶手，本来就是无处可去，无路可走的。

如果是别人，在他这种情况下，说不定会被活活气死、急死，可是他不在乎。他相信天地之大，总有他可以去的地方，也相信天网恢恢，疏而不漏，总有一天他能把真凶找出来的，他对自己有信心。他对自己全身上下每个地方都充满信心，他的手比别人更有力，他的思想比别人更灵活，他的耳和他的眼也比别人更灵敏。

就在这时候，他已听见了一点别人很可能听不见的声音。仿佛是在呼喊，却又微弱得像是呻吟。然后他就看见了一束头发。天色虽然已黯了，可是漆黑的头发在银白的雪地上，看来还是很显眼。

如果别人经过这里，很可能也会看见这束头发的，却一定看不见这个人。这个人全身都已被埋在冰雪里，只露出了半边苍白的脸。这半边脸在他眼前一闪，快马就已飞驰而过。他没有停下来。他在亡命。

情绝人更绝的绝大师，绝不会放过他的，现在很可能已追了上来。这次他们如果追上他，是绝不会再让他有机会逃走的，他绝不能为一个已经快冻死的陌生人停下来。

——但是那个人一定还没有死，还在呻吟。马行如飞，已奔出了很远，他忽然勒转马头，兜了回去。

一个人如果见死不救，他还有什么值得自己骄傲的？马如龙是个骄傲的人，非常骄傲。

连漆黑的头发都已结了冰，苍白的脸上更已完全没有血色。这个人居然奇迹般的活着。——一个人如果被埋在冰雪里，要过多久才会被冻死？

据说女人忍受饥寒痛苦的力量，要比男人强些。这个人，是女人，很年轻，却不美，事实上，这个女人不但丑，简直丑得很可怕。她的鼻梁破碎而歪斜，鼻子下是一张肥厚如猪的嘴，再加上一双老鼠般的眼睛，全都长在一张全无血色的圆脸上。这个女人看来就像是个手工拙劣的瓷人，入窑时就已烧坏了。

现在她虽然还没有死，要活下去也已很难。如果有一杯烧酒，一碗热汤，一件皮裘，一个医道很好的大夫，也许还能保住她的命。可惜现在什么都没有。

马如龙自己身上的衣服已不足御寒，自己的命也未必能保住。他已经尽了心，现在实在应该抛下这个其丑无比的陌生女人赶快走的。但是他却将自己身上惟一一件可以保暖的干燥衣服脱下来，裹在她的身上，把她的身子紧紧包住，用自己的体温去暖她。

　　——男人最大的悲哀是"愚蠢"，女人最大的悲哀却是"丑陋"。一个丑陋的女人，通常都是个可怜的女人。马如龙非但没有因为她的丑陋而抛下她，反而对她更同情。只要他还有一口气，就绝不会眼看着她像野狗般冻死。但是他并不知道把她带到哪里去，现在他自己也已一无所有，无处可去。

　　这时天已黑了。寒冬的夜晚不但总是来得特别早，而且总是特别长。

第四回 长 夜

夜。漫长的寒夜刚开始。马如龙拾了些枯枝,在这残破的废庙里找了个避风的地方,生起了一堆火。

火光很可能会把敌人引来,任何人都知道,逃亡中是绝不能生火的,就算冷死也不能生火。但是这个女人实在需要一堆火,他可以被冻死,却不能让这个陌生的女人因为他畏惧敌人的追踪而被冻死。他宁死也不做这种可耻的事。

火堆生得很旺。他将这女人移到最暖和,最干燥的地方,他自己也同样需要休息。他刚闭起眼睛没多久,忽然听见有个人尖声问:"你是什么人?"

这个女人居然醒了。她不但丑得可怕,声音也同样尖锐可怕。马如龙没有回答她的话。现在他自己也不知道自己是谁了,一个亡命的人,既没有未来,也没有过去。他慢慢的站起来,想过来看看这女人的情况,是不是能走能动,能不能再活下去。谁知这女人却忽然从火堆旁抄起一根枯枝,大声嚷道:"你敢过来,我就打死你!"他冒险救了她的命,这个奇丑无比的女人却好像认为他要来强奸她。马如龙一句话都没有说,又坐下。

这女人手里还紧紧握着那根枯枝,用一双老鼠般的眼睛狠狠盯着他。马如龙又闭上了眼睛。他实在懒得去看她,这女人却又在尖声问:"我怎么会到这里来的?"马如龙也懒得回答。

这女人总算想起了自己的遭遇,所以才问道:"我刚才好像已经被埋在雪堆里,是不是你救了我?"

马如龙道:"是的。"

想不到这女人又叫了起来:"你既然救了我,为什么不把我送到城里去找个大夫? 为什么要把我带到这破庙来?"

她的声音更尖锐:"你这种人我看得多了,我知道你一定没有存好心。"

马如龙本来已几乎忍不住要说:"你放心,我不会强奸你的,像你长得这副尊容,我还没兴趣。"但是他没有说出来。这女人的脸在火光下看来更丑,他不忍再去伤她的心。所以他只有缓缓叹了口气,道:"我没有送你去找大夫,只因为我已囊空如洗。"

这女人冷笑道:"一个大男人,怎么会混成这种样子,穷得连一文都没有,一定是因为你好吃懒做,不务正业。"马如龙又懒得理她了。这女人却还不肯放过他,还在唠唠叨叨的骂他不长进,没出息。

马如龙忽然站起来,冷冷道:"这里的枯柴,足够你烧一夜,等到天亮,一定会有人找到这里来的。"他实在受不了,只好走。

这女人却又尖声嚷叫起来:"你干什么? 你想走? 难道你想把我一个孤苦伶仃的弱女子,抛在这里不管了,你还算什么男人?"她这样子实在不能算是个"弱女子",可惜她确实是个女人。

这女人冷笑道:"你是不是怕我的对头追来,所以想赶快溜之大吉?"

马如龙忍不住了,他问道:"你有对头?"

这女人道:"我没有对头? 难道是我自己把我自己埋在雪堆里的,难道我有毛病?"

马如龙又慢慢的坐了下去。他并没有问她,对头是谁? 为什么要来追你,他只知道现在绝不能走了。一个弱女子,被人埋在冰雪里,被人追杀,一个男子汉既然遇到了这种事,就绝不能不管。

这女人又问道:"现在你不走了?"

马如龙道:"我不走了。"

这女人居然道:"你为什么不走了? 是不是又想打什么坏主意?"马如龙居然笑了。他实在忍不住要笑,像这样的女人实在少见得很,想不到他居然在无意间遇到一个。他不笑又能怎么样,难道去痛哭一场? 难道去一头撞死?

这女人又尖叫道:"你一个人偷偷的笑什么? 你究竟在打什么鬼主意? 说!"

马如龙什么都没有说,因为破庙外已经有人在说道:"他不会说的,这位马公子心里在打什么主意,从来都不会说出来的。"火光闪动中,一个人慢慢的走了进来,赫然竟是彭天霸。

彭天霸手里还拎着那件银狐皮裘,用左手拎着。他的右手里提着的是把刀,一把已经出了鞘的刀,五虎断门刀。可惜这女人既不认得他这个人,也不认得他这把刀。她一双老鼠眼般的眼睛立刻又瞪了起来,大声道:"你是谁?"

彭天霸道:"我是条猪。"

这女人道:"你虽然长得胖了些,比猪好像还瘦一点。"

彭天霸叹了口气,道:"只可惜我比猪还笨一点,所以,才会接下他这件银狐裘。"

这女人显得很意外,问道:"这是他的?"

彭天霸道:"是。"

这女人道:"他为什么要把这么好的东西给你?"

彭天霸道:"因为他要用这件皮裘拿住我的手。"

这女人道:"是你用手拿住这皮裘,还是这皮裘拿住你的手?"

彭天霸道:"都是一样的。"

这女人道:"怎么会一样?"

彭天霸道:"不管是这皮裘拿住了我的手,还是我的手拿住这皮裘,反正我这只手上已经有了东西,既不能拔刀,也不能发镖了。"他的飞虎追魂镖,也和他的五虎断门刀同样可怕。

这女人却不懂:"他为什么不让你拔刀,又不让你发镖?"

彭天霸道:"因为他要逃走。"

这女人道:"他为什么要逃走? 是不是因为你欺负他? 你为什么要欺负人?"

彭天霸只有苦笑。他终于发现自己跟这女人说话,实在不是件明智之举。他立刻沉下了脸,冷冷道:"马公子,这次你用不着再逃了,这次我们三个人分成了三路,现在只有我一个人,你不妨把我也杀了灭口。"

马如龙没有开口,这女人却抢着道:"他不会杀你的,他是个好人。"

彭天霸道:"他是个好人?"

这女人道:"他当然是个好人,我从来都没有见过他这样好的人,你敢碰他,我就打死你。"

彭天霸笑了,冷笑,想不到这女人忽然扑了过来,抱住了他的膀子,大声道:"我替你挡住他,你快走。"

马如龙没有走。她也挡不住彭天霸,彭天霸的臂一振,她就倒在地上。

彭天霸道:"你说的话太多了,一定累得很,还是躺一躺的好。"他轻轻一脚踢出,踢住了她的晕穴,把手里的狐裘盖在她身上。

马如龙眼睛盯着他手里的刀,等着他出手。想不到彭天霸反而把刀又插入了腰边的刀鞘,伸出一双手来烤火。他知道马如龙逃不了的,在出手之前,先使双手的血脉畅通。这老江湖的镇定与沉着,让人不能不佩服。

马如龙居然也很沉得住气,既没有显得焦躁不安,也没有抢先出手。

火势已弱。彭天霸又加了几根柴木在火堆里,才缓缓地说道:"你可知道我跟你三叔是朋友?"

马如龙道:"嗯。"

彭天霸道:"他生前是不是曾经在你面前,说起我的事?"

马如龙道:"嗯。"

彭天霸道:"他有没有说起过,我跟他怎么交上朋友的!"

马如龙道:"没有。"

彭天霸道:"我们是不打不相识。"他笑了笑,又接道:"你三叔是个极骄傲的人,当然不会在你面前,提起这件事。"

马如龙道:"为什么?"

彭天霸道:"因为我的聪明才智虽然比不上他,可惜他的兴趣太广了,琴棋书画,什么他都要去学一学,练剑的时间当然就不会有太多。"

这一点马如龙也听说过,他的三叔不仅是位极负盛名的剑客,也是位极有名的花花公子。

彭天霸道:"所以他虽然样样比我强,武功却不如我,我跟他曾经交手三次,每一次都是在一百招之内将他击败的。"他不让马如龙开口,忽然又问道:"你的剑法比起你三叔如何?"

马如龙沉吟着,过了很久,才缓缓道:"我不如他。"

彭天霸道:"我也相信你的剑法绝对不如他,所以你手里纵然有剑,我也可以在一百招之内,取你的性命。"他淡淡的接着道:"现在你是空着手的,最多只能接我六十招。"

马如龙没有开口。彭天霸又道:"我的刀法,刀刀俱是杀手,每招出手必尽全力,有时虽然不想杀人,可是一刀劈出后,我自己也控制不住。"

他叹了口气道:"所以我的刀下一向很少有活口。"马如龙沉默。彭天霸又道:"你也和你的三叔一样,是个绝顶聪明,也骄傲已极的人,但是我并不希望你和他一样早死。"

马如龙道:"你究竟想说什么?"

彭天霸也沉吟了很久,才缓缓道:"我忽然觉得这件事有几点奇怪的地方。"

马如龙道:"哦?"

彭天霸道:"你知不知道我怎么会找到这里来的?"

马如龙摇头。

彭天霸道："是你自己，把我带来的。是你在雪地上留下的那些马蹄印子把我带来的。"

马如龙居然没有想到这一点，因为他从来没有逃亡过。

彭天霸道："你能想得出那么周密狠毒的计划来害人，就不该这么的疏忽大意，更不该在自己逃命还来不及的时候，冒险去救一个像她这么样奇丑无比的陌生女人。"他叹了口气，又道："这些事你却偏偏做出来了，看来，又不像是装出来的，我虽然是条猪，也不能不觉得有点奇怪，所以……"

马如龙道："所以怎么样？"

彭天霸道："所以我希望你能好好的跟我走，不要逼我出手。"

马如龙淡淡道："你要我跟你到哪里去？"

彭天霸道："我暂时把你送到少林去，三个月内，我一定替你查明这件事的真相，到那时我一定会给你个公道。"马如龙既没有答应，也没有拒绝。

彭天霸道："现在你已是众矢之的，无论走到哪里，别人都不会放过你，你只有这条路走。"这是实话，也是实情。

彭天霸慢慢的走过来，道："所以现在你一定要完全信任我，现在也只有我能帮助你。"他伸出他的手。看来这的确已经是世上惟一肯帮助马如龙，惟一能帮助马如龙的一双手了。

马如龙终于把这双手握住，道："我相信你，可是……"他没有再说下去。因为就在这时候，彭天霸已突然飞起一脚，踢在他环跳穴上。他的腿一软，彭天霸的手已闪电般一翻，扣住了他的脉门，纵声大笑道："现在你总该知道，究竟谁是猪了！"

手放开，人倒下。"咯"的一声脆响，五虎断门刀又已出鞘。彭天霸的确不愧是当今江湖中数一数二的刀法名家。拔刀的动作不但干净利落，而且姿势优美。

他杀人的姿势想必也同样优美，拔刀，通常都是为了要杀人的。但是他应该还有很多事要问马如龙，纵然他已确定马如龙就是真凶，也应该先问清楚。为什么他现在就已拔刀？

马如龙终于明白了。看见彭天霸的刀拔出来，他就明白了，凶手就是彭天霸！所有的阴谋和行动，都是他在暗中主持的，所以他绝不能留下那"天杀"黑衣人的活口。

所以他现在根本不必再问什么，他同样也不能再留下马如龙的活口。

只可惜马如龙现在虽然已完全明白,却已太迟了,刀光如雪,已向他直劈了下来。

想不到的是,这一刀还没有劈在马如龙脖子上,彭天霸的人竟然跳了起来,凌空翻身,远远落下,脸色已惨变,厉声喝问:"是什么人?"除了已经被他点了穴道的两个人之外,这里根本没有别的人。难道他看见了鬼?

火光明灭闪动,彭天霸的脸色好像也跟着在闪,一阵红,一阵白、青。可是这里非但看不见别的人,连鬼影子都看不见一个。他忽然一个箭步窜过来,一刀向马如龙的脖子劈了下去。

他又见了鬼!这一次他见的鬼一定更可怕。马如龙什么都没有看见,他却又跳了起来,跳得更高,而且凌空翻了个身之后,就窜了出去,连头都没有回。

破庙外一片黑暗,他一窜出去,就连人的影子都看不见了。火焰闪动,风在呼啸。寒风中忽然又传来一声呼喊,短促而尖锐,充满了恐惧和惊讶。

马如龙听出呼声是彭天霸发出来的,却猜不出这是怎么回事。他很想出去看看,可惜他双腕和两膝的穴道都已被点住。

彭天霸虽然是以刀法成名的,点穴的手法也绝不比人差。这时只要有个人进来,手里只要有把刀。随便他是个什么样的人,随便他手里拿着的是把什么样的刀,都可以一刀割断马如龙的咽喉。幸好没有人进来。没有人,没有鬼,没有声音,没有动静,什么都没有。天地间仿佛已只剩下他们两个连动都动不了的人,和一堆快要熄灭了的火。

但是,马如龙知道随时都可能有人会来的。就算彭天霸不会再回来,冯超凡,绝大师,邱凤城,都随时可能会来。无论来的是谁,都绝不会放过他。

现在漫长寒冷的夜晚还没有过去,还不知道会发生些什么事。冬天的夜晚总是特别长,特别长的。

第五回　大　　婉

枯枝烧得很快,火已越来越小了。马如龙尽量要自己冷静,他的心还没有冷静下来,身子却越来越冷,整个人都已快冻僵。火已经快灭了,被点的穴道,还不知要等到什么时候才能解开。

现在还没有到一个晚上最冷的时候,再这样冷下去,说不定,会活活冷死在这里。他从来没有想到过,像他这么样一个人,会有可能被冻死。其实人生就是这样子的,未来的事,谁也没法子预料。造化弄人,谁也没法子预知自己的命运。

马如龙在心里叹了口气,忽然发觉自己并没有自己想像中那么值得骄傲。就在这时候,那女人忽然从狐裘里伸出头来。

马如龙的气血还没有通,她的穴道反而先开了,用一双小老鼠的小眼睛,像只小老鼠般东张西望了半天,才长长吐出口气,道:"想不到那胖子居然走了,想不到你居然还活着。"这的确是件很意外的事!无论谁都想不到彭天霸会放过马如龙,就像是只中了箭的兔子一样忽然落荒而逃。

她站起来,穿起了马如龙的皮裘,笑道:"这件衣服的皮毛真不错,又轻又软又暖和,我穿着大小也正好刚合适。"

幸好马如龙还能说话,忍不住道:"只可惜这件衣服好像是我的。"

这女人摇头道:"这不是你的,现在已经不是你的了。"

马如龙道:"为什么?"

这女人道:"因为你已经把它送给了那胖子,那胖子又送给了我。"

她笑得更愉快:"所以现在这件衣服已经是我的了。"

马如龙并没有争辩。他一向不是个小家子气的人,这种事他根本不在乎。可是他实在太冷,又忍不住道:"你能不能加点火?"

这女人说道:"加火干什么?我又不冷。"

马如龙苦笑道:"你不冷,我冷。"

这女人说道:"我不冷,你为什么会冷?"

马如龙怔住了。这女人实在太妙了,妙得让人哭也哭不出,笑也笑不出。他的肚子居然还没有被气破,已经是他的运气。

这女人居然又道:"年轻人一定要能够吃苦耐劳,冷一点又有什么关系?你年纪轻轻,连这点苦都不能吃,将来还能做什么大事?"

马如龙只有闭上嘴。他终于发觉要跟这种女人讲理,不但是白费力气,简直愚不可及。一个男人遇见了一个这么样的女人,最好的法子就是把眼睛和嘴全都闭起来。

这女人居然放过了他,喃喃道:"不知道天是不是快亮了,我出去看看。"她一个人自言自语走了出去,刚走出去,忽然又大叫一声,跑了回来,也像是屁股上忽然中了一箭。

马如龙本来不想理她的,可是这个女人虽然讨厌,对他总算不错,不但说他是个好人,而且还拼了命去抱住彭天霸叫他快走。一个人只要还活着,就要活得问心无愧,就要恩怨分明。所以马如龙不能不问:"什么事?"

这女人惊声道:"外面……外面有个人。"

天寒地冻,半夜三更,这个荒僻的破庙外面怎么会有人? 马如龙更不能不问:"谁?"

这女人道:"就是刚才那个胖子。"

马如龙动容道:"他还没有走?"

这女人道:"还没有。"既然没有走,为什么不进来? 马如龙道:"他在外面干什么?"

这女人道:"谁知道他在干什么? 他一个人躺在那里,好像睡着了。"她居然还能解释:"胖子总是喜欢睡觉的。"

可是不管多胖,多喜欢睡觉的人,也不会睡在雪地上的。马如龙道:"你一定看错了。"

这女人道:"我绝不会看错,我的眼睛不但长得漂亮,而且眼力最好。"她的眼睛实在长得不难看,至少比老鼠要好看一点。

马如龙说道:"你能不能,再出去看看?"

这女人道:"你自己为什么不出去看看?"马如龙又闭上了嘴。

这女人看着他,忽然笑道:"我明白了,你一定也跟我一样,也被那胖子踢了一脚,所以现在连动都不能动。"马如龙闭着嘴。这女人居然说:"好,我就替你出去看看,你对我总算还不错。"可是她刚走出去,又大叫一声,跑了回来,看样子比刚才还吃惊。

马如龙道:"他不在了?"

这女人喘息着道:"他……他还在,他永远都走不了的。"

马如龙道:"为什么?"

这女人道:"因为他已经死了!"

彭天霸怎么会死? 刚才他还活得很好,而且身体健康,无病无痛,看起来比谁都要活得长些。

马如龙道:"他真的死了?"

这女人道:"绝对死了,从头到脚都死了,死得干干净净。"

马如龙道:"你看不看得出他是怎么会忽然死了的?"

这女人道:"我当然看得出。"她好像在发抖:"无论谁的脖子被砍了一刀,我都看得出他非死不可!"

马如龙更惊奇。彭天霸绝对是当今武林中数一数二的刀法名家。他的脖子怎么会被人砍了一刀? 这一刀是谁砍的? 天下还有谁的刀法比他更快? 更高明? 这个人为什么要砍他一刀?

只有一种解释! 真正的凶手并不是彭天霸,主持这阴谋的还另有其人,连彭天霸都一直在受这个人操纵。现在这个人把彭天霸也杀了灭口。这个人是谁? 他既然杀了彭天霸,为什么不进来把马如龙也杀了灭口?

这些问题除了"这个人"之外,绝没有第二个人能回答。马如龙终于发现,这阴谋远比他想像中更复杂,更可怕。

这女人忽然道:"不行。"

马如龙道:"什么事不行?"

这女人道:"我们绝不能够再留在这里。"

马如龙同意。他们确实不能够再留在这里,只可惜他偏偏又没法子走。

这女人忽然又道:"我是个女人。"

马如龙道:"我知道。"

这女人道:"英雄好汉都是男人,君子也一定是男人,所以……"

马如龙道:"所以怎么样?"

这女人道:"所以我既不是君子,也不是英雄好汉。"她叹了口气,道:"所以你虽然不能走,我却要走了。"

为了她,马如龙才会在这里停下来,才会生起这堆火,遇到这件事。现在她居然要一个人走了。

马如龙居然答应:"好,你走吧。"

这女人居然又说:"可是我走不动,我一定要把你的马骑走。"

马如龙居然也答应道："好,你骑走吧。"

这女人终于也觉得这个人有点奇怪了,她总算还有点人性。她居然也忍不住叹了口气,道："你这个人实在是个好人,只可惜……"

马如龙道："只可惜什么?"

这女人道："只可惜好人都是不长命的。"

她居然真的走了,穿着马如龙的狐裘,骑着马如龙的白马走了。火堆已熄灭,她居然也没有替他加柴添火。这女人做出来的事真绝,简直比绝大师还要绝一百倍。

寒夜寂寂,蹄声还没有去远,寒风中忽然又传来一阵极轻快的脚步声。两个人的脚步声,停在破庙外。

"有个死人在这里,"一个人失声道:"死的是彭天霸。"

"还有没有救?"

"一刀致命,神仙也救不活。"

马如龙的心沉了下去。他听得这两个人的声音,正是绝大师和冯超凡。看见了彭天霸的尸身,再找到他,他们绝不会再给他任何机会解释。想不到他们并没有进来,因为他们也看见了刚才疾驰而去的白马。

"那一定是天马堂的白龙驹。"他们也看见了马上人穿着的狐裘。

"一刀致命,杀了就走,好辣的手,好狠的人!"

"他逃不了的。"

"可是彭天霸……"

"彭天霸会在这里等,马如龙却不会等,我们追!"

这几句话说完,脚步声和衣袂带风声都已去远。他们都将那个穿着狐裘,骑着白马的女人当作了马如龙。他们都想不到破庙里还有人。

如果那女人没有走,如果这里有火光,如果那匹白马还留在这里,现在会是种什么样的情况? 马如龙当然可以想像得到。他忽然发觉那个女人做事不但绝,而且绝得很巧,绝得很妙。他忽然发现她也许并不是别人想像中那种不通人情,蛮不讲理的女人。也许她比谁都聪明得多。

无论多寒冷漫长的黑夜,总有天亮的时候,无论被什么人点住了的穴道,总有开解的时候。现在天已经亮了,被封闭的穴道,气血也已通了。

彭天霸用的手法并不太重,他并不想把马如龙的穴道封闭太久。因为马如龙绝对活不了太久的。想不到马如龙现在还活着,他自己的尸体却已完全冰冷僵硬。那一刀正砍在他左颈上,是从前面砍下去的,却连后面的大血管都已砍断。

一刀致命,一刀就已得手。这位以刀法名震武林的高手,竟似完全没有闪避招架。世上绝没有任何人能使他完全没有招架闪避之力,一刀就要了他的命。

除非他做梦也想不到这个人会对他下毒手,做梦也想不到这一刀会砍下来。因为这个人是他的朋友,很接近的朋友,很信任的朋友。他们共同计划这件事,现在他们的计划已成功,想不到这个人竟要把他也杀了灭口。这个人是谁? 马如龙非但猜不出,而且完全没有一点头绪,一点线索。这问题根本没有任何人能回答。

另外一个比较容易的问题是——这计划成功后,会发生什么事? 会有什么样的结果? 对谁最有好处?

——这个人计划做这件事,当然是为了自己的好处。这计划成功后,马如龙就会被认定是凶手。杜青莲、沈红叶、邱凤城的亲人和朋友,都会去找马如龙算账。

如果他们找不到马如龙,就会去找天马堂。如果他们杀了马如龙,天马堂也一定会去找他们算账。所以这件事到最后结果,一定是火并,天马堂和杜、沈、邱三家的火并。

这四大家族的火并,最后一定是两败俱伤。鹬蚌相争,得利的是渔翁。谁是这个渔翁?

又是晴天。雪地上的马蹄印子,明显得就像是特地画出来,好让别人追上去的。现在他们是不是已经追上了她?

马如龙甚至可以想像到人们发现她是个什么样的女人后,脸上那种哭笑不得的表情。他忽然觉得这个女人很绝,很丑,很怪,却很有趣。这是他第一次觉得她很有趣。

不管怎么样,他并没有亏欠她什么,以后她恐怕再也不会见到她的人了。她是往东走的,他决定往西去。现在,他不但冷得要命,而且饿得要命。他知道西面有个很大的城市,有家很好的客栈,屋子总是收拾得很干净,床上总是铺着新换的被单,屋里总是生着很旺的火! 厨房里随时都准备着上好的羊肉涮锅,烤得又香又酥的芝麻酱烧饼。这些正是他现在最需要的。

繁华热闹的城市,干净整齐的街道,那家客栈的店小二,正在门口拉生意。马如龙却不敢进去了。快走到门口时,他才想起自己身上已不名一文,连买个烧饼的钱都没有。门口的店小二也并没有拉这位客人进去的意思,一个在如此严寒天气里,身上连件皮货都没有的人,绝不会是好客人。

被人冷落的滋味实在不好受。这是马如龙第一次尝到这种滋味,他终于发现了金钱价值。实在比他以前想像中高得多。既然饥寒交迫,囊空如洗,他还是挺起胸膛,大步走了过去。

虽然连他自己都不知道自己要到哪里去,他的脚步还是没有停。就在这时候,他看见了一匹白马。他认得这匹马,这匹马好像也认得他,正看着他扬蹄轻嘶,这匹马居然就是他的白龙驹。

马系在一家酒楼下,楼上的窗户里忽然有个人探出头来向他招手。这个人居然就是那个让人觉得又绝,又妙,又有趣的丑八怪。她明明是往东去的,怎么忽然又到了这个西边的城市里?

她大声招呼:"上来,快上来。"马如龙还在迟疑,她又大声道:"你是要自己走上来,还是要我下来拉你?"他只有苦笑,"我上去,我自己上去。"

酒楼上温暖而宽敞,充满了羊肉酥鱼,茅台大曲,和芝麻酱烧饼的香气。

她一个人占据了一张可以坐得下八个人的位子,桌上摆着连八个人都吃不了的酒菜。她身上还穿着马如龙那件狐裘,看着马如龙道:"坐下,快坐下。"

马如龙只有坐下。她又大声道:"吃,快吃。"

马如龙只有吃。他不想让她过来拉他,也不想要她把羊肉塞到他嘴里。她做事好像通常都不太给别人选择的余地。

看到马如龙把一块炖得极烂的小羊肉吞下肚,这女人眼睛里才有了笑意,却还是板着脸道:"年轻人不但要能饿,还要能吃,你不把这碗炖羊肉吃完,不管你想说什么,我都不理你。"

马如龙居然真的把一大碗炖羊肉都吃完了,还吃了两个烧饼。

这女人又倒了一大碗酒给他:"吃饱了肚子,就可以喝酒了,快喝。"

这次马如龙却在摇头道:"不喝。"

这女人道:"你是不是要我捏着你的鼻子灌下去?"

马如龙不理她。他实在不相信一个女人会在大庭广众之下捏住他的鼻子。可是他想错了。她居然真的捏住了他的鼻子。

她的脸虽然长得又丑又怪,一双手却长得很好看。而且纤秀光滑,柔若无骨。这是马如龙第一次发现她身上居然还有个地方长得好看,他终于把这碗酒喝了下去。

自从那次在珍珠坊大醉了三天之后,他就滴酒不沾。他已决心戒酒。可是不管多有决心的人,在经过了他遇见的这些倒霉事之后,而且又被一个女人在大庭广众间捏住鼻子的时候,决心都会动摇的。

这女人终于笑了,道:"这样才像话,一个人,如果连酒都不敢喝,算什么男子汉。"

她又替他倒了一碗:"可是你放心,这酒里没有毒,我并不想毒死你。"

马如龙既然已开了戒,索性就喝个痛快。他本来就想大醉一场,无论谁在他这种情况下,都会想大醉一场的。三大碗下肚,酒意上涌,他终于问道:"现在我是不是已经可以说话了?"

这女人冷冷道:"有话快说,有屁快放。"

马如龙问道:"你怎么会跑到这里来了?"

这女人道:"我高兴来,就来了。"

马如龙道:"你本来明明是往东边去的?"

这女人说道:"可是我忽然想到西边来。"

马如龙道:"你不是在盯着我?"

这女人道:"你是不是以为你自己长得很漂亮,女人都要盯着你?"她忽然又冷笑,道:"我既不是杜青莲的妈,又不是沈红叶的娘,更不是那个臭和尚的祖奶奶,我为什么要盯着你?"

马如龙动容道:"你知道这件事?"

这女人道:"哼。"

马如龙道:"你怎么会知道的?"

这女人道:"哼。"

马如龙道:"你是不是看见了冯超凡和绝和尚,是不是他们告诉你的?"

这女人连哼都不再哼一声,又满满的替他加了一碗酒,一大碗。

马如龙叹了口气,道:"你喝酒是不是一定要用大碗?"

这女人终于回答:"是。"

马如龙问道:"你为什么一定要用大碗?"

这女人道:"只有小婉喝酒才用小碗,我又不是小婉。"

小婉?马如龙好像听过这名字,听邱凤城说的,邱凤城的情人就叫小婉,他荷包中那块玉,就是小婉送给他的。

马如龙忍不住又问道:"你也知道小婉?"

这女人冷冷道："你问得太多了。"

马如龙道："可是你连一句都没有回答。"

这女人道："那只因为你问的都是不该问的话，该问的你都没有问。"

马如龙道："我该问什么?"

这女人道："你吃了我的肉，喝了我的酒，至少应该先问问我贵姓大名的!"

马如龙道："你贵姓大名?"

这女人道："小婉喝酒用小碗，我用大碗喝酒，应该叫什么?"

马如龙道："你叫大婉?"

这女人居然笑了笑，道："这次你总算变得聪明些了。"

第六回　破　　碗

这个女人叫大婉。她的脸虽然长得又丑又怪,一双手却比大多数女人都好看。她的眼睛虽然又小又狭,又斜,可是笑起来的时候,眼波却很柔美,就像是阳光下流动着的小小一泓春水。

她说的话虽然尖酸刻薄,但是仔细想一想,其中又仿佛另有深意。她做的事虽然令人哭笑不得,而且蛮不讲理,但是以后你却往往会发现她这么样是为了你。若不是因为她穿走了马如龙的狐裘,骑走了他的白马,他恐怕已活不到现在。

现在她很可能已从冯超凡他们嘴里知道了这件事,但却还没有把马如龙当作一个冷血的凶手。现在世界上惟一一个还肯把他当作朋友的人,恐怕就是她了。她究竟是个什么样的人?

马如龙忽然道:"你是个好人。"他叹了口气:"以前我总觉得你有点不讲道理,现在才知道你是个好人。"

大婉道:"你怎知道我是个好人?"

马如龙道:"我说不出,可是,我知道。"

他也替她倒了碗酒:"来,我用大碗敬你一大碗。"大婉居然真的喝了这一大碗,喝得很痛快。

马如龙忽然又问道:"你这个大婉,跟那个小婉有没有什么关系?"

大婉道:"没有。"

马如龙道:"可惜。"

大婉道:"为什么可惜? 是不是因为你想看看那个小婉?"

马如龙道:"我实在很想看看她。"

大婉道:"可惜你找不到她。"

马如龙苦笑,说道:"可惜她不叫大婉。"

大婉道:"这又有什么可惜?"

马如龙道:"如果她叫大婉我就比较容易找得到了,可惜她偏偏要叫小婉。"他又解释:"叫大婉的女孩子绝不会太多,叫小婉的女孩子却绝不会太少,我只知道她叫小婉,叫我怎么去找?"

大婉道:"你虽然找不到,总有人能找得到的。"

马如龙道:"谁能找得到?"大婉不回答,却忽然回道:"今天你已经喝了几碗酒?"

马如龙道:"喝了八碗,八大碗。"

大婉道:"你还能喝几碗?"

马如龙道:"不知道。"

大婉道:"不知道的意思,就是还能喝很多。"

马如龙道:"不知道的意思,就是我喝酒通常都不用碗的。"

大婉道:"你用什么喝。"

马如龙道:"用酒坛子。"大婉又笑了。

马如龙道:"你以为我是在吹牛?"

大婉道:"如果你酒量真的有这么好,我就可以带你去见一个人。"

马如龙道:"去见谁?"

大婉道:"去见一个虽然从来不用小碗喝酒,却定能找到那个小婉的人。"

马如龙道:"他用什么喝酒?"

大婉道:"用破碗。"

马如龙道:"用破碗喝酒的人,就叫做破碗?"

大婉嫣然道:"想不到你居然越来越聪明了。"

马如龙眼睛里已发出了光,道:"你说的这个破碗,是不是'破碗'俞五?"

大婉道:"除了他还有谁呢?"

除了他之外,的确再也没有别的人,像他这样的人,绝对找不出第二个。没有人能比他更会喝酒,也没有人能比他更懂得喝酒。没有人能比他更会吃,也没有人比他更讲究吃。这两样不但天下闻名,而且绝对是天下第一。

他出名的当然还不止这两样。昔年江湖第一名侠叶开,曾经送给他十六个字评语,说他:

"贫无立锥,富可敌国,名满天下,无人识得。"

用这十六个字来说他这个人,真是再恰当也没有了。天下最豪富的就是盐商,最赚钱的生意就是油米、绸布、木材、当铺。江南俞家不但是最大的盐商,也是这四行的大亨,的确可以算是豪富中的豪富,富可敌国。江南俞家有五兄弟,俞五是五太爷。

天下最穷的人当然是要饭的叫化子。俞五也是叫化子中的老大,当今"丐帮"的帮主。他虽然名满江湖,见过他真面目的人却不多,所以有人就算看见他也不认得。可是他属下却有无数丐帮兄弟,遍布在黄河两岸,大江南北。所以你如果要找一个别人找不到的人,也只有去找他。

马如龙道:"你能找得到他?"

大婉道:"我找不到,谁找得到。"

马如龙道:"你知道他在哪里?"

大婉道:"其实你应该知道的,他当然是在吃饭喝酒。"

丐帮子弟,天下为家,有饭就吃,什么地方都可以吃,什么地方都可以喝。有酒有饭的地方,虽然不少,通常都还是在饭馆酒铺里最多。大婉把马如龙带到一家小饭馆,一家很小很小的小饭馆,一共只有两张破桌子,几张烂椅子。

马如龙一走进门就嗅到一阵阵腐败的臭气,摆在一张小桌上的几样卤菜,颜色已经变了,而且又干又硬,看来就像是一堆从阴沟里捞出来的石头,就算饿了三天的人,也绝不会有勇气尝试。最讲究干净的一位帮主,对于吃,更从来不马虎,他怎会到这种地方来吃饭喝酒?

这里根本连一个客人都没有,连那位掌柜兼跑堂的老头子,都快睡着了。可是大婉走过去,在他耳边轻轻说了两句话,他立刻就完全清醒,一双疲倦衰老的眼睛,也忽然变得炯炯有光。江湖中藏龙卧虎,难道这老头子也是位深藏不露的武林高手?

他一直在用一种很奇怪的眼色打量大婉,显得又惊讶,又兴奋,就像是个孩子忽然见到了一位仰慕已久的名人。马如龙长身玉立,是江湖少见的美男子,无论走到哪里,都是最引人注意的一个。这老头子居然连看都没有看他一眼,在大婉旁边,这位白马公子竟似已变得完全黯然失色。马如龙觉得很有趣。

老头子忽然长叹了口气,喃喃道:"想不到,想不到,实在想不到。"

大婉道:"你想不到我会来?"

老头子道:"能够见到姑娘的芳驾光临,我这一辈子也不算白活了。"

他忽然跪下来,五体投地,伏在地上,吻了吻大婉的脚。他的态度比一个最忠心的臣子看见皇后时还尊敬。然后他才站起来,说道:"五爷就在后面的厨房里,姑娘请随我来。"

　　马如龙觉得更有趣了。这个奇丑无比的女人，究竟是什么来历？别人对她这么尊敬，她居然受之无愧，就好像认为本来就应该如此。大婉看得出他心里在想什么，淡淡道："这老头本来是我们家厨房里的一个小厮，我们家的规矩一向很大。"

　　马如龙很想问她："难道你们家的下人看见你时都要吻你的脚？好像连皇宫大内，都没有这种规矩。"他没有问，因为这时候他们已走进了厨房。

　　任何人都绝不会想到，在这又脏又臭的小饭馆里，居然会有这样一个厨房。厨房宽大，干净，明亮，每样东西都收拾得整整齐齐，每个碟子，每个碗，都擦得比镜子还亮，连烧火的灶上都看不见一点别火。天马堂是世家，也一向讲究饮食，可是连天马堂的厨房都没有这么宽敞干净。

　　厨房里有个人正在炒菜。任何人在炒菜的时候，样子都不会很好看的，这个人却是例外。他的手拿着锅铲时，就像是千古一人的大画家吴道子拿着彩笔，绝代无双的名剑客西门吹雪拿着剑，不但姿态和动作都优美之极，而且专心诚意。

　　他正在煎豆腐，虾子豆腐。现在豆腐还没有煎好，老头子站在他身后，绝不敢打扰他。大婉居然也没有打扰他。他的身材并不太高，白白胖胖的一张脸，穿着件虽然打着补丁，却洗得一尘不染的麻布长衫，看来就像是怀才不遇的落第秀才。

　　马如龙忍不住悄悄的问："他就是江南俞五？"

　　大婉叹了口气，道："除了他，还有谁？"

　　现在豆腐已经煎好了，锅已离火。他用锅铲一块块盛出来，每块豆腐都煎得恰到好处。用小火煎得微微发黄的豆腐，盛在雪白的瓷盘里，看来就像是一块黄金。可是黄金绝没有这么香，这么诱人。他看看这盘豆腐，自己也觉得很满意，用两只手却端着盘子，放在一张洗得一尘不染的木桌上，才轻轻吐出一口气，抬起了头。他终于看见了大婉，"是你。"

　　"是我。"大婉在笑。连一点让人讨厌的样子都没有露出来，"想不到五爷还认得我。"

　　俞五对她的态度也很温和，道："你是不是已经喝过酒？"

　　大婉道："喝了一点。"

　　俞五道："好，好极了，我正想找个人来陪我喝酒。"他微笑，又道："喝酒就像是下棋，一定要两个人喝才有趣。"

大婉道:"三个人喝比两个人更有趣,我另外还找了一个人来陪你。"

俞五总算看了马如龙一眼,道:"他也喝酒? 也能喝?"

大婉道:"听说他的酒量还不错。"

俞五道:"你听谁说的?"

大婉道:"听他自己。"

俞五道:"他说的话你都相信?"

大婉道:"你为什么不自己试试?"

俞五微笑,道:"好,好极了。"

豆腐也煎得好极了。马如龙一点都不客气,一口气就吃了三块,吃一块豆腐,喝一碗酒,一口气就喝了三碗,三大碗。俞五也喝了三碗。

他用的果然是个破碗,很大的一只破碗,已被砸成三片,再用碗钉补起来的。淡青色的碗,就像是雨过天青时那种颜色。

马如龙忽然道:"好碗。"

俞五道:"你看得出这是个好碗?"

马如龙道:"这是柴窑烧的,而且是最好的那一窑烧出来的,除了皇宫大内外,现在普天之下,绝对找不出第三个这样的碗来。"

俞五道:"不错,这种碗天下的确只有两个。"他看看马如龙,微笑道:"想不到你居然很有眼力,不但看人有眼力,看碗也有眼力。"

大婉冷冷道:"他看人,倒未必有眼力。"

俞五大笑道:"他看人若没有眼力,怎么会看上了你。"大婉好像没有听见这句话,马如龙的脸却有点发红了。

俞五忽然又道:"你们来找我,当然并不是为了要来陪我喝酒的。"

马如龙道:"我想找一个人,可是我找不到。"

俞五道:"你是不是想我替你找?"

马如龙道:"是!"

俞五道:"你要找谁?"

马如龙道:"我只知道她叫小婉。"

俞五又大笑,道:"小碗不如大碗,你既然有个大碗,为什么要找小碗?"

这位江湖名侠的眼力显然并不太好,竟把马如龙看成了大婉的情人。这两人一个奇丑,一个却是美男子,他应该看得出他们并不相配的。

大婉却偏偏故意问道:"小碗为什么不如大碗?"

俞五道:"无论装酒装药,小碗都没有大碗装得多,小碗当然不如大碗。"

大婉道:"破碗呢?"

俞五笑道:"破碗就比大碗更好。"

大婉道:"为什么?"

俞五道:"一个碗若是破了,必定已尝遍了酸甜苦辣,就像是一个人,也要历尽风霜才会老,老人总比小孩的经验丰富,姜也是老的辣。"他端起他的破碗,一饮而尽,大笑道:"所以破碗当然比大碗更好。"

大婉也笑了:"幸好我们说的是人,不是碗,这个小婉不但比大碗好,也比破碗好。"

俞五道:"哦?"

大婉道:"我知道,这个小婉一定是个很美很美的女孩子,而且又温柔,又多情。"

俞五道:"你怎么知道的?"

大婉道:"因为她是邱凤城的情人,银枪公子喜欢的女孩子,当然不会是我这样的丑八怪。"

俞五大笑,道:"原来这个小婉是别人的。难怪你肯要我替他去找。"他不让马如龙分辩,也不再问别的,忽然道:"我们来做个交易。"

马如龙道:"什么交易?"

俞五道:"你在这里陪我用大碗喝酒,我替你去把这个小婉找到。"

马如龙道:"好。"

俞五道:"三天之内,我一定有消息告诉你。"

马如龙道:"我就在这里,陪你喝三天。"

俞五道:"用大碗喝?"

马如龙道:"我喝几碗你就喝几碗?"

俞五道:"不错。"

俞五看着他,看了半天,才问道:"你知不知道我最大的本事是什么?"

马如龙道:"你说。"

俞五道:"我最大的本事就是吃饭,喝酒,睡觉。"

马如龙道:"吃饭,睡觉,我没有把握,喝酒我倒可以跟你比一比。"

俞五道:"你不怕醉?"

马如龙道:"醉死了我也要喝。"

俞五大笑道:"好,好极了。"

世上的确有种人是死也不肯服输的,马如龙无疑就是这种人。看着他们左一碗，右一碗的往肚子里倒，大婉忽然叹了口气，道："我出来的时候，我妈妈再三叮咛我，叫我千万不要喝醉酒，也千万不要去惹喝醉了的人，她说，天下的醉鬼都是一样的，不但自己神智不清，对别人也蛮不讲理。"

俞五道："你妈妈是个最聪明的女人，她说的话你一定要记住。"他又喝了一碗："男人喝醉了酒，是什么事都做得出来的。"

大婉道："所以她说，一个聪明的女人，遇到了一个醉鬼时，最好的法子就是赶快溜之大吉。"

马如龙道："有理。"他也喝了一碗："非常有理。"

大婉道："两个醉鬼当然比一个醉鬼更糟。"

俞五道："有理。"他又喝了一碗："天下惟一比一个人喝醉了更糟的就是两个人都喝醉了。"

大婉叹了口气，道："只可惜现在我就快要遇见两个醉鬼了。"

俞五说道："在哪里？两个醉鬼在哪里？"

大婉道："好像就在这里，就在我面前。"俞五看看马如龙，马如龙看看俞五，两个人一起大笑。

"我妈妈只告诉我，遇见一个醉鬼时，应该赶快溜之大吉，却没有告诉我遇见两个醉鬼时该怎么办？"她笑了笑，又道："幸好我自己倒想出个法子。"

俞五道："什么法子？"

"我自己也喝醉。"她也喝了一大碗，喝得更快："等我自己也变成醉鬼的时候就不怕醉鬼了。"

俞五拍手道："有理。"

马如龙道："只有一点不好。"

俞五道："哪一点？"

马如龙道："三个醉鬼是不是比两个醉鬼更糟？"

俞五道："是的。"

他叹了口气："天下惟一比两个醉鬼更糟的，恐怕就是三个醉鬼了。"

"现在我就遇见了三个醉鬼。"马如龙叹了口气，道："因为这三个醉鬼中，有一个就是我自己。"

现在他还没有醉，说的也不是醉话。他心里的确有很多感触。——一个人绝对不能逃避自己——自己的过错，自己的歉疚，自己的责任，都绝对不能逃避。因为那就像是自己的影子，是绝对逃不了的。

第七回　小　　婉

马如龙醉了。一个人跟自己所信任的人在一起喝酒时才会醉,也比较容易醉。他信任大婉,也信任俞五。一个人在心情不好,遭受冤屈时,就会想喝酒,也比较容易醉。虽然他相信他受到的冤枉总有一天会昭雪,可是他心里还是觉得很闷。

一个人如果用大碗喝醉了的时候,说过些什么话,做过些什么事,总是记不清的。就算记起来,也模模糊糊的像是个梦,像是别人说的话,别人做的事。

他仿佛记得自己好像说过一句现在连他自己想起来都会吓一跳的话。那时大家都已经醉了,他忽然拉住大婉的手,说:"你嫁给我好不好?"大婉就开始笑,不停的笑,笑得连气都喘不过来的时候,她才问:"你为什么要我嫁给你?"

"因为我知道你对我很好,因为别人都怀疑我,把我当作杀人的凶手,都想杀了我,只有你信任我,只有你,肯帮我的忙。"他说的是真心话。一个人在真的醉了的时候,总是会把真心话说出来的。

大婉却不信。"你要我嫁给你,只不过因为你喝醉了,等你清醒的时候,就会后悔的。"她虽然还在笑,但笑得却好像有点凄凉。"等你看见比我好看的女人,你更会后悔得要命。"她说:"我又丑又怪又凶,比我好看的女人也不知道有多少。"

现在他已经清醒了,却忘了大婉是不是已经答应了他。但是他还是忍不住问自己。"如果她答应了我,现在,我是不是已经在后悔了,现在我还会不会要她嫁给我?"这问题连他自己都不能回答。就在这时候,他看见了一个女孩子,一个远比大婉美得多的女孩子。

他醒来的时候已经不在那厨房里,俞五和大婉也全都不在了。他醒来时已经躺在床上,一张并不算很大,却很柔软,很舒服而且很香的床。这张床摆在一间并不算很大,却很干净,很舒服,而且很香的屋子里。

这间屋子的窗外有几株梅花,窗下有个小小的妆台。这个妆台上有个小小的铜镜,铜镜旁也有一瓶梅花。这个女孩子就站在梅花旁。

梅花高贵而艳丽,这女孩子也像梅花一样,也一样美得不俗气。她身上虽然是鲜红的衣裳,脸色却是苍白的。她的眼睛虽然清澈而美丽,却又仿佛带着种说不出的忧郁。

她正看着马如龙,用一种很奇怪的眼色看着马如龙,仿佛有点好奇,又仿佛有点怕。马如龙的头还在痛,他不认得这个女孩子,也想不起自己怎么会到这里来的。

这女孩子忽然问道:"你就是马公子?'白马公子'马如龙?"

马如龙道:"我就是。"

这女孩子道:"前几天你是不是也在寒梅谷?"

马如龙道:"是的。"

这女孩子道:"你见到了邱凤城?"

马如龙道:"你也认得他?"

这女孩子点了点头,眉宇间忧郁更浓,轻轻道:"我姓苏,叫小婉,我就是你要找的人。"

"这里是什么地方?"马如龙终于问道:"我怎么会到这里来的?"

"是一位俞五爷送你来的。"她先回答了后面的问题,然后再说明她为什么会收留下一个酒醉的陌生男人。"俞五爷说你不但是凤城的朋友,而且只有你知道他的行踪。"

马如龙苦笑,俞五居然还能送他到这里来,醉得当然没有他这么厉害。他从未想到居然还有人能把他灌醉,他忽然发现自己对自己的一切都好像估计过高。他又问:"这里是你的家?"

小婉道:"我没有家,这地方不能算一个家。"马如龙明白她的意思,"家"的意义,并不是一栋房子。无论多华美的房子,都不能算是一个家。

小婉道:"我本来只不过是城里怡芳院的一个……一个妓女,从小没爹没娘,凤城为我脱了籍,替我买了这栋房子。"她笑了笑,笑得有说不出的凄凉:"可是,他若不在这里,这里又怎么能算一个家?"

马如龙忍不住叹息:"想不到他真的是个这么多情的人!"一个像邱凤城那样少年成名的世家子弟,居然会对一个风尘中的女人如此多情如此痴情,实在是件非常令人感动的事。

小婉道:"他的脾气虽然刚强,却是个心地善良的人,从来不肯做一点对不起别人的事。"提起了邱凤城,她眼睛里立刻充满了温柔的情意:"他对我更好,处处都为我着想,从来都没有看轻过我,一个像我这样的女人,能够遇到他这样的男人,我……我死也瞑目了!"

马如龙说道:"你们还年轻,怎么会死。"

小婉又笑了笑,笑得更凄凉:"可是你若来迟一步,现在就已看不到我。"

马如龙立刻想到了,邱凤城挖的那个坑。

小婉道:"他临走时就已跟我约好,至迟昨晚上一定会回来。"

马如龙道:"如果他没有回来呢?"

小婉黯然道:"那就表示他已经离开了人世,我当然也要陪他一起去。"她的声音虽柔,但却充满了必死的决心,一经山盟海誓,便以生死相许。

马如龙轻轻吐出口气,道:"幸好他还没有死。"

他的确在为他们庆幸:"他虽然也跟你一样,抱定了必死之心,但是他还没有死。"

小婉道:"那么现在他的人在哪里? 为什么还不回来?"

马如龙闭上了嘴。他也不知道邱凤城的人在哪里,彭天霸,冯超凡,和绝大师在追踪他的时候,邱凤城并没有跟他们在一起。

金振林那一枪虽然没有致命,但他的伤还是不太轻。一个受了重伤的人,能到哪里去?

那天他们本来是为了要赴碧玉夫人的约会,才到寒梅谷的。后来碧玉夫人是不是也到了寒梅谷? 他是不是被碧玉夫人带回了碧玉山庄? 马如龙不能确定。

小婉还在凝视着他,等着他的回答。他却不能把心里的猜测说出来,他不愿再伤这多情少女的心。

小婉轻轻叹息:"我知道他如果没有死就一定会回来,你又何必骗我?"

马如龙道:"我……"

小婉不让他说下去,又道:"其实你用不着骗我的,我只要知道,他也跟我一样痴,我就已心满意足了。"

她态度忽然变得很冷淡,道:"现在天已快黑了,孤男寡女,瓜田李下,我也不敢再留马公子。"话说到这里,已经让人没法子再说下去。

马如龙只有走。但是他临走的时候却说:"我知道你的决心,我并不想勉强你,但是我希望你能等三天,三天之内,我一定有邱凤城的消息告诉你。"

小婉迟疑着,终于答应:"好,我再等三天。"

天色果然已黯了。外面是条狭窄幽深的长巷,小婉这栋房子在长巷的尽头。马如龙拉紧了衣襟,迎着风走出去。

他要来找小婉,为的是想证实邱凤城那天说的话。他并不是怀疑邱凤城,可是他实在没有别的线索去找。那就像是个溺水的人,无论看到什么,都会紧紧一把抓住。

现在他已证实了邱凤城的确是个多情人,他们的感情,连他都被感动。所以他希望能帮助他们,希望能在三天之中找出邱凤城的下落。他希望能让这一对有情人终成眷属。

但是他偏偏又觉得这件事好像有点不对,究竟是什么地方不对,他却说不出。他总觉得小婉那屋子好像少了点什么东西,又好像多了点什么东西。少的是什么? 多的是什么? 他也说不出。

大婉现在是不是也已经醒了,她的头是不是也跟他现在一样痛? 他忽然发现自己居然在想念她。这个奇丑无比,蛮不讲理的女人,好像也有她可爱之处。

只可惜他根本不知道她是从哪里来的? 也不知道她到哪里去了? 他们本就是萍水相逢,既然又各分西东,此后只怕已永无再见的时候。马如龙叹了口气,决定不再想她。

暮冬残年。年关已近了,正是家家户户办年货,买新衣的时候。这时候,每个人的袋子里都需要装点钱,所以,能够换钱的东西,都拿出来换钱了。这条巷子外面,居然也摆了个小小的花市,水仙、腊梅,正当时应景,开得正好。

一个小户人家的主妇,刚带着她的丫头去买了些年货回来,金针、木耳、红枣、白果、杏干,装满了一篮子。那小丫头手里提着篮子,眼睛却在望着一盆盆的梅花。十五六岁的小姑娘,有谁不爱美? 有谁不喜欢又香又红的梅花。

她终于忍不住说:"大奶奶,咱们也买两盆梅花回去好不好?"

"不好。"穿着丝棉袄的主妇板着脸,回答得很坚决。

小丫头却还不死心:"这些花又不贵,买点回去看看有什么不好?"

"因为我没有这种心情。"

小丫头叹了口气,喃喃道:"大奶奶也真是的,大爷也只不过两三天没回来,大奶奶就连看花的心情都没有了。"

小丫头虽然满心不愿意,还是撅着嘴,跟着那心情欠佳的主妇走了。这只不过是件无足轻重的小事,任何人都不会注意的,更不会放在心上。马如龙却注意到了。

——一个平凡的主妇,丈夫只不过两三天没有回来,她就已连看花的心情都没有。

——小婉妆台上那瓶梅花,却是刚折下来的。

——如果马如龙不来,她就已殉情而死,她怎么会还有心情去折花?

现在马如龙终于想起来她房里少的是什么,多的是什么了。那里少了个丫头,却多了瓶花。

门已经关了。这巷子里住的都是小户人家,小婉的这栋房子已经算比较大的,墙也比较高,用很坚实、很厚的木板做成的大门已经从里面上了栓。但是马如龙要进去并不难。

他十岁的时候已经可以跳上这道墙,天马堂的轻功和剑法在江湖中的评价都极高。他已经开始对小婉怀疑,他应该一跃而入,在暗中查探小婉的动静。他也知道,如果你要去看一个人的真面目,只有在他看不见你时才能看到。

可是他做不出这种事,非但以前没有做过,以后也绝对做不出,所以他准备敲门。就在他正准备敲门的时候,忽然听见了一种奇怪的声音。

他听见的是一个人的笑声。笑声并不是种奇怪的声音,人间虽然有不少悲惨不幸的事,可是你无论走到哪里,都还是可以听得到笑声的。

他觉得奇怪的是,这笑声绝对是男人的笑声,而且是从这栋房子里传出来的。这是邱凤城买给小婉的房子,这里只有小婉一个人,怎么会有男人的笑声?夜很静,巷子里更静,笑声虽然短促,他却听得很清楚。

——只要是牵涉到这件事的人,随时都可能暴毙、横死。

——有些人在杀人前也会笑的。

——现在是不是又有人要把小婉也杀了灭口?马如龙不再顾忌,一跃而入。

屋子里的炉火太暖,东厢房朝西面的一扇窗户刚刚支了起来。站在一株杂在红梅中的松树上，正好可以看见面对着窗户，站在屋里的小婉。

马如龙从墙外一跃而入，刚好落脚在这棵松树上。他并不想窥人隐私，可是，他已经看见了，不但看见了小婉，也看见了一个男人。

他看不见这个男人的脸。这个男人背对着窗户，面对着小婉，斜倚在一张软榻上。

马如龙只看得见他垂在软榻旁的一只脚。这只脚上穿着双式样非常好，做得非常考究的靴子。只有走马章台，风流豪阔的花花大少，才会穿的一种靴子。

小婉正站在他面前，用一种很奇怪的眼色盯着他，忽然冷笑道："你真的要我死？"

这男人也在冷笑，道："你以为我不敢？你以为我怕你？"

小婉道："好，你要我死，我就死给你看。"

第八回　私　情

有的人天生就喜欢花,不管在什么心情下,都会折几枝花供养在瓶里。

看来小婉并没有隐瞒什么事,更没有私情,她确实已抱着决死之心。可是这男人为什么要逼她死呢? 这男人跟她是什么关系? 难道是邱凤城的朋友,来逼她殉情吗? 还是来杀她灭口的?

马如龙正在想,小婉却忽然做出件他连做梦都想不到的事。她忽然走了过来,坐到这个男人的腿上,搂住了他的脖子,轻轻的咬着他的耳朵,喘息着说道:"你要我死,我也要你死。"

她的衣襟已散落,一件紧身的丝棉小袄里面,只有一件鲜红的肚兜。衬得她的皮肤更白。马如龙实在看不下去。这是别人的私情,他本来不该管的,可是,他想起了邱凤城的痴,想起了那个坑——他本来可以大喝一声,先惊散这两个快要"死"的人。他本来可以直接从窗户里窜进去,可是他反而跃出墙外,用力去敲门。他敲了很久,才听见小婉在里面问:"谁呀?"

"是我。"

"你是谁? 我怎么知道你是谁? 你难道连个名字都没有。"小婉的口气很不好,不过她总算还是出来开了门。

"是你!"看见马如龙,她当然会吃一惊,可是她很快就镇定下来,板起了脸,冷冷道:"想不到马公子又来了,是不是怕我一个人晚上太寂寞,想来替邱凤城好好的照顾照顾我。"

这话说得更绝,这种话说出来,只要是知趣的人,就应该赶快走的。可惜马如龙这次却偏要做个不知趣的人,淡淡道:"我知道你并不寂寞,我只不过怕你被人捏死。"

小婉的脸色变了,脸上一阵红,一阵白,忽然转身往屋里走,"你跟我来。"她说。

马如龙就跟着她走了进去,她居然把他带进了刚才那间屋子,刚才那个男人却已不在了。

"坐",她指着刚才那个男人坐过的软椅,道:"请坐。"

马如龙没有坐,他没有看见那个男人,却已看见了那双靴子,那双式样非常好看的靴子。

这屋里有床,床帐后还挂着道布幔。很长的布幔,几乎已拖到地上,但还没有完全拖到地上。所以,这双靴子才会从布幔下露了出来。

小婉道:"你为什么不坐。"

马如龙道:"这位子,好像不是我坐的。"

小婉笑了笑,笑得当然不太自然:"你不坐,这里还有谁来坐。"

马如龙道:"好像还有个人。"

小婉道:"这屋里除了凤城外,只有你进来过,怎么会还有别的人?"

她实在很沉得住气,到了这种时候,居然还一口咬定这屋里没有别人。马如龙却沉不住气了,忍不住一步窜过去,拉开了布幔。布幔后当然有个人,可是这屋里确实没有别的人来过,因为布幔后的这个人,赫然竟是邱凤城。

马如龙冲出屋子,冲出门,冲出了长巷。幸好这时候天已经黑了,在这种酷寒的天气,天一黑,路上就没有什么人,否则别人一定会把他当作个疯子。

现在他惟一想做的一件事,就是用力打自己几个耳光。他永远忘不了他拉开布幔的那一瞬间,邱凤城看着他的表情,他更忘不了小婉那时的表情。

其实他应该想得到邱凤城随时都会回来的,也应该想得到这个人很可能就是邱凤城。但是他却偏偏没有想到。他本来应该能听得出邱凤城的声音,却又偏偏没有注意。

邱凤城毕竟是个教养很好的世家子弟,在那种情况下,居然还对他笑了笑。可是对马如龙来说,这简直比打他几耳光还让他难受。他只有赶快走,就好像被人用扫把赶出去的一样,逃了出来。

于是现在他又只剩下一个人,还是身无分文,无处可去。这件事也还是连一点线索都没有。他整个人都好像被一根很细的绳子吊在半空中,空空荡荡的,没有着落,而且随时都可能跌下来,跌得头破血流。

不对! 他忽然发觉自己并不是一个人,后面好像有个人在跟着他。他用不着回头去看,就知道从后面跟上来的人是谁了。也不知为了什么,他空空荡荡吊在半空中的一颗心，忽然就变得很踏实。后面的人已赶了上来，伸出一只非常好看的手，交给他一样东西。

马如龙接了下来，现在他最需要的就是一包治头痛的药，她给他的就是一包头痛药。

等他把这包头痛药吞了下去，她的手又伸过来，手里还有七八包药，有的是药丸，有的是药锭，有的是药粉。她一样样交给他。

"这是解酒药，这是紫金锭，这是胃痛散，这是健胃整肠的……"

马如龙笑了："你把我当成什么？当成了药罐子？"

她也笑了。"我知道你不是药罐子，是个酒坛子。"她吃吃的笑着道："可惜只不过是很小很小的一个，也装不下太多酒。"

大婉看来确实比他有精神，脸色也比他好看得多。"难道她的酒量也比我好？"马如龙实在不服气，他忍不住问道："你的头痛不痛？"

大婉道："不痛。"

马如龙道："怎么会不痛？"

大婉道："因为我一向不喜欢管别人的闲事。"喜欢管闲事，实在是件很让人头痛的事。不但让别人头痛，自己也头痛。

她又问他："你看见那个小婉了？"

"嗯。"

"怎么样？"

"什么怎么样？"

"她长得怎么样？"

"长得很不错。"

大婉笑道："既然她长得很不错，你的样子看起来为什么活像见了鬼一样？"

马如龙叹了口气，道："如果我真的见了鬼反倒好些。"

大婉道："你看见了什么？"

马如龙道："我看见了邱凤城。"

他居然把刚才遇到的事全都说了出来。这是丢人的事，他本来绝不会说的，可是也不知道为什么，在她面前，他就觉得什么话都可以说出来，什么事都不必隐瞒。

大婉居然没有笑他，反而叹了口气，道："如果我是你，那时候我也会恨不得能找条地缝钻下去的。"

这正是马如龙当时的感觉。他忽然发觉这女人外表虽然又刁又绝又丑，却有一颗非常善良的心，而且充满了了解与同情。这也是他第一次有这种感觉。

大婉忽然又道："可是我想不通。"

马如龙道："什么事想不能?"

大婉道："邱凤城明明知道是你去了，为什么要躲起来?"

马如龙道："他们毕竟不是名正言顺的夫妻，像他那种出身的人，总难免会有很多顾虑，如果我是他，说不定我也会躲起来的。"

大婉看着他，微笑道："想不到你居然很会替别人着想。"

马如龙道："本来你认为我是个什么样的人?"

大婉说道："本来我认为你又骄傲，又自私，别人的死活，你根本不会放在心上。"她的声音忽然变得很温柔："可是现在我已经知道我错了。"这个蛮不讲理的女人，居然也肯认错，这实在也是件让人想不到的事。

大婉又道："他看见你之后，说了些什么?"

马如龙道："就因为他什么都没有说，我反而更难受。"

大婉道："你说了什么?"

马如龙苦笑，道："那时候我能说什么?"

大婉道："他有没有要把你抓去交给冯超凡的意思?"

马如龙道："没有。"

大婉道："你也没有问他，那天你走了之后，寒梅谷又发生了些什么事? 碧玉夫人是不是到那里去了? 有没有选上他做女婿?"

马如龙道："我没有问。"

他忽然问她："这些事你怎么会知道的?"

大婉笑了笑，笑得很神秘，道："当然是有人告诉我的。"

马如龙道："谁告诉你的?"

大婉道："一个喝醉了酒的人。"

马如龙道："这个喝醉了酒的人就是我?"

大婉笑道："你总算还不太笨。"

马如龙只有苦笑。他喝醉了之后说的话一定不少，只可惜连他自己都不知道自己说了些什么。

"其实碧玉夫人用不着再选了，沈红叶已经一命呜呼，你已经变成个人人喊打的过街老鼠，除了银枪公子邱凤城之外，还有谁配作碧玉山庄的女婿。"她叹了口气道："碧玉夫人就算还想选,也没有什么好选的。"事实就是这样的,这件事发生后,确实对邱凤城最有利。

马如龙说道："但是,他绝不会是凶手!"

大婉道："为什么?"

马如龙道："因为他已经有了以生死相许的心上人,他根本就不想做碧玉山庄的女婿。"

大婉叹了口气,道："其实我也觉得他绝不可能做出这种事,只不过,他既然不会是凶手,你也不是,凶手是谁呢?"

马如龙道："一定是天杀!"

大婉道："天杀是什么人?"

马如龙道："天杀不是一个人,是个秘密的组织,是个杀人的组织。"

大婉道："他们为什么要做这种事? 为什么要害你?"

马如龙说道："因为,他们要造成混乱。"他又解释："我们几家人如果火并起来,江湖中一定会变得混乱,他们就可以乘机崛起。"

他的解释很合理。这种事以前并不是没有发生过,以后也一定还会有的。

马如龙道："现在他们还只不过是个见不得人的组织,等到他们的计划完全成功后,他们就会摇身一变,变成一个光明正大的帮派,因为那时候江湖中已经没有人能制得住他们了。"

大婉道："因为那时候别的门户和家族,都已因这次火并而两败俱伤。"

马如龙道："但是我绝对不会让这种情况真的发生。"

大婉道："你准备怎么办?"

马如龙道："我一定要先把天杀的首脑找出来。"

大婉道："你准备怎么找?"

马如龙不说话了。他实在连一点线索都没有,根本不知道应该从哪里下手。

大婉道："这个人一定知道你们四位公子那天要到寒梅谷去。"

马如龙道："不错。"

大婉道："他怎么知道的? 除了你们四个人之外,还有谁知道这件事? 你有没有把这件事告诉过别人?"

马如龙说道："我没有,可是,邱凤城……"他忽然想起,小婉好像也提起过"寒梅谷"这个地方。

小婉曾经问过他：——前几天你是不是在寒梅谷？她知道他们要到寒梅谷去，当然是邱凤城告诉她的。邱凤城能把这件事告诉她，就可能也告诉过别人。小婉也可能告诉过别人。他也像别的男人一样，从来不相信女人能够保守秘密。这就是他惟一的线索。

马如龙道："我一定要去问问他，有很多事都只有问他才会明白。"

大婉问道："你是不是准备现在就去问他。"

马如龙道："当然现在就去。"

他说走就走，大婉叹了口气，道："你真会选时候，现在去真是再好也没有了，现在他们说不定又在那里"你捏死我，我捏死你"，你及时赶去，正好又可以救他们一次，他们一定感激得要命。"

马如龙不走了。他也可以想像得到，如果他们发现他又回去了时，脸上是什么表情。这种既煞风景，又惹人讨厌的事，谁也不愿意去做的。

马如龙道："你认为我应该什么时候去？"

大婉眼睛里忽然露出种奇怪的表情，忽然压低声音，道："你最好现在就去，快去。"女人的心意，就像是五月的天气，变得真快。

马如龙忍不住要问："你为什么又要我现在就去？"

大婉道："因为你现在不去，只怕就永远都去不成了。"

她忽然又叹了口气，道："现在你恐怕已经去不成了。"

这时他们又走入了一条暗巷中。马如龙没有再问她："为什么？"他已经用不着再问。因为他已看见巷子的两头，都有人堵住了他们的去路。七个人，七个黑衣人。

第九回　患难见真情

这条巷子里住的无疑是大户人家。

大户人家要防外面的盗贼去偷他们，所以他们宁愿看不到阳光，也一定要把围墙做得很高。所以这条巷子两边都是高墙，连天马堂的轻功都无法一跃而上的高墙。

巷子很深，很暗，前面来的有四个人，后面也有三个。七个人都穿着黑色的紧身衣，而且还用黑布蒙住了脸。他们走得都很慢，看起来一点都不着急，因为他们知道这两人已经好像是池中的鳖，网底的鱼，根本已无路可走。

马如龙也压低声音，道："你用不着害怕，我会叫他们放你走的。"

大婉道："他们会让我走？"

马如龙道："这件事根本和你完全没有关系，为什么不让你走？"

大婉说道："你认为，他们是来找你的？"

马如龙道："当然是。"

大婉道："你错了。"她叹了口气，道："我也希望他们是来找你的，可惜不是。"

马如龙道："为什么不是？"

大婉道："你是个凶手，来捉拿凶手，不但光明正大，而且是很露脸的事，为什么要把脸用黑布蒙起来？"

马如龙终于想起，她也跟他一样，也有麻烦，也有人在追杀她。

大婉道："可是你也用不着害怕，我也会叫他们放你走的。"

马如龙道："你认为我会走？"

大婉道："我们非亲非故，别人来要我的命，难道你也要陪我一起死？"

马如龙道："不管怎么样，我总不会把你一个人留在这里。"

大婉道："为什么？"

马如龙道："因我做不出这种事。"

大婉道："这理由不够好。"

马如龙道："可是对我来说，已经足够了。"

大婉道:"说不定我是个坏女人,是个贼,你本应该帮他们把我抓住才对。"

马如龙道:"我知道,你绝不是这种人。"

大婉道:"你怎么知道,你连我究竟姓什么都不知道。"

马如龙道:"可是我相信你。"

大婉看着他,忽然又叹了口气,道:"我本来以为你已经变得聪明了些,想不到你还是这么笨。"

这条巷子虽然很长,七个黑衣人走得虽然很慢,现在还是距离他们很近。七个人都带着兵刃,都是极少见的外门兵刃,有个人手里竟拿着对自从上官金虹死在小李飞刀之下后,就没有人再使用过的龙凤金环,还有人竟提着对"鸳鸯跨虎篮"。

这都是江湖中绝迹已久的兵刃,因为这种兵刃的威力虽大,却极难练。能使用这种兵刃的人身手绝对不弱。马如龙实在没有对付他们的把握,但是他绝不气馁胆寒。

大婉忽然道:"喂,你们是来找我的? 还是来找他的?"

手提龙凤双环的黑衣人,短小精悍,步履沉稳,从蒙面黑巾中露出来的一双眼睛灼灼有光,锐利如鹰,无疑是个高手。这人冷冷道:"是来找你的又怎么样? 是来找他的又怎么样?"

大婉道:"如果是来找他的,就没有我的事了,我既不是英雄也不是君子,你们就算杀了他我也绝不管你们的闲事。"

这人冷冷道:"你不必说,我也看得出。"

大婉道:"可是你们如果是来找我的,情况就不同了。"

这人道:"哦?"

大婉道:"他自己的麻烦虽然已经够多,还是不肯像我一样袖手旁观的,你们只要动一动我,他就会跟你们拼命。"

这人道:"所以我们若是要动你,就一定要先杀了他。"

大婉看着马如龙,道:"是不是这样子的?"

马如龙道:"是。"

他自己也不知道自己怎么会说出这种话的,其实他现在还有很多事要做,这件事还没有水落石出时,他绝不能死。如果他现在就死在这里,不但死得不明不白,他的冤枉也永远没法子洗清了。可是他已经把话说了出来,他既不想反悔,也绝不后悔。

　　大婉道:"喂,你们听见他说的话没有?"

　　这黑衣人冷笑道:"看来他不但是个英雄,还是个君子。"

　　大婉道:"看来他的确是的。"

　　这人道:"只可惜这种人总是不长命的。"

　　大婉叹了口气,道:"这句话我早就告诉过他了,可惜他偏偏不听。"

　　"叮"的一声,双环拍击,火星四射。昔年上官金虹威震天下,创立了雄霸江湖的"金钱帮",不但雄才大略,武功也极惊人。在百晓生的兵器谱中,"上官金环"虽然列名第二,但是江湖中大多数人都认为,他的武功并不在排名第一的天机老人之下。

　　他掌中一对龙凤金环,被公认为天下最霸道的一种武器。这种武器在这黑衣人手里,虽然没有上官金虹昔年那种独步江湖、不可一世的气概,威力却还是很惊人。大婉却连看都没有去看一眼,她在看着马如龙,眼睛里充满笑意,笑得那么温柔,那么愉快。

　　强敌已经追杀而来,生死已在瞬息之间,她居然还觉得很愉快。因为马如龙并没有抛下她一个人逃走,不管她嘴里说什么,在她心里的感觉中,这一点仿佛已经比她的生死更重要。

　　马如龙忽然也觉得愉快起来,就连她那双浮肿的眼睛,现在看来都似已变得可爱多了。美与丑之间,本来就没有绝对的标准,能让你觉得愉快的人,就是可爱的人。

　　大婉轻轻的问:"你怕不怕?"

　　马如龙并不是完全不怕,恐惧一直是人类最难克服的弱点之一,幸好人心中还有几种更美的情感能战胜恐惧。

　　大婉道:"如果你怕,现在要走也许还来得及。"

　　马如龙道:"我不走。"

　　大婉又轻轻的叹了口气,道:"那么我……"她没有说完这句话。她的声音仿佛忽然被一把看不见的快刀割断了,她的咽喉仿佛忽然被一双看不见的魔手扼住。她的眼睛里忽然露出种恐惧之极的表情,就好像忽然看见别人看不见的恶鬼。

　　马如龙回过头,就会发现她看见的只不过是一个人,一个很平凡的女人,身上穿着件很朴素的青布衣裳,手里提着一篮花。刚转入这条窄巷。马如龙没有回头,所以忍不住要问:"你怎么样?"

大婉道:"我要走了,你不走,我走。"她居然真的说走就走,这句话还没有说完,她的身子已经飘飘飞起,掠上了那道任何人都想不到她能上得去的高墙。

那个平凡的卖花女一直低着头往前走,好像根本没有看见有道高墙挡住了她的路,大家眼看着她要一头撞到墙上去,撞得头破血流。想不到她的头没有被墙撞破,墙反而被她撞破了。只听"噗"的一声响,两三尺厚的风火高墙上,忽然出现了一个人形破洞,这个平凡的卖花女竟已穿墙而过,就好像穿过了一张薄纸。

马如龙怔住了,每个人都怔住了,大婉的轻功令人吃惊,卖花女的武功更惊人。天色仿佛忽然间就已变得很暗,风仿佛忽然就变得很冷。现在她们虽然已走了,杀人的却仍在风中,夺命的金环也仍在手。

马如龙终于问:"你们要找的是她?还是我?"

黑衣人道:"是她。"

马如龙道:"她已经走了。"

黑衣人道:"对你来说,很不好。"

马如龙道:"为什么?"

黑衣人道:"因为你应该知道,利剑出鞘,不能不见血,否则必定不祥。"他的掌中仍有杀人之利器,眼中也仍有杀机:"我们这些人也一样,只要我们出手,就非杀人不可,现在她已走了,我们只有杀你。"

马如龙道:"很好。"

其实他也知道这情况很不好,无论对谁来说,这情况都很不好。他掌中既没有杀人的利器,心中也没有杀机。他也没有选择的余地。

——人为什么要杀人?他痛恨暴力。在某种情况下,只有用武力才能制止暴力。他已将全身的精气劲力集中,他只有一条命,他还不想死。他认为暴力一定要被制止。

又是"叮"的一声响,双环再次拍击,火星乱雨般四射而出。马如龙的人也射出去,箭一般射了出去。他没有杀气,可是他有另外一股气。血气!

他的目标并不是这个掌中有金环的黑衣人,而是另外一个人。"擒贼先擒王"这句话,在这种情况下并不适用。现在他要攻的是对方最弱的一环。

在正邪不能两立,敌我势难并存的情况下,能保全自己,就要保全自己,能消灭敌方一人,就得要消灭对方一人。他攻击的目标是黑霸。

黑霸姓黄。每个人都叫他黑霸，只因为他是他们组织中最黑，最高大，看来最有霸气的一个人。黑霸身高八尺九寸，肩宽三尺，手臂伸出来比别人的大腿还粗，拳头大如孩童的头颅。

马如龙怎么会将这么样一个人看成对方最弱的一环？是不是因为这个人一直都紧跟在夺命金环的左右？——藤萝只有依附大树才能生存，狡狐只有依仗猛虎的威风才能吓人，弱者总希望能依附强者，得到保护。一个人的强弱，绝对不是从外表可以判断的，马如龙的判断没有错。

黑霸用的武器是一对混元铁牌，看来至少有六七十斤重的混元铁牌。马如龙冲过去，这对混元铁牌也发动了攻势，一横扫，一直拍。可惜一种武器的强弱，也不是可以用它的重量来判断的。

马如龙挥拳，一拳就已经从这对横扫直拍的铁牌中穿过去，一拳就已痛击在黑霸的鼻梁上。这一拳击下时，只有很轻的一声响，就好像一拳打在一块死肉上，甚至连呼喊的声音都没有，黑霸就已仰面躺下。

马如龙可以从这个已经躺下了的人身上冲过去，冲出这条窄巷，也可以乘机冲入墙上那个破洞。他没有这么做。因为他忽然觉得自己并不是不可以跟这些人拼一拼，并不是完全没有机会。只要还有一分机会，他就绝不放弃。他一向是个骄傲的人，非常非常骄傲的人。

黑霸倒下时，他已用足尖挑起了一面铁牌，用左手抄住，乘势横扫，扫退了金环。他的右手已猛切在另一个人的手腕上，击落了一只判官笔。

可是金环仍在，在一双可怕的手里，另外还有一双可怕的手，手里还有一对跨虎篮。这两双手，两种武器，才是真正要命的。等到奇诡莫测的跨虎篮，配合着威猛无双的夺命金环攻上来时，他才发觉自己又犯了个不可原谅的错误。他又低估了他的对手，高估了自己。

这种错误绝不容人再犯第二次，一次已足以致命！但是他还可以拼，用他的血肉和性命去拼！一个肯拼命、敢拼命的人，不但危险，而且可怕，一个人只有在迫不得已时，才肯拼命。这些人为什么也不惜跟他拼命？——天杀！——他们本来就是来杀他的！他忽然想通了。

黑霸已挣扎着站起来，破碎流血的鼻子使得他呼吸困难，喘息急促。他忽然用力撕开自己的衣襟，嘶声狂呼："杀了他！杀了他！杀！杀！杀！杀！杀！杀！"

惨厉的呼声，拼命的杀手！撕裂的衣襟里，黑铁般的胸膛上，十九个鲜红的血字。——天杀！不择手段，不惜牺牲一切，都要杀了他！

马如龙握紧了拳头,咬紧了牙,死就死吧! 又有一个人在他拳头下倒下。他已看不清倒下去的这个人是谁了。可是他忽然看见一道银光。灿烂夺目的银光凌空飞来,是一杆枪,银枪!

"凤城,银枪,邱。"他看见这杆枪时,就听见了邱凤城的声音:"你们要杀他,就得先折断这杆枪,你们要折断这杆枪,就得先杀了我!"

他从来也没想到过邱凤城会来救他,可是邱凤城现在已来了! 就在他身旁,以一杆枪,一条命,陪他一起跟别人拼命! ——人们为什么总是要等到危急患难时才能认清谁是朋友? 才能看清另外一个人的真面目?

枪尖刺穿了一个人的咽喉,拳头又打碎了另一个人的肋骨。这次每个人都听见了骨头碎裂声音。

还没有倒下的人,忽然间全部不见了,两个拼命的人,当然比一个更危险,更可怕,何况这两个人是邱凤城和马如龙。

不知道什么时候,夜色已很深了,窄巷里阴凉而黑暗。马如龙只感觉到有一只温暖的手,握住了他的手。

邱凤城的声音里也同样充满温暖:"我看得出你现在需要什么? 你现在实在需要喝杯酒。"

第十回 问 题

酒并不能算很好。既不是佳酿,更不是女儿红,只不过是市面上随时可以买到的花雕而已。马如龙虽然不在乎,小婉却还是带着歉意解释:"凤城很少在这里喝酒,也很少有朋友到这里来,这坛酒还是我刚才临时去买的。"

酒是她亲自去买的,菜也是她亲自下厨去做的,因为这里根本没有用丫环奴仆。"凤城喜欢清静,不愿用下人,所以这里什么事都只好由我自己做了。"她的声音中充满了女性的温柔,她的生活都是以邱凤城为中心的,邱凤城喜欢怎么样,她就怎么样去做。

男女间只要两情相悦,就已足够,又何必还要使唤的人?又何必还要有好酒。马如龙忽然觉得很羡慕他们。他忍不住在心里问自己:"如果他也有一个像小婉这样的女人,肯全心全意的跟着他,什么事都以他为主,他是不是也肯放弃一切,来过这种简朴平淡的生活。

他忽然又想到大婉。如果他娶了大婉,她是不是也会这么样待他?马如龙没有再想下去。这问题不但荒谬得可笑,简直有点滑稽。

他当然绝不会娶一个像大婉那样的女人,就算把刀架在他脖子上他也不肯的。现在大婉看来虽然已经没有以前那么丑了,也没有以前那么可恶了,却还是不能算很好看的,也绝不能算是很可爱。一个无数少女心目中的白马王子,怎么会娶一个这样的女人?马如龙举杯一饮而尽,决定要从此忘记她这个人。

邱凤城好像也喝了不少。既然他今天有喝酒的兴致,小婉当然也陪着他喝,两个人好像都有了点酒意,态度已渐渐亲热起来,好像已经忘了面前还有马如龙这个人。马如龙也已经渐渐开始觉得自己是多余了,正准备找个机会告辞。

刚才他准备要问邱凤城的那些问题,现在他已不想再问。因为他已经完全信任邱凤城。他正想站起来的时候,邱凤城又在向他敬酒了,又拉着小婉的手,带着笑道:"你一定也得敬他三杯,三大杯。"

小婉吃吃的笑,拼命摇头!"我只能敬他一杯。"

"一定要敬三大杯。"

"三大杯喝下去一定会把我喝死。"

"你不喝我就捏死你。"

小婉笑得更媚,眼波中已有了春情:"我情愿被你捏死。"

"真的?"

"当然是真的。"

"好,"邱凤城带着笑,用一只手捏住小婉的咽喉,轻轻的说:"那么我就真的捏死你。"

马如龙实在不想再听,也不想再看下去。他应该立刻就走的。但是他没有走,因为就在他站起来的时候,他忽然看见一件他连做梦都想不到的事。他看见小婉那双充满春情的眼睛忽然死鱼般凸出,脸色忽然发青,身子忽然僵硬。这一次真的是真的!邱凤城竟真的活活把小婉捏死了!

马如龙怔住,就好像也有双看不见的手捏住了他的咽喉,呼吸也忽然停顿,身子也渐渐僵硬,连手脚都已冰冷。小婉已倒了下去。邱凤城看着她倒下,神色连一点都没有变,脸上居然还带着笑。

"说谎是种坏习惯,我这人从来不说谎的。"他带着笑道:"我说真的要捏死她,我就真的捏死了她,所以我说的话你以后一定要相信。"

马如龙连一个字都说不出来。他只想吐,把刚吃下去的酒菜全部吐个干净,可是他连吐都吐不出。

邱凤城笑得更愉快:"你为什么不问我?为什么要捏死她?"

用不着别人问,他自己居然先说了出来。"其实我早就准备捏死她的,从我看到她那天开始,因为她不但长得很好看,而且是个很痴心的女人,像她这样的女人,正好能配合我的计划。"

——他的计划?什么计划?马如龙虽然并不笨,却还是没有完全想通。

邱凤城居然又解释:"我要让大家都知道,我已经有了这么样一个肯死心塌地跟着我的女人,已经跟我有了山盟海誓,誓死不分,大家才会相信我绝不想做碧玉夫人的女婿。"他叹了口气:"其实我想得要命。"

但是他竞争的对手太强,他自己也没有把握能入选。"所以我定要先除去你们三个人。"要除去这三个人实在很不容易。

"幸好我知道你们都是酒鬼,又碰巧知道小杜在聚丰楼订了一席酒菜。"所以他就买通了聚丰楼的伙计,在酒里下了毒,再要"天杀"的杀手,将那些伙计灭了口。

"惟一让我想不到的是,你居然不喝酒。"他接着又道:"幸好我这人做事一向谨慎,早已留下了后招。"

他的后手就是金振林和彭天霸。金振林早已被他收服,彭天霸本来就已跟他串通,贴胸藏在心口的玉佩当然也是计划的一部份,事成后每个人都要被杀了灭口。

"冯超凡和绝大师却是完全不知情的,我故意要彭天霸请他们到聚丰楼去喝酒,再带他们到寒梅谷去,只不过为了要他们证明这件事,证明我绝对是清白无辜的,证明你才是凶手。"他微笑:"可是你也不能怪我,只怪你自己运气不好,居然没有喝酒,居然没有死,如果你也死了,就不会有这些烦恼了。"

现在他已没有竞争的对手,可是小婉如果不死,他还是没法子自圆其说,还是没法子抛下她去做碧玉夫人的乘龙快婿。所以小婉非死不可。邱凤城看着马如龙。"至于你,你死不死都已经没什么太大的关系了,因为大家都已认定了你是凶手,你不死对我反而有好处。"

"有什么好处?"马如龙终于能开口:"我不死对你有什么好处?"

邱凤城叹息着,悠然道:"难道你现在还没有想到我就是'天杀'的首脑?"

马如龙全身都已冰冷僵硬。"天杀"想崛起,就一定要造成江湖中的混乱,让别人自相残杀。他不死,可能造成这种混乱。现在他终于完全明白,这些事他本来以为自己永远不会明白的,可是忽然间就已完全明白了。他做梦也没有想到,真正的凶手会亲口将这些事告诉他。他忍不住要问:"你为什么要把你自己的秘密告诉我?"

邱凤城笑道:"因为……"刚说出两个字,他的脸色忽然变了,就好像杜青莲临死前那种可怕的变化一样,苍白的脸忽然变成可怕的死黑色。他挣扎着站起,踢倒了桌子,想要扑过来,可是桌子倒下时,他自己也倒了下去。

第十一回　吊　　刑

马如龙又怔住。酒中怎么会有毒？是谁下的毒？是不是小婉已猜出邱凤城要对她下毒手，所以先在酒中下了毒？他喝的也是同一个酒壶倒出来的酒，现在邱凤城已经毒发毙命，他为什么连一点事都没有。

问题实在太多，太复杂，而且来得太突然。他的思想已经完全乱了，连最简单的问题都没法子想得通。现在他最聪明的做法，就是赶快离开这是非之地。这些事很可能是经过设计的，根本就是个陷阱。他已经想到了这一点，可惜等他想到时，他已经落入陷阱里。一个设计得更精密，更恶毒的陷阱，无论谁只要一掉下去，就再也休想逃出来了。

屋子里点了四盏灯，四盏价值极昂贵的波斯水晶灯，价值昂贵的东西都是好东西，这种灯就算从高处掉在地上，灯罩也不会碎，四盏灯都好好的摆在桌上，摆得四平八稳。忽然间，"波"的一声响，四个精美的水晶灯罩竟同时碎裂，灯火将灭未灭。

就在这同一刹那间，马如龙也忽然感觉到一种巨大的压力，海浪般从四面八方向他涌来。他的心跳立刻加快，呼吸却几乎停止，鼻血涌出，喉头发甜。眼珠子仿佛已将爆裂。他几乎晕了过去。等他这阵晕眩过去时，这股奇异而可怕的力量已消失，屋子里却多了四个人。他第一个看见的就是绝大师。心绝情绝，赶尽杀绝的绝大师。

有绝大师，冯超凡就一定会在。一个瘦骨嶙峋，面目皮肤黝黑如铁的苦行僧，一件灰布僧袍虽然千丁万补，手里拿着的却是串价值连城的翠玉佛珠。另一人大袖宽袍，赤足麻鞋，头上挽道髻，全身的肌肤晶莹如玉，就好像真是用白玉雕成的一个人，跟那苦行僧正是个极强烈的对比。

四个人是从四个方向进来的，没有进来之前，每个人都将他们数十年性命交修的内力真气发出，封死了马如龙的退路，也封死了他的出手。他们对马如龙这个人已深具戒心，已认定他是什么事都做得出的。

刚才那股力量袭来时，东西两方的力量远比南北强大。从东方来的是那苦行僧，从西方来的是那玉道人，这两人的内力竟比名满天下的绝大师更强。马如龙从未见过他们，却已猜出他们是谁了。

苦行僧的法号就叫"吃苦"，他吃尽千辛万苦，西游万里，远赴天竺，求的并不是佛经，而是自从达摩东渡以来，就为天下学武的人痴心梦想，想求得的佛门武功奥秘。他此行无疑有了收获。

玉道人就是昔年一剑纵横，震动江湖，令天下英雄丧胆，天下美女倾心的玉郎君。看见这四个人，马如龙的心已沉了下去。普天之下，绝没有任何人能从他们的手底下逃走，也绝没有任何人能从他们手底下救人，这一点无论谁都不能不承认。

灯火并没有灭，因为他们并不想让灯火熄灭。他们想做之事，一定能做到，他们不想做的事，一定不会发生。他们好像根本没有看见马如龙这个人，他们的眼中只有邱凤城。

邱凤城已经连呼吸都已停止。酒壶酒杯都已翻倒在地上，吃苦和尚捡起来嗅了嗅，一双深陷入骨的眼睛里寒光闪动如利刃。他追随唐三藏西游求经的路线远赴天竺，这条路并不好走。在他经过的那些穷山恶水，丛林沼泽中，到处都充满了绝对致命的毒虫毒蛇毒兽毒花毒树毒草。天下所有的毒物他几乎全都看见过，在这方面，他的经验几乎已可比得上尝遍百草的神农。

绝大师虽然出家多年，刚烈急躁的脾气丝毫未变，已忍不住问："怎么样？"吃苦和尚不但闭着嘴，连眼睛都已闭了起来。绝大师更焦急。

如连吃苦和尚都查不出邱凤城中的是什么毒，天下绝没有第二个人能查得出。幸好吃苦和尚终于开口。

"壶里的酒没有毒。"

"毒在哪里？"

"在他喝的最后一杯酒里。"

"是什么毒？"

"是用牵机、断肠、销魂，三种毒草炼成的'秋虫散'。"

"你能确定？"

"这种毒散无色有味，最宜下在酒中，配合酒性，发作更快。"

"多快？"

"酒一入喉，毒已发作，酒一入肠，命如秋虫。"

"他的毒刚发作。"

"所以毒必在最后一杯酒中。"

"中毒能解?"

"秋虫并非必死,只要救得快,就能解。"

"你能解?"

"我不能,他能。"

吃苦和尚转过头,看着玉道人说:"识毒天下无人及我,解毒我不及你。"

玉道人道:"你怎知道你不及我!"

吃苦和尚道:"因为你是个负心人,我不是。"

玉道人笑了。他不能不承认这一点,从他十六岁的时候开始,就不知有多少女人想毒死他。因为他太多情了,情却不专,因为他太可爱,她们都不想失去他,因为她们都知道,除非毒死他,否则他迟早会负心的。久病都能成为良医,经常可能被人毒死的人,怎么能不会解毒?

吃苦和尚道:"如果他不知解毒,现在他早已是个死人。"

绝大师道:"如果他解不了这秋虫散的毒,还有没有别人能解。"

玉道人自己替自己回答了这问题,他的回答是:"没有。"

马如龙终于明白了。这不仅是个陷阱,简直是条绳索,如果说是邱凤城自己下的毒,有谁相信他自己要毒死自己。所以下毒的当然是马如龙。

邱凤城毒发时的情况,和沈红叶、杜青莲死前完全相同。寒梅谷中的那壶毒酒里,下的无疑也是秋虫散。所以那次下毒的人当然也是马如龙。

邱凤城早已知道绝大师他们会来,早已算准自己有救。所以不妨先在酒中下毒。

现在他虽然已经在马如龙面前承认自己是凶手,可是除了马如龙外,世上并没有第二个人听到他的自白。所以世上也绝对没有人相信他会在别人面前自承罪状。所以马如龙就算说出来,也没有人会相信。

邱凤城既然是被马如龙毒死的,小婉当然也是被马如龙捏死的。没有人会追究他为什么要捏死小婉,像这样的凶手,还有什么事做不出? 杀人者死。现在马如龙无异已经被判了吊刑。

第十二回 茉 莉 花

邱凤城果然没有死。这已经是他第二次从死中复生了。马如龙又想到金振林那一枪，想到他贴胸慎藏的那块玉佩。有了小婉这个人，他才能解释那块玉佩。他的计划每一个步骤，每一个细节，都经过精心的设计，细密的安排。每次他都先将自己置之于死，让别人不能怀疑他。

现在他已经呕吐过了，将毒酒都吐了出去，每个人都看得出他可以活下去了，说不定可以活到一百七八十岁，比谁活得都长。现在他们的目标已经转移到马如龙身上。每个人的眼睛里都仿佛有把利刃。

第一个开口的是冯超凡："你还有什么话说？"

马如龙无话可说。如果他把这件事的真相说出来，有谁相信邱凤城捏死小婉？有谁相信他会泄漏自己的秘密？又有谁相信他会在自己的酒杯中下毒？

绝大师已经在冷冷的问："这一次你还有什么事要交代？"

马如龙掌中纵然还有宝剑，囊中纵然还有黄金，身上纵然还有狐裘，这一次他无法再重施故技了。

绝大师道："现在你的罪行虽然已有铁证如山，但是以你的为人，还是绝不会认罪的，更不会束手就缚。"

马如龙承认。现在他不但已无法辩白，而且已无路可走，他自己也看得出这一点。但是只要他还有一口气在，就绝不肯放弃反抗。

绝大师道："以我们四人之力，要拿你虽然易如反掌，但是我们也不愿以多为胜，以大压小。"

马如龙忽然道："我明白了。"

绝大师道："你明白什么？"

马如龙道："你是想自己对付我，想亲手来杀我。"他淡淡的接道："因为除了杀人外，你已没有别的乐趣。"

这句话就像是一根针，一根必定会直刺入对方心底的针。绝大师却全无反应，冷冷道："如果你不愿我出手，也可以选另外一个人。"

马如龙道:"我还是选你。"

绝大师道:"很好。"

马如龙道:"其实我本来不该选你的,你的内力虽然不及吃苦和尚,剑术虽然不及玉道人,可是你杀人的经验远比他们丰富,远比他们会杀。"他叹了口气:"只可惜我虽然明明知道这一点,却还是要选你。"

绝大师不能不问:"为什么?"

马如龙道:"我选你,只因为你是个残酷固执自大的狂人,总认为只凭你自己就可以判别人的罪,只要你自己判了一个人的罪,你就要赶尽杀绝,非把那个人杀了不可。"他的声音已激动:"我选你,只因为我要替那些被你冤杀的人出口气,我纵然不是你的对手,但是我可以保证,我一定有法子可以跟你同归于尽。"

绝大师当然不能问:"什么法子?"马如龙说的话,他也不能不信。他的脸色已经开始在变。一心想置人于死的人,自己也同样怕死的,这一点他无法掩饰。

马如龙忽然笑了,大笑。"原来你并没有别人想像中那么绝,原来你也跟别人一样爱惜自己的生命。"他的笑声中充满讥诮:"其实我根本没什么特别的法子能跟你同归于尽,我只不过想吓唬吓唬你而已。"

高手相争,非但要不动心,还要不动气,否则就会被人占去先机。这道理绝大师一向很了解。

可是他现在已经动了气。他的眼睛里已现出血丝,额上已暴出青筋,鹰爪般的一双手已伸出,一步步向马如龙走过去。

这屋子里地上铺着光滑的柚木板,他走过的地方,木板立刻碎裂。他已将全身真力集聚,只要出手一击,很可能就会杀人! 他已全不考虑自己是不是会杀错人!

除了木板碎裂的声音外,天地间仿佛已听不见别的声音。可是他们忽然又听见一阵卖花的呼唤声:"珠兰,茉莉。"

清脆悦耳的卖花声,仿佛是从很远的地方传来的,可是忽然就已到了很近的地方,近得就好像有人在耳边呼唤。用白粉涂得很亮的墙壁上,忽然出现了一个人形的破洞。

"珠兰,茉莉。"一个头戴竹笠,身穿青衣,身材极苗条的卖花女,手里拿着朵用铁线穿的茉莉花,忽然从洞中走了进来。

茉莉花清香美丽,她的手也很美。马如龙立刻想起了那个在窄巷中将大婉惊走的神秘卖花女。她到这里来干什么?

"买一朵茉莉花吧。"她忽然将手里的茉莉花塞入绝大师鹰爪般的手里。这双手上的力量,本来已像是满弦上的箭,一触即发,只要一发出,就算是石头碰上,也必将被捏碎。

但是这只手居然没有捏碎这朵茉莉花,这朵茉莉花反而好像刺痛了他的手。不但刺痛了手,而且从他的手指间,一直刺入他心脏。因为他一接到这朵茉莉花,他的人就已跃起,箭一般窜出窗外。

——这个卖花女是谁? 这朵茉莉花上有什么神秘力量?

卖花女已转过身,走到玉道人面前。"买一朵茉莉花吧,"她手里又拈起一朵花:"又香又好看的茉莉花,很快就会谢了,不买一定会后悔的。"

"我想买,你怎么卖?"玉道人问。

"我卖花一向价钱公道,老少无欺,"卖花女的声音清柔:"一条命,一朵茉莉花。"

玉道人在笑,笑得很勉强。"我买不起。"

他的身子忽然后退,箭一般从墙上那个破洞穿了出去。吃苦和尚和冯超凡走得也不比他慢。

卖花女轻轻叹了口气:"这么香的茉莉花,为什么偏偏没有人肯买。"

马如龙忽然道:"他们不买,我买。"

卖花女背对着他,没有回头。"你也只有一条命,你也买不起。"

"我若一定要买呢?"

"我就一定不卖。"

"为什么?"

"因为我不想要你这条命!"

"我这条命反正是捡回来的。"

"既然已经捡回来了,就应该多加珍惜。"她说话的时候,一面在往前走,马如龙一面在后面追。他们很快就走出这栋房子,走入了外面那条昏暗的小巷。

第十三回 卖 花 女

寒夜,无云,却有星。在淡淡的星光下看来,这个神秘的卖花女的背影竟仿佛很熟悉,是他以前看见过的一个熟人。她没有施展轻功,也没有奔跑。马如龙却偏偏追不上她。

等他施展出天马堂驰名江湖的轻功时,她的人忽然已在五六丈外,等他再追上去时,她的人更远了。他慢下来,她也慢了下来。他停下,她也停下。看来她虽然不想让他追上她,却也不想把他抛得很远。

马如龙忽然问:"你是不是不想让我看见你,不想让我知道你是谁?"

没有回答,也没有否认。

马如龙笑了笑:"可惜我已经知道你是谁了。"

卖花女忽然也笑了。她的笑声在这寂寞的寒夜中听来,就像是一杯热酒,可以让人全身温暖。

"你本来就应该知道的。"她吃吃的笑道:"因为你并不太笨。"

她当然就是大婉。她本来是被一个卖花女惊走的,可是现在却穿着那卖花女的衣服,连手里提着的花篮都是她的。那个神秘的卖花女到哪里去了?

马如龙想不通的当然不止这一件事,大婉的身世、武功、来历,都太神秘,那天她怎么会被埋在冰雪里? 绝大师,玉道人,这些顶尖武林高手,为什么会对她那么畏惧? 有关她的每件事都不是任何人可以用常情常理解释的。他跟她相处的时间越长,反而越不能了解她。

他当然也不会走。每次只要她出现,就一定会有些奇妙诡秘的事情发生。这次她又要做出什么样的事来,还有什么奇怪的花样? 他实在很想看看。大婉的花样果然来了。她的笑眼中又闪出了狡猾的光,忽然说:"我知道你的胆子一向不小,所以这次我要带你到一个奇怪的地方去。"

"去干什么?"

"去见一个人,"大婉似乎在故作神秘:"一个非常奇怪的女人。"

"我见过她?"

"大概见过一次。"

"你说的就是那个卖花女?"

"你果然不笨,"大婉盯着他问:"却不知你敢不敢去见他?"

马如龙当然敢去。就算那个卖花女是个会吃人的女妖怪,他也一样要去。

大婉眨着眼,又问:"你不后悔?见到了她之后,无论发生什么事,你都不后悔?"

马如龙的回答很绝。"我已经做了这么多应该后悔的事,再多做一件有什么关系?"

大婉又笑了。"没有关系,"她的笑声清悦如铃:"一点关系都没有。"

所以他们去了。在路上的时候,马如龙一直在想,不知道这次她要把他带到什么地方去?他想过很多种奇怪的地方,却还是想不到,她居然会把他带到了这个县城的衙门。

知县的官位虽然只不过七品,却是一个地方的父母官,县府衙门的气派,远比马如龙想像中大得多。大门已关了,他们是从边门进去的。

这是马如龙第一次进衙门,高架上的鸣冤鼓,大堂上摆着的板子夹棍,各种刑具和肃静牌,每样东西,都让他觉得很好奇。最使他奇怪的,还是那些戴着红缨帽的官差。县官虽然早已退堂,衙门里还是有官差当值卫,每一段路,就可以看见一两个。这些官差却好像全都是瞎子,根本就没有看见他们这样两个人。

官差都不是瞎子,他和大婉明明是从他们面前走过去的。他们怎么会看不见?难道大婉又使出了什么神秘的魔法?把他变成了个隐形人?

大堂后有个阴森森的院子,也有两个戴着红缨帽的官差守候在外面。马如龙忽然走过去,道:"喂,你有没有看见我?"

官差不理他,连看都没有看他一眼,却去问另一个官差。

"刚才是不是有人在说话?"

"没有。"

"你有没有看见什么人?"

"没有,连个鬼影子都没有看见。"

马如龙发现自己果然又遇到件绝事,如果不是大婉已经把他拉入了院子,他真想用力拧他们一下,看看他们会不会痛?

大婉在笑。"你就算在他们面前翻斤斗,他们也看不见的。"

"为什么?"

"因为他们都是明白人,都明白应该在什么时候装袭作哑。"

她忽然改变话题:"你知不知道这院子是什么地方?"

马如龙不知道。可是他已感觉到这地方有种说不出的鬼气。

"这就是仵作验尸的地方,"大婉轻描淡写的说:"只要县境内有凶杀冤死的人,尸体一定要先送到这里,让仵作检验死因。"

马如龙还没有看见尸体,也没有嗅到血腥气,可是,胃里已经开始觉得很不舒服。到了这个地方,谁也不会觉得很舒服的。大婉为什么要带他到这里来?

院子里的两排房屋,非但没有点灯,也没有窗户。可是右边最后一间屋子,不但关着门,门缝里仿佛还有灯光透出。大婉走了过去。

马如龙忍不住问:"你要带我来见的人,就在这房子里?"

"你为什么不自己进去看看?"她推开了门。

屋里果然点着灯,一盏昏灯,一张木床。床上,盖着雪白的布单,布单下有个人。这床布单显然太短了些,虽然盖住了这个人的头脸,却没有盖住她的脚。

马如龙第一眼看见的,就是她的脚。是一双雪白的脚,足踝纤巧,足趾柔美。无论谁看到这双脚,都应该看得出这是双女人的脚,也应该可以想像到,这个女人一定很美。

在那条阴暗的窄巷中,马如龙并没有看见那卖花女的脸,现在也已想像到。他忍不住叹了口气。

"她死了?"

"看起来好像是的。"

"是你杀了她?"

大婉淡淡的回答:"她一直看不起我,一直认为她的本事比我大,随时都可以把我打倒,我一看见她就逃走,也正是要她低估我。"

——低估了自己的对手,永远都是种不可原谅的错误。

大婉悠然道:"她果然低估了我,所以现在我站着,她已倒下,看起来就好像死了一样。"

马如龙又忍不住问:"只不过是看起来像死了一样?"

"嗯。"

"其实她还没有死?"

"你为什么不自己去看看?"大婉笑得很神秘:"看得清楚些。"

想看清楚些,就得掀开这床布单。马如龙掀起布单,立刻又放下,他的脸忽然红了,他的心忽然跳得比平常快了一倍。虽然他还是没有看得十分清楚,却已不敢再多看一眼。

布单下这个女人,竟是完全赤裸的。他从来没有看见过这么美的女人,这么美的身材,这么美的脸。这么样一个女人如果真的死了,实在可惜得很。

大婉又在问道:"你看,她是不是死了?"马如龙看不出。

大婉道:"只看了一眼,你当然看不出她的死活,但是你至少应该看得出,像她这么美的女人并不多。"马如龙承认。

大婉道:"那么你就应该看出她还没有死。"

马如龙道:"为什么?"

大婉轻轻叹了口气,道:"因为她实在太美了,连我都舍不得让她死;就算我心里很想杀了她,也不忍下手的。"马如龙也在叹气。

大婉道:"你为什么叹气?"

马如龙道:"因为我发现我自己实在很笨。"

大婉道:"你怎么会发现的?"

马如龙道:"现在我已经看过她,也相信她还没有死,可是我反而越来越不明白了。"

大婉道:"不明白什么事?"

马如龙道:"我认不认得她?"

大婉道:"不认得。"

马如龙道:"她跟我有什么关系?"

大婉道:"直到现在还没有。"

马如龙道:"那么你为什么一定要我来看她?"

大婉道:"因为你们现在虽然还没有关系,以后却一定会有的。"

马如龙道:"以后会有什么关系?"

大婉笑得更神秘:"有些事我现在还不能告诉你,但是我可以保证,我要你做的事,绝不会让你后悔的。"

马如龙道:"现在你又准备要我干什么?"

大婉说道:"我准备再带你去见一个人。"

马如龙道:"去见谁?"

大婉道:"一个很喜欢你的人,你好像也有点喜欢他。"

马如龙问道:"你怎么知道,我喜欢他?"

大婉道:"只要见过他的人,想要不喜欢他都很难。"

马如龙立刻想到了一个让人很难不喜欢他的人:"江南俞五?"

大婉道:"除了他还有谁呢?"

马如龙道:"他也在这里?"

大婉道:"就在对面。"

马如龙道:"在干什么?"

大婉又笑了:"他在干什么,你一辈子都猜不到的。"

第十四回　绝人绝事

马如龙第一次看见俞五时,俞五正在做菜。这世界上每天都有很多人在做菜,做菜绝对不能算是件很奇怪的事。可是江南俞五居然会亲自下厨房做菜,就让人觉得是件怪事了。这里是停尸验尸的地方,不是饭馆,也没有厨房。

"如果你能猜得出他在干什么,我佩服你。"

"我不要你佩服,我猜不出。"

"他在梳头。"

梳头绝不能算是件奇怪的事,江南俞五也一样要梳头的。他不是在替自己梳头。他在替别人梳头,替一个老得连牙齿都快掉光了的老太婆梳头。

对面一间小屋里,不知何时已燃起了灯。这个老太婆就坐在灯下,穿着一身红衣裳,就像是新娘子穿的那种绣花红衣裳,跷着一条腿,脚上还穿着双用大红绸子做的红绣鞋。她脸上的皱纹虽然比棋盘上的格子还多,嘴里的牙齿已经掉得比两岁的孩子还少,可是一头长发却还是又黑又亮,就像是丝缎般柔软发光。如果你只看见她的衣裳和头发,谁也想不到她已经是个老太婆。

更令人想不到的是,江南俞五居然会替这么样一个老太婆梳头。他梳头的动作也跟他炒菜一样,高雅而优美。不管他手里是拿着锅铲也好,是拿着梳子也好,他都是江南俞五。独一无二的江南俞五。

马如龙虽然还是想不通他为什么要替这老太婆梳头,也想不通大婉为什么带他来看,却已不知不觉看得出神。俞五却好像根本没有注意到他们走进来,他无论做什么事,都是全心全意的在做。所以他才会做得比别人好。

现在他已经用一根长长的乌木簪,替她挽好了最后一个髻,正在欣赏自己的杰作。的确是杰作。连马如龙都不能不承认,这老太婆看来仿佛已忽然年轻了很多。她的眼睛一直闭着,脸上的表情就好像在接受情人的爱抚。

"没有人比得上你,绝对没有人比得上你。"她的声音也老了,却仍然可以听得出年轻时的甜美爱娇。她轻轻叹息:"只要你的武功有你梳头的本事一半好,你已经天下无敌。"

俞五微笑。"幸好我并不想天下无敌。"

"为什么?"

"因为一个人如果真的无敌于天下,日子过得一定很无趣。"

老太婆也笑了,大笑。"我喜欢你,真的喜欢你,就算你不替我梳头,我也会替你做这件事的。"这老太婆究竟是什么人?俞五想找她做什么事?马如龙的好奇心已被引起,大婉却偏偏把他拉了出去。

"现在你一定越来越胡涂了,因为你根本不知道我想干什么。"

"你还想干什么?"

"我还想带你去看一个人。"

"这次是去看谁?"

"看一个画在纸上的人,"大婉道:"你就算比现在更聪明一百倍,也绝对猜不出这个人是谁。"

隔壁一间房子也点起了灯,墙上挂着一幅画,画的是个相貌很忠厚,样子很平凡的中年人。马如龙从来没有见过这么样一个人,就算见过,也很快就会忘记。这种人根本不值得别人牢记在心,也很不容易被别人牢记在心。

"他姓张,叫张荣发,是个非常非常忠厚老实的人,在城里开了一间小杂货铺,用了一个跟他差不多老实忠诚的伙计。"

大婉说的就是画上这个人:"今年他已经四十四岁,生肖是属猪的,十九岁时他就已娶亲,他的老婆叫桂枝,又会生气,又会生病,就是不会生孩子,所以越气越病,最近已经病得根本下不了床,连吃饭都要老张喂她,所以越气越病,脾气越来越大,连左右邻居都已受不了。"她忽然停下来,问马如龙:"你听清楚没有?"

马如龙听得很清楚,却听得莫名其妙,更想不通大婉为什么要带他来看这幅画,而且,把画上的这个人介绍得这么详细。他当然忍不住要问:"难道这个人跟我也有什么关系?"

"有一点。"

"我怎么会跟他有关系?"

"因为这个人就是你,"大婉绝没有一点开玩笑的样子:"你就是他,他就是你。"

马如龙觉得很滑稽,简直滑稽得可以让人笑掉大牙,笑破肚子。可惜他偏偏笑不出。因为他看得出,大婉既不是开玩笑,也没有疯。他故意问道:"这个叫张荣发的人,就是我。"

"绝对是。"

"他看起来一点都不像我。"

"但是你很快就会变得像他了,非常非常的像,甚至可以说完全一模一样。"

"可惜我不会变。"

"你不会变,有人会替你变。"

大婉忽然问他:"你知不知道俞五为什么会替那位大小姐梳头?"

马如龙道:"那位大小姐好像已经不是小姐了,好像已经是位老婆婆。"

大婉居然不同意。"她不是老婆婆,她是大小姐,有些人,就算活到一百八十岁,也一样是大小姐。"

"她就是这种人?"

"绝对是,"大婉道:"如果她不是,世上就没有这种人了。"

"为什么?"

"因为她姓玉。"

马如龙终于想起了一个人:"她跟六十年前的那位玉大小姐有什么关系?"

大婉道:"她就是那位玉大小姐,她就是'玲珑玉手'玉玲珑。"

第十五回　玲珑玉手玉玲珑

六十年前,江湖中有三双最出名的手,无情铁手、神偷妙手、玲珑玉手。铁手无情,手下从未放过任何一个不该放过的人。妙手神偷,任何人偷不到的,他都能偷得到。玉手玲珑,神奇巧妙,谁也不知道她的一双手能做出多少巧妙神奇的事。可是每个人都知道,无论谁在她这双手下,半个时辰内就会变成另外一个人。

马如龙总算明白了。俞五替她梳头,就因为要请她替我易容改扮,把我变成张荣发。

"对。"

"你们选择了这个地方,就因为这种地方是江湖人绝不会来的。"

"对。"

"那些官差,全都看不见我们,只因为他们都有求于俞五,不能不放个交情给他。"

"对。"

"因为我已被认定了是个心狠手辣的恶徒,已逼得无路可走,所以你们才替我想出了这法子,让我可以多活些日子。"

"不对。"

大婉的态度诚恳而沉重:"俞五相信你,我也相信你。我们都相信你是被人陷害的,我们也知道你绝不会躲在一个小杂货铺里苟且偷生。"

马如龙很久没有开口。他的血已热了,他的咽喉仿佛被热血堵塞,过了很久,才嘎声问:"你为什么要相信我?"

"因为我相信一个刚杀了人的凶手,在自己逃命的时候,绝不会冒险停下来,从雪地里救起一个快要被冻死的女人。"

马如龙没有再说什么,他心里的感觉,已经不是言语所能表达得出。

大婉道:"可是你自己一定也要相信,人世间还是有正义公道存在的,邪恶迟早必将灭亡,阴谋迟早必将败露,你受到的冤枉迟早总有一天会洗清。"她轻轻握住他的手,又道:"只要你能有这种信心,暂时受点委屈,又算得了什么?"

马如龙沉默着,沉默了很久,忽然问道:"那个杂货铺在哪里?"

"就在西城的一条窄巷里,你的主顾,都是些善良穷苦的小百姓,能吃饱饭,已经很不容易,所以,很少会管别人的闲事。"

她又补充:"你的那个伙计也姓张,别人都叫他老土,除了偶尔喜欢偷偷的喝两杯烧酒外,绝对是个可靠的人。"

马如龙道:"他认不出他的老板已经换了个人?"

大婉道:"他的眼睛一向不好,耳朵也有点毛病?"

马如龙道:"就算他认不出来,别人呢?"

大婉道:"别人?"她忽然笑了笑,道:"你是不是说他那个多病的老婆?"

马如龙苦笑,却还是忍不住要问:"她是个什么样的人?"

大婉又笑了笑,道:"其实你自己应该看得出的。"

马如龙道:"我看得出? 我几时看见过她。"

大婉道:"刚才你还看见过她。"

马如龙怔住。"难道刚才我看见的那个好像已经死了的女人,就是我的……"他忽然发觉自己的说法不对,立刻又改口:"难道她就是张荣发的老婆?"

大婉道:"本来不是的,现在却快要是了,就好像你本来不是张荣发,现在却快要变成张荣发一样。"

马如龙道:"她本来是谁?"

大婉在考虑,看起来并没有要回答这句话的意思。这次马如龙却不肯放过她。又问道:"她本来究竟是个什么样的人? 现在你难道还是连这一点都不肯告诉我?"

大婉终于叹了口气,道:"现在我如果还是不肯告诉你,好像就未免有点不近人情了。"马如龙完全同意。

大婉道:"她姓谢,叫谢玉宝,谢谢你的谢,宝玉的玉,饱宝山的宝。"

马如龙道:"我知道这三个字,你用不着说得这么详细。"

大婉道:"她是个女人。"

马如龙道:"你以为我连她是男是女都看不出?"

大婉苦笑,道:"你一定也看得出我只不过是在故意拖延而已,因为我实在不知道究竟应该告诉你多少事。"

马如龙道:"你能告诉我多少?"

大婉终于下定决心:"好,我告诉你,今年她十九岁,大概还没有碰过男人,也没有被男人碰过。"

马如龙道:"她真的只有十九岁?"

大婉道:"难道,你觉得她已经很老了?"

马如龙道:"她的人虽然不老,武功却很老,她穿过那道高墙时就好像穿过张薄纸一样,那种功力连九十岁的人都未必能练到。"

大婉道:"我的功力也不比她差,你是不是认为我也很老了?"

马如龙闭上了嘴。

大婉道:"武功不是死练出来的,一个人功力的深浅,跟他的年龄大小没有多大关系。"

马如龙道:"我懂。"

大婉道:"她的武功的确很高,你们知道的那些英雄大侠们,能胜过她的绝对不会超出十个,因为她不但有个好师父,而且几乎是一出娘胎就开始练武了。"

马如龙道:"她的师父是谁?"

大婉道:"只答应告诉你有关她的事,不是她师父的事。"

马如龙苦笑,说道:"那么,我就不问。"

大婉道:"她的脾气不太好,大小姐的脾气总是不太好的,如果发现自己忽然变成了一家破杂货店的老板娘,说不定会气得发疯。"

马如龙道:"她发疯的时候,会不会一刀把那杂货店的老板杀了……"

这一点他不能不关心,不能不问,因为杂货店的老板就是他。

大婉嫣然道:"这一点你可以放心,她不会杀了你的。"

马如龙道:"你怎么知道她不会?"

大婉道:"因为她有病,病得躺在床上,连站都站不起来。"

一个昨天还能穿墙如穿纸的绝顶高手,怎么会忽然病得这么重?马如龙没有问。他已经可以想像到,这种病是怎么来的,以大婉的本事,要一个人"生病"绝不难。

马如龙道:"可是看起来也绝对不像是个杂货店的老板娘。"

大婉道:"现在不像,等一下就会像了,而且绝对跟原来那个老板娘完全一模一样。"

马如龙道:"玉玲珑真有这么大的神通?"

大婉道:"她有多大的神通,等一下你自己就会看出来了。"

马如龙叹了口气,道:"其实我倒并不十分想看。"

大婉道:"等她醒来时,已经躺在杂货店后面的小屋里。"

马如龙道:"我呢?"

大婉道:"你当然就在她床边照顾她,因为你们是多年的恩爱夫妻。"

马如龙又不禁苦笑,道:"可惜她自己一定不会承认的。"

大婉道:"她当然不会承认,可是你要一口咬定她就是你的老婆,姓王,叫王桂枝,已经嫁给你十八年了。不管她怎么说,怎么闹,你都要一口咬定。"

马如龙道:"到后来连她自己都一定会变得胡里胡涂,连自己都不知道自己是谁了。"

大婉笑道:"你总算明白了。"

马如龙道:"我只有一点不明白。"

大婉道:"你说。"

马如龙道:"我跟她无冤无仇,为什么要做这种事。"

大婉道:"因为这样做不但对你有好处,对她也有好处,也只只有这样做才能把你受的冤枉洗清,把这件阴谋揭穿。"她的态度又变得极严肃,极诚恳:"我知道你是个多么骄傲的人,这种事你本来绝不肯做的,这次你就算为了我,我一直信任你,你最少也该信任我一次。"

马如龙什么话都不能再说了。就因为他骄傲,所以他绝不欠别人的情。至于他这样做了之后是不是就能将冤情洗清,他倒并不十分在乎。他做的事通常都不是为自己而做的。

现在如果有人问他:"你是个什么样的人?"她的回答,一定跟以前不同了。每一个人都一定要在经过无数折磨打击后,才能真正的认清自己。

他只问道:"现在你又准备要我干什么?"

"当然是要你去喝酒,"大婉嫣然道:"俞五在这里,你也在这里,如果不让你们两个人先痛痛快快的喝几杯酒,岂非更不近人情?"

这两排房子后,还有间独立的大屋,斜塌的屋背,暗灰色的墙,给人一种古老而阴森的感觉。从外表看来,无论谁都可以想像到这一定是仵作们置放验尸工具的库房,里面一定堆满了各种让人一想起就会毛骨悚然的器具,不但有刮骨的刀,生锈的钩子,缝皮的针和线……还有些东西甚至让人连想都想不到,连想都不敢去想。

可是你一走进去,你的看法就会立刻改变了。屋子里干净、开阔、明亮、雪白的墙壁无疑是刚粉刷过的,桌上铺着雪白的桌布,摆着几样精致的小菜和六坛酒。整整四大坛原封未动的陈绍"善酿"和两坛二十斤装的女儿红。

普通人只要一看见这么多酒说不定就已醉了。马如龙不是普通人,心里也有点发毛,喝得烂醉如泥绝不是件好受的事,但是跟俞五在一起,想不喝也很难。他只希望这一次能先把俞五灌醉,自己少喝一点。俞五正在看着他微笑,仿佛已看出他心里在想什么。

"我知道你喜欢女儿红,可惜这地方实在找不到这么多女儿红。"

"善酿也是好酒。"

"我们先喝女儿红,再喝善酿。"俞五笑得非常愉快:"一人一坛女儿红喝下去之后,什么酒喝起来都差不多了。"

"一人一坛,"马如龙看看大婉道:"她呢?"

"这次我不喝,"大婉笑道:"玉大小姐刚才还告诉我,女孩子酒喝得太多,不但容易老,而且容易上当。"

马如龙在心里叹了口气,已经明白自己刚才想的事完全没有希望。

玉大小姐当然就是玉玲珑。她也在这屋里,坐在另外一张长桌边,桌上放着一个镶玉的银箱,十来个纯银罐子,和一个纯银的脸盆。盆里盛满温水,她先试了试水的温度,就将一双手浸入温水里。

这位大小姐虽然已经老得可以做小姐的祖奶奶,可是她的风姿仍然不老,每一个动作都能保持年轻时的优雅。无论谁只要多看她几眼,都会觉得她并没有那么老了。这也许,只因为她自己并不觉得自己老。

"你们喝你们的酒,我做我的事。"她带着笑:"我虽然从不喝酒,可是,也绝不反对别人喝酒,而且很喜欢看别人喝酒。"

大婉也在笑:"有时候我也觉得看人喝酒比自己喝有趣得多。"

玉玲珑同意道:"有的人一喝醉就会胡说八道,乱吵乱闹,有的人喝醉了反而会变成个木头人,连一句话都不说,有的人喝醉了会哭,有的人喝醉了会笑,我觉得很有趣。"

她忽然问马如龙:"你喝醉了是什么样子?"

"我不知道。"他是真的不知道,一个人如果真的喝醉了,记忆中往往会留下一大段空白,醒来时只觉得口干舌燥,头痛如裂,什么事都忘了——把不该忘的事全都忘了,应该忘记的事也许反而记得更清楚。

玉玲珑笑笑道:"我生平只见过两个真正可以算美男子的人,你就是其中之一,所以,你就算喝醉了,样子也不会难看的。"

俞五大笑:"他喝醉了是什么样子,你很快就会看到的。"

马如龙醉得虽然不能算很快,可是也绝不能算很慢。

开始的时候,玉玲珑的一举一动他都能看得很清楚。

她将一双手在水里浸了大概有一顿饭的工夫,然后就用一块柔巾把手擦干,往那银箱中,拿出把小小的弯刀,开始修指甲。——这个箱子里还有什么东西?

修完指甲,她又从七八个不同的罐子里,倒出七八种颜色不同的东西,有的是粉,有的是浆汁,有黄有褐有白末。她将这些东西全部倒在一个比较小的银盆里,用一把银匙慢慢搅动。

马如龙看得出这些都是她在替别人易容前做的准备,无论做什么事,能够有如此精密周到的准备,都一定不会做得太差的。大半坛女儿红下肚后,马如龙忽然有了种奇妙的想法。

"既然她能替别人易容,将丑的变美,美的变丑,年老的变年轻,年轻的变年老,她为什么不替自己易容,把自己变成个大姑娘?"

玉玲珑居然好像已看出了他心里的想法。"我只替别人易容,从来不替自己做这种事。"她说:"因为我就算能让自己变得年轻些,就算能骗得到别人,也骗不过自己。"她淡淡的笑道:"骗别人的事我可能会做,骗自己的事我是绝不做的。"

说这些话的时候,她又从箱子里拿出七八件纯银的小刀小剪小钩小铲,甚至还有个小小的锯子。——她准备用这些东西干什么?

如果还没有喝醉,马如龙说不定已经夺门而逃,只可惜他已经喝得太多,已经喝醉了。他最后记得的一件事,就是玉玲珑在用手指按摩他的脸。她的手指冰冷而光滑,她的动作轻巧而柔软,非常非常柔软……

第十六回　杂　货　店

屋子盖得很低，几乎一伸手就可以摸到屋梁，墙上的粉垩已剥落，上面贴着一张关夫子观春秋的木刻图，一张朱夫子的治家格言，和一张手写的劝世文，字写得居然很工整。屋里只有一扇窗子，一道门，门上挂着已经快洗得发白的蓝布门帘。

一张虽然已很残旧，却是红木做的八仙桌，就摆在门对面。桌上有一个缺嘴茶壶，三个茶碗，还供着个神龛，里面供的却不是关夫子，而是手里抱着胖娃娃的送子观音。

一个角落里堆着三口樟木箱子，另一个角落摆着显然已经很久没有人用过的妆台，一面菱花铜镜上满是灰尘，木梳的齿子也断了好几根。

除此之外，就只有一张床了。一个带着四根挂帐子木柱的雕花大木床，床上睡着一个女人，身上盖着三床厚棉被。这女人的头发蓬乱，脸色发黄，看来说不出的疲倦憔悴，虽然已睡着了，还是不时发出呻吟。

空气中充满了浓烈的药香，外面有个尖锐的女人声音正在吵闹，又说这个杂货店的鸡蛋太小，又说油里掺了水，盐也卖得太贵。

马如龙醒来时，就是在这么样一个地方。他本来还以为自己是在做梦，除了做梦外，他这种人怎么会到这种地方来。幸好他的宿醉虽然未醒，头虽然痛得要命，可是记忆还没有丧失。

他立刻想起了自己是怎么会到这里来的。他第一个反应就是从椅子上跳了起来，一步窜到妆台前，拿起了那面铜镜，用衣袖擦去上面的灰尘。他觉得自己的手好像在发抖。

——玉玲珑究竟在他脸上做了什么手脚？他当然急着想要看自己已经变成了什么样子？

他看见的不是他自己，是张荣发，绝对不是他自己，绝对是张荣发。他看着镜子时，就好像在看着大婉给他看过的那幅图画。

一个人在照镜子时，看见的却是另外一个人，他心里是什么感觉？没有经历过这种事的人，连做梦都不会想到现在他的心里是什么感觉的。

虽然他并没有时常提醒自己,可是他也知道自己是个美男子。就连最妒恨讨厌他的人,都不能不承认这一点。他忍不住要问自己。"将来,我还会不会恢复我以前的样子?"这问题他自己当然不能回答,他只恨自己以前为什么没有问过大婉和玉玲珑。

外面争吵的声音总算已平静了,床上的女人还没有醒。马如龙当然也忍不住要去看看她,一看又吓了一跳。

这个面黄肌瘦,病弱憔悴,连一分光采都没有的女人,真的就是他在那衙门里的验尸房里,掀开布单所看见的那个绝色美人?马如龙是明明知道自己会变成这样子,还是忍不住要害怕、吃惊。她醒来时忽然发现自己忽然变成这样子,她会怎么样?马如龙已经开始对她同情了。

现在这个"张荣发"已见过了他自己,见过了他住的屋子,也见过他的妻子。他的杂货店是个什么样的杂货店?他那个老实忠厚的伙计张老实是个什么样的人?他当然也忍不住想去看看。

杂货店通常都是个很"杂",放满了各式各样"货"的地方。油,盐,酱,醋,米,鸡蛋,鸭蛋,咸蛋,皮蛋,虾米,酱菜,冰糖,针线,刀剪,钉子,草纸……一个普通人家日常生活所需要的东西,都可以在杂货店里买得到。

这个杂货店也是这样子的,门口还挂着个破旧的招牌。"张记杂货"。门外是条不能算很窄的巷子,刮风的时候灰砂满天,下雨的时候泥泞满路,左邻右舍都是贫苦人家,流着鼻涕的小孩子整天在巷子里胡闹啼哭打架玩耍,鸡鸭猫狗拉的屎到处都有,家家户户的门口都晒着小孩衣服和尿布。

在这种地方,这种人家,除了逗小孩子外,别的娱乐几乎完全没有。江湖中的英雄豪杰好汉们,当然不会到这种地方来。马如龙做梦也想不到自己居然变成了这么样一家杂货店的老板。

张老实矮矮胖胖的身材,邋邋遢遢的样子,一张圆圆的脸上,长着双好像永远没有睡醒的眼睛,和一个通红的大酒糟鼻子。张老实对他的老板礼貌并不十分周到,甚至连话都懒得说,连看都懒得看。

在这么样一个破铺子里,老板又怎么样?伙计又怎么样?反正大家都是在混吃等死,能捱一天是一天。马如龙对这种情况反而很满意,如果张老实是个多嘴的人,对他特别巴结,他反而受不了。

这杂货店原来的老板和老板娘呢？俞五当然已对他们做了妥当的安排,现在他们过的日子一定比原来好得多。马如龙又忍不住心里问自己:"像这样的日子,我还要过多久?"

又有生意上门了,一个挺着大肚子年轻小媳妇,来买一文钱红糖。就在这时候,马如龙听见一声呼喊,声音虽然不大,可是马如龙这一辈子都没有听见过这么惊慌悲惨的呼喊。谢玉宝一定已经醒来了,一定已经发现了这种可怕的变化。马如龙几乎不敢进去面对她。

大肚子的小媳妇看着他摇头叹道:"老板娘的病好像越来越重了。"马如龙只有苦笑,掀起蓝布门帘,走进了后面的屋子。

谢玉宝正挣扎着想从床上爬起来,眼睛里充满了令人看过一眼就永远忘不了的惊慌、愤怒、和恐惧,又嘶声呼喊。"你是什么人? 这是什么地方,我怎么会到这里来?"

"这里就是你的家,你已经在这里住了十八年,我就是你的老公。"马如龙说出这些话的时候,自己也觉得自己就像是条黄鼠狼。可是他不能不说:"我看,你的病又重了,居然连自己的家和老公,都不认得了。"谢玉宝吃惊的看着他,没有人能形容她眼睛里是什么表情。

大肚子的小媳妇也从门帘外伸进头来,叹着气道:"老板娘一定烧得很厉害,所以才会这样子说胡话,你最好煮点红糖姜水给她喝。"她的话还没有说完,谢玉宝已经抓起床边小桌上的一个粗碗,用尽全身力气往他们摔了过来。

只可惜她"病"得实在太重,连一个碗都摔不远。她更害怕,怕得全身都在发抖。

她自己知道自己的武功,那一身惊人武功到哪里去了? 小媳妇终于叹着气,带着红糖回家,不出半个时辰,左邻右舍都会知道这杂货店的老板娘已经病得快疯了。谢玉宝真的快疯了。她已经看见自己的手,一双柔若无骨春葱般的玉手,现在竟已变得像只鸡爪。

别的地方呢? 她把手伸进了被窝,忽然又缩出来,就好像被窝里有条毒蛇,把她咬了一口。然后她又看到了那个镜子,她挣扎着爬过去,对着镜子看了一眼。只看了一眼,她就晕了过去。

马如龙慢慢的弯下腰,从地上捡起破碗的碎片。其实他并不想做这件事的。他真正想做的事,就是先用力打自己十七八个耳光,再把真相告诉这位姓谢的姑娘。

　　但是他也不能对不起大婉。大婉信任他,他也应该信任她。她这么做,一定有很深的用意,而且对大家都有好处。马如龙长长的叹了口气,缓步走了出去,吩咐他的伙计,道:"今天我们提早打烊。"

第十七回　有所不为

晚饭的菜是辣椒炒小鱼干,只有一样菜,另外一碗用肉骨头熬的汤,是给病人喝的。病人已经醒过来了,一直动也不动的躺在床上,瞪着眼,看着屋顶。

马如龙也只有呆坐在床边一张破藤椅上。他忽然想起了很多事,想起了他以前做过的那些自己觉得自己很了不起的事。

——那些事是不是真的全部都是应该做的?是不是真的有那么了不起?

——人与人之间,为什么会有如此大的距离?为什么有的人生活得如此卑贱?为什么有些人要那么骄傲?

他忽然发现,如果能将人与人之间这种距离缩短,才是真正值得骄傲的。如果他一直生活在以前那种生活里,他一定不会想到这一点。

——一个人如果能经历一些意想不到的挫折苦难,是不是对他反而有好处?

——大婉用这种法子对付谢玉宝,是不是也为了这缘故?

想到这里,马如龙心里就觉得舒服一点了。他相信谢玉宝以前一定也是个非常骄傲的人,而且自觉有值得骄傲的理由。

不知道从什么时候开始,谢玉宝也在看着他,看了很久,忽然道:"你再说一遍。"

"说什么?"

"说你是什么人?我是什么人?"

"我是张荣发,你是王桂枝。"

"我们是夫妻?"

"是十八年的夫妻。我们一直都住在这里,开了这家杂货店,附近的每个人都认得我们。"

马如龙叹了口气,又说道:"也许你认为我们这种日子过得太贫苦,已经不想再过了,所以要把以前的事全部都忘记。"他是在安慰她:"其实,这种日子也没有什么不好,至少,我们一直过得心安理得。"

谢玉宝又盯着他看了很久。"你听着,"她一个字一个字的说:"我不知道你是什么人,也不知道这是怎么回事,可是我知道这些事一定是别人买通了你,来害我的。"

"谁要害你!为什么要害你?"

"你真的不知道我是什么人?"

马如龙真的不太知道,忍不住问:"你自己以为你是什么人?"

谢玉宝冷笑:"如果你知道我是什么人,说不定会活活骇死。"她的声音中忽然充满骄傲:"我是神的女儿,世上没有一个女人能比得上我,我随时都可以让你发财,也随时可以杀了你,所以你最好赶快把我送回去,否则我迟早有一天,要把你一刀刀的割碎,拿去喂狗。"

她果然是个非常非常骄傲的女人,非但从未把别人看在眼里,别人的性命她也全不重视,因为除了她自己外,谁的命都不值钱。像这么样一个人,受点苦难折磨,对她绝对是有好处的。

马如龙又叹了口气:"你的病又犯了,还是早点睡吧。"

他说出这句话时,才想到一个问题!屋里只有一张床,他睡在哪里?

谢玉宝无疑也想到了这个问题,忽然尖声道:"你敢睡上来,敢碰我一下,我就……我就……"

她没有说下去。她根本不能对他怎么样,她连站都站不起来,随便他要对她怎么样,她都没法子反抗。马如龙没有对她怎么样。

马如龙是个男人,健全而健康,而且曾经看过她的真面目,知道她是个多么美丽的女人。在那阴暗的小屋里,在那床雪白的布单下……那一幕,他并没有忘记,也忘不了。可是他没有对她怎么样。虽然他的想法已经变了,已经觉得自己并没有以前想像中那么值得骄傲,可是有些事他还是不会做的,你就算杀了他,他也不会做。也许这一点已经值得他骄傲了。

日子居然就这么样一天天过去了,谢玉宝居然也渐渐安静下来。一个人遇着了无可奈何的事,无论谁都只有忍耐接受。因为他不忍耐也没有用,发疯发狂,满地打滚,一头撞死都没有用。

马如龙呢?这种生活非但跟他以前的生活完全不同,而且跟他以前的世界完全隔绝。以前他觉得平凡庸俗卑贱的人,现在,他已经可以发现到他们善良可爱的一面了。有时候,他虽然也会觉得很烦躁,想出去打听江湖中的消息,想去找大婉和俞五。

但是有时候他想放弃一切,就这么样安静平凡的过一辈子。只可惜就算他真的这么想,别人也不会让他这么做的。他毕竟不是张荣发,是马如龙。

最近这几天,杂货店里忽然多了个奇怪的客人,每天黄昏后,都来买二十个鸡蛋,两刀草纸,两斤粗盐,一斤米酒。一家人每天要吃二十个蛋,用两刀草纸,已经有点奇怪了。每天都要用两斤粗盐的人家,谁也没有听说过。

这件事虽然奇怪,但是这个人买的东西却不奇怪,鸡蛋,草纸,盐,酒,都是很普通的东西。来买东西的人看来也很平凡,高高的个子,瘦瘦的,就像这里别的男人一样,看来总是显得有些忧虑,有点疲倦。

直到有一天,那个肚子挺得更高的小媳妇看见他,马如龙才开始注意。因为小媳妇居然在问:"这个人是谁? 我怎么从来没有见过他?"

住在这里的人每一个她都见过,而且都认得。她说得很肯定。"这个男人绝不是住在这里的,而且以前绝对没有到这里来过。"

于是马如龙也渐渐开始对这个男人注意了。他并不是个善于观察别人的人,出身在他这种豪富世家的大少爷们,通常都不善于观察别人。但是,他仍然看出了好几点异常的现象。

这个男人身材虽然很瘦,手脚却特别粗大,伸手拿东西和付钱的时候,总是躲躲藏藏的,而且动作很快,好像很不愿别人看见他的手。每天他都要等到黄昏过后,每个人都回家吃饭的时候才来,这时候巷子的人最少。他的身材虽然很高,脚虽然很大,走起路来却很轻,几乎听不见脚步声,有时天下雨,巷子里泥泞满路,他脚上沾着的泥也比别人少。

虽然已过完了年,已经是春天,天气却还是很冷,他穿的衣衫也比别人单薄,可是连一点怕冷的样子都没有。马如龙虽然不是老江湖,就凭这几点,也已看出这个人一定练过武,而且练得很不错,一双手上很可能有铁砂掌一类的功夫。

一个武林中的好手,每天到这里来买鸡蛋草纸干什么? 如果他是为了避仇而躲到这里来的,也不必每天来买这些东西。如果他是俞五的属下,派到这里来保护马如龙的,也不必做这些引人注意的事情。

难道邱凤城,绝大师他们,已经发现这家杂货店可疑,所以,派个人来查探监视。如果真是这样子的,他也不必每天买二十个鸡蛋两斤盐回去。这几点马如龙都想不通。

想不通的事,最好不要想,可是马如龙的好奇心已经被引起了。每个人难免有好奇心的,马如龙固然不能例外,谢玉宝也不例外。她也知道有这么样一个人来,有一天她终于忍不住问:"你们说的这个人,真的是个男人?"

"当然是个男人。"

"他会不会是女扮男装的?"

"绝不会。"

马如龙虽然已领教过"易容术"的奇妙,但是,他相信这个男人绝不会是个女人。谢玉宝显然觉得很失望。

马如龙早就觉得她问得很奇怪,也忍不住要问她。"你为什么要问这件事?难道你希望他是个女人?"

谢玉宝沉默了很久,才叹息着道:"如果他是女人,就可能是来救我的。"

——为什么只有女人才会来救她?马如龙没有问,只淡淡的说:"你嫁给我十八年,我对你一向不错,别人为什么要来救你?"

谢玉宝恨恨的盯着他,只要一提起这件事,她眼睛就会露出种说不出的痛苦和仇恨。只要她一变成这种样子,马如龙就会赶快溜出去,他实在不敢看这么样一双眼睛。他也不忍。

有一天晚上,这个神秘的男人刚买过东西回去没有多久,姓于的小媳妇忽然又挺着大肚子来了,神色显得又紧张,又兴奋。"我知道了,我知道了。"她喘着气说:"我知道那个人住在哪里了。"

一向不多事,也不多嘴的张老实,这次居然也忍不住问:"他住在哪里?"

"就住在陶保义的家,"小媳妇说:"我亲眼看见他进去的。"

陶保义是这里的地保,以前听说也练过武,可是他自己从来不提,也没有人看见他练过武。他住的地方是附近最大的一栋屋子,是用红砖盖成的。地保的交游比较广阔,有朋友来住在他家里,并不奇怪。

可是他家里一共只有夫妇两个人,再加上这个朋友,每天就算能吃下二十个鸡蛋,如果要吃两斤盐,三个人都会咸死。

小媳妇又说:"刚才我故意到保义嫂家里去串门子,前前后后都看不见那个人,可是我明明看见那个人到他家去了,我偷偷的问保义嫂,那个人每天买两斤盐回去干什么?保义哥忽然就借了个原因,跟保义嫂吵起架来,我只有赶紧开溜。"

　　张老实一直在听,忽然问她:"今天你买不买红糖?"

　　"今天不买。"

　　"买不买酱菜?"

　　"也不买。"

　　张老实居然板起了脸:"那么你为什么还不回去睡觉?"

　　小媳妇眨着眼,看了他半天,只好走了。张老实已经在准备打烊,嘴里喃喃的说:"管人闲事最不好,喜欢管闲事的人,我看见就讨厌。"马如龙看着他,忽然发现这个老实人也有些奇怪的地方。这是他第一次觉得张老实奇怪。

第十八回　吃盐的人

这天晚上,马如龙也像平常一样,打地铺睡在床边。他睡不着。

谢玉宝也没有睡着,他忽然听见她在叫他。"喂,你睡着了没有?"

"没有。"睡着了的人是不会说话的。

"你为什么睡不着?"谢玉宝又在问:"是不是也在想那个人的事?"

马如龙故意问:"什么事?"

谢玉宝道:"那个地保既然练过武,你想他以前会不会是个江洋大盗,那个来买盐的人就是他以前的同党,到这里很可能又是在准备计划做件案子。"

马如龙道:"做案子跟买盐有什么关系?跟我们有什么关系?"

谢玉宝道:"说不定他们是准备来抢这家杂货店,买盐就是为了来探路!"

马如龙忍不住要问:"我们这家杂货店有什么值得别人来抢的东西?"

谢玉宝道:"有一样。"

马如龙道:"一样什么东西?"

谢玉宝道:"我。"

马如龙道:"你认为他们要抢你?"

这次他又没有想要笑的意思,因为他已想到这不是绝无可能的。谢玉宝忽然叹了一口气,道:"也许你是真的不知道我是谁,可是你一定要相信,如果我落入了那些恶人手里……"

她没有说下去,她仿佛已经想到了很多很多种可怕的后果。过了半天,她才轻轻的说道:"虽然我一直猜不透,你为什么要这样对我,可是,这些日子来,我已看出,你不是个坏人,所以,你一定要帮我去查出那个人的来历。"

"我怎么去查?"

谢玉宝忽又冷笑:"你以为我还没有看出你也是个会武功的人,就算你现在是个杂货店老板,以前也一定在江湖中走动过,而且一定是个很有名的人,因为我看得出你武功还不算太差。"

马如龙不说话了。一个练过十几年武功的高手,有很多事都跟平常的人不同的。他相信她一定能看得出,因为她每天都盯着他看。她实在没有什么别的事可做,也没有什么别的可看。

谢玉宝又在盯着他看:"如果你不替我去做这件事,我就……"

马如龙道:"你就怎么样?"

谢玉宝道:"我就从现在开始不吃饭,不喝水,反正我早就不想活了!"

这是一着绝招。马如龙当然不能让她活活的饿死。

谢玉宝道:"怎么样?"

马如龙叹了一口气,道:"你要我什么时候去?"

谢玉宝道:"现在,现在就去。"

她想了想,又道:"你可以换身黑衣服,找块黑布蒙着脸,如果被人发现,有人出来追你,你千万不要直接逃回来,我知道你也不想让别人看出你的来历。"

这些江湖中的勾当,她居然比他还内行。

谢玉宝又道:"你一定要照我的话做,这些事我虽然没有做过,可是有个江湖中的大行家教过我。"她又叹了口气:"我宁愿半死不活的躺在这破杂货店里,只因为我相信总有一天有人会来告诉我,这是怎么回事,所以你千万不能让别人找到这里来,否则我们两个都死定了。"马如龙只有听着,只有苦笑。他一辈子没有做过这种偷偷摸摸的事,可是这一次他非去做不可。

夜已深,贫苦的人家,为了白天工作辛苦,为了早点休息,为了节省烧油,为了他们惟一能够经常享受的欢愉,为了各种原因,总是睡得特别早的。黑暗的长巷,没有灯火,也没有人。

马如龙悄悄的走出了他的杂货店,他已经换上了一身黑衣服,而且用黑布蒙起了脸,只露出一双眼睛。他知道陶保义住的是那栋屋子,他偶尔也曾出来走动过。用红砖砌的屋子,一共有五间,三明两暗,灯却已灭了。

屋子后面有个小院,院子左边有个厨房。厨房边是间柴房,中间有口井。马如龙又施展出他已久未施展的轻功,在这栋屋子前后看了一遍。他什么都没有看见,什么都没听到。陶保义的妻子还年轻,他总不能把别人的窗子戳个洞去偷看。所以他就回来了。

谢玉宝还睁大了眼睛在等,等他回来,就睁大了眼听,听他说完了,才轻轻叹了口气。

"我错了，"她叹息着道："我刚才说你以前在江湖中一定是个名人，现在我才知道我错了，江湖中的事，你好像连一点都不懂。"

其实她没有错。名人未必是老江湖，老江湖也未必是名人。马如龙并不想反驳这一点，他已经去看过，已经算交了差。谢玉宝却不同意。

"不该看的地方也许去看过了，该看的地方你却没有看。"

"什么地方是该看的?"

"你到厨房里去看过没有?"

"没有。"马如龙不懂："我知道厨房里没有人，为什么还要去看?"

谢玉宝道："去看看灶里最近有没有生过火。"

马如龙更不懂。灶里最近有没有生过火，跟这件事有什么关系?

谢玉宝又问："你有没有去看过那口井? 井里有没有水?"

"我为什么要去看?"

"因为没有火的灶，没有水的井，都是藏人的好地方，里面，都可能有暗道秘窟。"

马如龙叹了口气："教给你这些事的那位大行家，懂得的事并不少。

谢玉宝道："现在我已经把这些事教给你了。"

马如龙道："你是不是还要我去看一次。"

谢玉宝道："你最好现在就去。"

灶虽是热的，灶里边留着火种。灶上还热着一大锅水，井里却没有水。那个人是不是真的藏在井里。马如龙还是看不见。

他很小的时候就练过壁虎功，要下去看看并不难，可是如果人真的藏在井里，他一下去，别人就会先看见他，只要一看见他，就绝不会让他再活着离开这口井。也许他可以躲开他们的出手一击，也许他还可以给他们致命的一击。但是他为什么要做这种事? 他连一点理由都想不出。

他又准备走了，准备回去听谢玉宝的唠叨埋怨。现在他虽然还没有做丈夫，却已经能了解一个做丈夫的人被妻子唠叨埋怨时是什么滋味。他还没有走，忽然听见井底有人冷冷的说："张老板，你来了么?"

声音嘶哑低沉，正是那个买盐的人，他还没有看见别人，别人已经看见了他。

马如龙苦笑："我来了!"

买盐的人又道："你既然来了，为什么不下来坐坐？"

马如龙本来还可以走的，可是别人既然已经知道他是谁，就算他现在走了，别人还是会找到他的"张记"杂货店去。亡命的人，绝不要别人发现自己的隐秘。马如龙很了解这点，因为他是个亡命的人，他只有硬着头皮说："我下去。"

黑黝黝的深井里，忽然亮起了一点火光。井底有两个人，一个就是买盐的人，另一个却是吃盐的人。

这个人宽肩，长腿，广额，高颧，本来一定是个很魁梧高大的人，现在却已瘦得不成人形，全身的皮肤都已干裂。奇怪的是，他一直都在不停的喝水。

喝一大口水，吃一大把盐，吞一个生鸡蛋。他非但不怕咸，没有被咸死，喝下去的水也不知到哪里去了。他的皮肤，看起来就像是干旱时的土地一样。

第十九回　有所必为

——买盐的人正在喝酒，只有这瓶米酒，是他为自己买的。他一小口，一小口，慢慢的喝，他喝酒时的样子，就像吝啬鬼在付钱时一样，又想喝，又舍不得。因为他不能喝醉。因为他一定要照顾他的朋友，照顾那个不怕咸的吃盐人。

井底远比井口宽阔得多，里面居然有一张床，一张几，一张椅。灯在几上。吃盐的人躺在床上，买盐的人坐在椅上，静静的坐在那里，看着马如龙用壁虎功从井壁上滑下来。他拿着酒瓶的手巨大粗糙，指甲发秃，无疑练过朱砂掌一类的功夫。

他的椅子旁边有一根沉重的竹节鞭，看来最少有四五十斤。可是他没有向马如龙发出致命的一击！只不过冷冷的说："张老板，我们就知道你迟早会来的，你果然来了。"

"你知道我会来？"马如龙想不通："你怎么会知道？"

买盐的人又喝了口酒。一小口。"如果我开杂货店，如果有人每天来买两斤盐，我也会觉得奇怪。"他冷冷的笑了笑："但是一个真正开杂货店的人，就算奇怪，也不会多管别人的闲事，只可惜你不是。"

"我不是？"

"你本来绝不是个杂货店老板，"买盐的人道："就好像我本来绝不会到杂货店买盐的。"

"你看得出？"

买盐的人道："你来查我的来历，我也调查过你。"买盐的人慢慢的接着道："你本来应该叫张荣发，在这里开杂货店已经有十八年，你有个多病的妻子，老实的伙计，你这个人一生中从来不喜欢多事。"他忽然叹了口气："只可惜你不是张荣发，绝对不是。"

马如龙又问："你怎知道我不是张荣发？"

买盐的人道："因为你的指甲太干净，头发梳得太整齐，而且，每天洗澡，因为我已经查出张荣发以前绝不是个爱干净的人。"

马如龙没有辩驳，也无法辩驳。这个人无疑也是江湖中的大行家，这在马如龙还没有发现他可疑之前，他已经发现这一家杂货店可疑了！

"如果你不是张荣发，你是谁？为什么要假冒张荣发？真的张荣发，到哪里去了？"买盐的人接着道："这些问题我也曾想到过，想了很久。"

马如龙道："你想得通？"

买盐的人道："我只想通了一点！"

马如龙道："那一点？"

买盐的人道："这件事绝对有周密的计划，每一个细节都经过极周密的安排，你能扮成张荣发，能瞒过十八年来天天到你们杂货店去买东西的老邻居，绝对经过极精密的易容。"

他说话很肯定："江湖中精通易容术的人虽然为数不少，可是能做到这一步的，普天之下，绝对只有一个人。"

这个人当然就是玲珑玉手玉玲珑。

买盐的人接着又道："玉大小姐至少已有二十年没有管过江湖中的事了，能够让她再度出山，重展妙手的也只有一个人。"

马如龙道："绝对只有一个人？"

买盐的人点头道："绝对只有一个，除了江南俞五之外，绝对没别人能够请得到她。"

马如龙苦笑。他终于明白，世上绝对没有真真正正全无破绽的计划，也没有永远能瞒住别人的秘密。只可惜他还是找不出邱凤城的破绽在那里。

买盐的人又道："你经过如此缜密的安排，费了这么大苦心，来假冒一个杂货店的老板，可见你也跟我们一样，也是个亡命的人，也在躲避别人的追杀搜捕，想要你这条命的人，一定比我们的对头更可怕。"他笑了笑又道："既然同是江湖亡命人，我又何必苦苦追查你的隐秘？你本来也不必来追查我的，所以我还是天天到你店里去买东西。"

马如龙叹了口气："我本来也不想来的。"

买盐的人道："可惜你已经来了。"

马如龙问道："你是不是想杀了我灭口？"

买盐的人道："你能要江南俞五替你做这件事，当然也是个有来历的人，就算我想杀你灭口，也未必能得手。"他忽然又笑了笑，"如果你真是我猜想的那个人，只要我一出手，说不定反而会死在你手里。"

马如龙道:"你猜想的那个人,又是谁?"

买盐的人道:"马如龙,天马堂的大少爷,白马公子马如龙。"

马如龙的心在跳。如果不是因为他脸上经过玉手玲珑的易容,别人一定就会发现他的脸色已变得很难看。只不过他还是不能不问:"你怎么会想到我就是马如龙?"

买盐的人道:"我有理由。"

他的理由是——现在江湖中被人搜捕最急的就是马如龙,能让江南俞五出手相助的也只有马如龙。他说:"现在江湖中的三大家族,五大门派,已经出了五万两黄金的赏格来找你,为你出动的一流高手,至少已有五六十个,只有丐帮的弟子,始终不闻不问,根本没有管过这件事。"

丐帮弟子的人数最多,地盘最广,眼皮最杂,消息最灵。丐帮中的耗费最大,五万两黄金的数目不少。买盐的人接着又道:"他们为什么不管这件事,那当然是因为俞五爷跟你有关系。"

马如龙沉默了很久,才缓缓道:"这些话你也不该说的。"

买盐的人道:"是不是因为我说出之后,你说不定也想杀了我灭口?因为你可能会认为我也想要那五万两黄金。"

马如龙道:"你不想?"

买盐的人回答得干脆而肯定:"我不想。"

马如龙道:"为什么?"

买盐的人还没有开口,吃盐的人忽然道:"因为我。"

他一直都在吃盐,最咸的粗盐。任何人都无法想像世上有人能吃这么多盐。两斤粗盐他已吃了一半,十个生蛋也吞下肚之后,他脸上才有了一点血色,才能开口说话。

他说:"二十年来,想要我这颗头颅的人也不比你少,被人冤枉是什么滋味,我也尝过。"他看来虽然是很衰弱,可是他说话时仍有一种慑人的豪气:"五万两黄金虽然不少,我还没有看在眼里!"

马如龙道:"你怎么知道我也是被人冤枉的?"

吃盐的人道:"因为我相信得过俞五,你若不是冤枉,第一个要你命的人就是他!"

马如龙道:"你是谁?"

吃盐的人道:"我也跟你一样,是个被冤枉的人,是个头上有赏格的人,是个不得不像野狗般躲着不敢见人的人,因为我们都不想死,就算要死,也得等冤枉洗清之后再死。"他也笑了笑，笑得悲壮而凄凉："至于我的名字，你最好不要问。"

马如龙看着他，看了很久，又看看那买盐的人，忽然道："我相信你绝不会出卖我。"

吃盐的人道："我也相信你。"他伸出了他的手。他的手也像他的朋友一样，粗糙巨大，冷得就像是一块冰。可是马如龙握起他的手时，心里却忽然有了一股温暖之意。

吃盐的人又笑了笑，道："你走，我不拦你。"

马如龙道："你们再来买盐，我也绝不再问。"

吃盐的人看着他，也看了很久，忽然长长叹息："只可惜我们相见恨晚，我已身负重伤，已无法再助你洗冤，否则我一定要交你这个朋友。"

马如龙道："现在你还是可以交我这个朋友，交朋友并不一定要交能够互相利用的人。"

吃盐的人忽然大笑。他的笑声嘶哑而短促，已经笑不出了，却仍然豪气如云！他说："不管你是不是马如龙，不管你是谁，我交了你这个朋友！"

马如龙用力握着他的手。"我也不管你是谁，我也交了你这个朋友。"

天还没有亮，春寒料峭。马如龙的心里却在发热，整个人都在发热。因为他交了一个朋友。交了一个不明来历，不问后果，但却肝胆相照的朋友。

"你交了他这个朋友！"谢玉宝还在等他，她第一句问的，就是这句话："你连他是谁，都不知道，你就跟他交上了朋友？"

马如龙道："就算天下所有的人都把他当作仇敌，都想把他乱刀分尸，大卸八块，我还是愿意交他这个朋友！"

谢玉宝道："为什么？"

马如龙道："不为什么。"不为什么？这四个字正是交朋友的真谛。如果你是"为了什么"才去交朋友，你能交到的是什么朋友？你又算是个什么朋友？

窗外已现出了曙色，马如龙坐在窗下，谢玉宝侧着头，看着他，过了很久，才轻轻的叹了口气，道："你的意思我明白，可是做不到。"一个年轻的女孩子，能够了解这种情操已经很少有人能做得到。

谢玉宝忽然问："你知不知道你那位朋友为什么要吃盐？"马如龙不知道，他根本没有问。

"我知道。"谢玉宝道："他一定是中了三阳绝户手！"

"三阳绝户手?"马如龙是武林世家子,却从未听过这个名字。

"这种掌力绝传已久,中了这种掌力的人,不但全身脱水,皮肤干裂,而且味觉失灵,只想吃盐,盐吃得越多,水喝得越多,伤势越重,死时全身皮肤全部干裂,就像是活活被烤死的。"

她想了想,又道:"吃生鸡蛋虽然比喝水好些,可是最多也不过能多拖一个半月而已,最后还是无救而死。"

"绝对无救?"

谢玉宝没有回答这句话,又问道:"你那个朋友是个什么样的人? 长得是什么样子?"

"我想,他本来一定是个很高大魁伟的人,双肩比平常人至少要宽出一半,而且大手大脚,外家掌力一定练得很好。"

马如龙道:"现在,他虽然已伤重将死,可是,说话做事,还是有股慑人的豪气。"

谢玉宝眼睛里仿佛忽然有了光。

"我已经想到可能是他了。"

"是谁?"

"这种掌力远比阴家崔家的三阳绝户手史霸道,也史难练,一定要本身未近女色的人才能练得成。"

一生未近女色的人,江湖中有几个?

谢玉宝道:"据我所知,这五十年来肯练这种掌力的只有一个人。"

马如龙立刻问:"谁?"

"绝大师!"谢玉宝道:"绝大师虽然心绝情绝,赶尽杀绝,却从不轻易出手,更不会轻易使出这种隐秘的武功来! 除非他的对手掌力也极可怕,逼得他非将这种功夫使出来不可。"

江湖高手们大多数都有种深藏不露的武功绝技,不到迫不得已时,绝不肯轻易让人看见。

谢玉宝道:"如果不是已经被逼得别无选择,绝大师也绝不会施展三阳绝户手的。"

她又问马如龙:"能将绝大师逼得这么惨的人有几个?"

"没有几个。"

"你有没有听过'翻天覆地'铁震天这个人?"谢玉宝问:"他能不能算其中的一个?"

马如龙知道自己的脸色一定变了。他当然听过这名字,"翻天覆地"铁震天。横行江东二十年,杀人如草芥,积案如山,也不知有多少人,想要他颈上的头颅。只可惜他非但行踪飘忽,别人根本找不到他,而且武功绝高,手狠心辣,能找到他的人,也全都被他的一双铁掌震散魂魄。

谢玉宝又问:"你想你那位朋友会不会是铁震天?"

马如龙拒绝回答。那个人无疑就是铁震天。"二十年来,想要我这颗头颅的人绝不比你少,五万两黄金我还没有看在眼里。"除了铁震天外,还有谁能说得出这种话。但是他还有另外一句话:"被人冤枉是什么滋味,我也尝到过。"

马如龙忽然大声道:"不管他以前做过什么事,我想,他一定有他的苦衷,而且已经被那些自命侠义之辈,逼得无路可走。"

谢玉宝道:"绝大师难道还会冤枉好人?"

马如龙冷笑:"被他冤枉的人,绝不止铁震天一个。"

谢玉宝叹了口气:"你实在是个好朋友,能交到你这种朋友真不错,只可惜你们这一对好朋友已经交不长了。"

马如龙道:"他真的已无救?"

谢玉宝淡淡的说:"如果我是谢家的大小姐,说不定可以救他。"

她又故意叹了口气:"只可惜,现在我只不过是个杂货店的老板娘而已,连我自己的病,都治不好,又怎么能够救得了别人?"

马如龙没有说话了。

他明白谢玉宝的意思,如果他肯把这件事的真相说出来,她说不定真的有法子救铁震天。

可是如果他这么样做,他就对不起大婉,也对不起俞五。

他们也是他的朋友。

谢玉宝翻了个身,不再看他:"你累了,睡觉吧!"

马如龙没有睡,他知道自己一定睡不着的。

谢玉宝不知是真的想睡了,还是故意在装睡,居然不再提这件事。

窗外刚刚露出鱼肚的颜色,还听不见人声。

马如龙悄悄的推开了门,缓缓的走出去。

第二十回 别无选择

马如龙走到巷子里，才听见对面一户人家已经有了婴儿的啼哭声，再过去三两步，有一扇贴着财神的小门已经开了。那个怀着大肚子的小媳妇，正站在门口送她年轻的丈夫去上工。马如龙故意装作没有看见。丈夫提着个小布包走了。媳妇好像也没有注意到马如龙，转身掩上了门。

马如龙身子立刻箭一般窜出，三个起落，已窜入了陶保义的后院。厨房里好像已经有了声音，淘米做饭的声音，陶保义的老婆是个勤快的女人，已经在替她的老公做早饭了。马如龙没有理会。陶保义练过武，以前想必也是铁震天的属下，他用不着顾忌他们这对夫妻。他跃入了那口没有水的水井。

一斤米酒已喝光了，买盐的人却更清醒，正在替他的朋友收拾床铺。吃盐的人也没有睡着，刚才剩下的半包盐又已被吃掉一半。他们看见了马如龙，并没有显出惊讶之色，好像明知他会去而复返。

马如龙开门见山，第一句话就问："你就是铁震天？"

"我就是，"回答得也同样干脆："我就是杀人不眨眼的大盗铁震天。"

马如龙道："你是不是中了绝大师的三阳绝户手？"

"是。"铁震天虽然有些惊讶，却没有问他怎么会知道的。

马如龙又问道："你受的伤，还有没有救？"

这次铁震天也反问："你为什么要管我的事？"

马如龙道："因为你是我的朋友！"

铁震天道："你已经知道我就是大盗铁震天，还要交我这个朋友。"

马如龙道："我已经交了你这个朋友，不管你是谁都不会改变。"

铁震天盯着他，忽然大笑。"我铁震天一生中也不知做错过多少事，却从未交错过一个朋友。"

他是真的在笑，好像只要能交到朋友，他就算被人杀错，也可以死而无憾了。

买盐的人忽然道:"他平生的确做错过很多事,因为总是太鲁莽,太激动,而且为了朋友,什么事他都肯做。"

他一字字接着又道:"可是这一次他绝对没有错。"

——这一次他做了什么事? 怎么会被人冤枉的。马如龙却没有问。

他相信他们,他只问:"你受的伤,究竟还有没有救?"

"有。"买盐的人说:"只有一种药可救。"

"哪种药?"

买盐的人又黯然长叹:"我说出来也没有用的,因为,我们绝对要不到这种药的。"

他苦笑一声,又道:"非但要不到,偷也偷不到,抢也抢不到,否则我早就去偷去抢了。"

马如龙又问:"你们说的这种药,是不是一个姓谢的人家炼成的?"

买盐的人耸然动容:"你怎么知道那个人姓谢?"

他的脸色变得太快,太怪,马如龙道:"我为什么不该知道?"

买盐的人道:"因为……"他说话吞吞吐吐,仿佛不愿说出这其中的秘密,也不敢说出来。

铁震天却大声插嘴道:"因为,那个人不愿别人知道她姓谢,因为,她以前有段伤心事,无论谁,只要一提起来,她就要杀人。"

马如龙道:"那个人是谁?"

铁震天道:"碧玉山庄的碧玉夫人,我受的伤,只有她的碧玉珠能救。"

马如龙怔住。——碧玉夫人姓谢,谢玉宝是她的什么人? 跟碧玉山庄有什么关系? 他忽然发现这件事其中还有问题,以前他从未想到过的问题。现在他已没有时间想了。

他忽然听见井口上有人在冷笑:"铁震天,你逃不了的,铁全义,你也逃不了的。"

追捕的人终于追来了,亡命的人已经在井里,已经像是盘中的鳖,网中的鱼。他们还有什么路可走?

马如龙的心沉了下去,他已经听出上面说话的人是冯超凡。冯超凡既然到了,绝大师必定也在附近,吃苦和尚和玉道人很可能也到了。就算他们找的不是他,他也一样逃不了。

铁震天用一只手掩住了他的嘴,用另一只手塞了把盐在自己嘴里,忽然大声道："不错,我就在这里,我的兄弟也在,我们正在等待你。"

上面半晌没有回答。上面的人显然已经在惊异,铁震天怎么还没有死?说话时怎么还有如此充沛的中气。过了半晌,才听见绝大师的声音冷冷道:"铁震天,你上来吧,我饶过铁全义一命!"铁全义当然就是买盐的人。

"哼,我们兄弟早就打定了主意,要死也死在一起。"

铁震天大笑:"好,好兄弟!"

"你若想要我们兄弟的命,你就下来吧。"绝大师没有下来,没有人来。井底虽然是无路可走的死地,可是先下来的人也一定要送命。

"他们绝不会下来的。"铁震天压低声音冷笑道:"他们已经是大侠,用不着再逞英雄。"

"何况他们已经算准了我们逃不出去。"铁全义也压低声音:"他们一定在上面等。"

"但是他们也不会等太久。"铁震天道:"他们一定很快就会想到用火攻、用水灌那些歹毒的法子。"

马如龙道:"以他们的身份,也会用这些法子?"

铁震天冷笑:"因为他们有藉口。"

他笑容中充满讥刺和悲愤:"对付我们这样的歹毒之辈,不管他们用什么法子,别人都不会说话的,可是我们如果用这些法子来对付他们,那就不同了。"他忽然用力握住马如龙的手。"你是不是我的朋友?"

"是。"

"我的年纪比你大,你是不是应该听我的?"铁震天道:"这件事你更要听我的。"

"哪件事?"

"等到他们开始用火攻用水灌时,我们就要冲上去。"

"好,"马如龙毫无犹豫:"其实我们现在就可以冲上去。"

"我们是跟铁全义,不是你!"铁震天声音压得更低:"他们知道我跟全义躲在这里,但是绝不会想到这里还有第三个人。"

"他们当然更想不到一个杂货店的老板,会到这里来,会跟大盗铁震天交上朋友。他要的只不过是我们两个人,他们得手后绝不会再逗留在这里。等他们一走,你也就可以全身而退了。"他将马如龙的手握得更紧:"你我今日一别,必成永诀。我既不想要你替我复仇,也不想要你替我洗冤,只要你能好好的活下去,就算对得起我了。"

他交马如龙这个朋友是为什么？不为什么。他只要他的朋友活下去，因为他知道，有些人在某些时候，能活下去已经很不容易。

马如龙一直静静的听着，什么话都没有说。他有很多话想说，可是连一句都没有说出来，因为这些话都是不必说出来的。他心里已经打定了主意。

铁震天也不再说什么，又开始吃盐，一大把，一大把的往嘴里吞。他还有最后一口气，他还要拼一拼。他跟马如龙完全是一模一样的脾气。

井上已经很久没有动静，井底的人，反正逃不了，绝大师他们本来就很沉得住气。铁全义从腰带里抽出了一把缅刀，轻抚刀锋，忽然恨恨道："我拼着被千刀剐，也要杀了他！"

铁震天道："你要杀什么人？"

铁全义道："陶保义。"

铁震天道："你不能杀。"

铁全义道："这次一定是他出卖了我们，我为什么不能要他的命？"

铁震天道："因为他已有了老婆，他的老婆已有了身孕，江湖中出卖朋友的人不止他一个，你我被人出卖也不是第一次，你又何苦一定要他的命？"他忽然长声叹气："如果你一定要杀人，第一个该杀的人就是我！"

铁全义道："你？"

铁震天道："如果不是为了我，你怎么会有今天！"

铁全义看着他，忽然大笑："对，你说得对极了，如果没有你，我怎么会有今天，我的父母被惨杀，妻子被轮暴，别人都认为那只不过是我的报应，如果没有你，有谁替我复仇出气？我……"他的声音嘶哑，扭曲的笑脸已满是泪痕，忽然纵身跃起，大吼一声，道："我铁震天纵横一生，杀人无算，今日，就算把这颗头颅卖给你们又何妨？你们来拿吧！"

他不是铁震天！他这么说，只不过要抢先冲出去，要别人把他当做靶子。那么他的朋友也许还有乘机逃脱的希望。他也完全没有把自己的死活，放在心上。

马如龙明白他的意思，铁震天也明白，忽然纵声长笑。"你抢不过我的，要死的话，也得让我先死，只要我还有一口气，谁也休想动你！"

长笑之中，他已瘦得只剩一把骨架的身子，忽然猛虎似的扑起，一只脚踩上了铁全义的肩，再一跃身，就跃出了这口井。井上立刻传出一声惨叫。铁全义也跟着跃出，不管谁先死，谁后死，他们总是要死在一起。如果是在一年以前，马如龙看见了这样的朋友，他眼中一定早已热泪夺眶而出。可是现在他的眼中已无泪,胸中却有血——热血。一个已决心准备流血的人,通常都不会再流泪。他知道铁震天说的不错。如果他安安静静的躲在井里,等他们死了后,就可以乘机溜出去,溜回他的杂货店。以后绝不会有人来买盐了,他的秘密也不会被揭穿。他甚至可以完全忘记这件事,完全忘记铁震天这个人。

如果他现在也冲出去,也只有陪铁震天他们一起死。因为他只要一冲出这口井,绝大师他们,迟早总会发现他是什么人的。一个杂货店的老板,绝不会陪大盗铁震天去跟他们拼命。一个有理智的人,也绝不会去做这种愚蠢的事。马如龙绝不是个很愚蠢的人,他也知道应该怎么做才能保住自己这条命。

一个人只有一条命,他也跟别人一样,很珍惜自己这条命。只可惜他偏偏又发现了世上还有一些比性命更可贵的事。

绝大师既然认定了井底有两个人,如果忽然有第三个人冲出来,他们一定会很吃惊。他们吃惊的时候,就是他的机会。只要是有一点机会,他就不能放过,就算完全没有机会,他也要这么样。他也冲了出去。

第二十一回　义无反顾

一个人为什么要活下去？是不是因为他还想做一些自己认为应该做的事？如果一个人自己认为绝对应该做的事却不能做，他活着还有什么意思？

井上面是个院子，现在旭日已升起。阳光中闪动着血光。有别人的血，也有铁震天和铁全义的血。铁震天冲上来时，就有一柄钢刀迎面砍下，他一只手拧住了这个人的手腕，一只手搭上了这个人的肩，虎吼一声，这个人的臂就被他撕裂。可惜这个人既不是绝大师，也不是冯超凡。

厨房外摆着两张椅子，绝大师和冯超凡一直端坐在椅上，冷冷的看着。他们带了人来，有人替他们动手，以他们的身份，为什么要自己出手对付一个受了伤的人？

他们的确没有想到井底还有第三个人冲出来。无论谁在自己意料不到的事发生时，都难免会造成错误。马如龙本来想乘这个机会，给他们致命的一击。只要能击倒他们其中任何一个人，他就有希望击倒另一个。

可惜他冲上来时，绝大师和冯超凡都远在数丈外。他还是扑了过去。他已决定了要这么做，不管是成是败？他都已不能回头了。

他身上穿的是套黑色的粗布衣服，蒙面的黑巾也不知在什么时候已经被他揭下抛开——很可能就是在他第一次入井的时候。他从来没有不敢以真面目见人的感觉，也没有这种习惯。但是他现在这张脸，已经不是绝大师曾经见到过的那张脸了。

现在他这张脸，天下的英雄豪杰，都没有见过。他实在不能算江湖中的一流高手中的顶尖高手，可是，他从能走路时就开始练习。马如龙的武功，或许也不能和少林、武当，那些历史悠久，源远流长的门派相比，但是天马堂的武功也有他独到之处。

一个人能成功，成名，而且能存在，必定有他的独到之处。尤其是轻功。天马堂的轻功纵横开阔，如天马行空，凌空下击时声势更惊人。

一个土头土脑，穿着一身粗布衣服，大家都从来没见过的陌生人，忽然从自己认为已经没有人的井里冲出来,向自己扑过来,身法居然如此惊人。无论谁遇到这种事,都难免觉得很吃惊,何况扑过来的还不止他一个人。

铁震天也放过了自己的手,紧跟着马如龙扑了过来,一双铁掌已伸出。他的对象却不是绝大师,也不是冯超凡。他忽然一把抓住了马如龙的腰带,食中两指骨节凸出,抵住了马如龙后腰的穴眼,虎吼一声,将马如龙从他头顶反抢过去,抢到他的身后。

他一定要阻止马如龙。因为他已看见绝大师一双鹰爪般的手已由暗青变为暗红。连手臂上的每一根青筋都变成红的,就像是秋日夕阳下时那种又凄艳,又暗淡的颜色。没有人比他更了解三阳绝户手的可怕,他自己有过这种惨痛的经验。他不能让马如龙冒险。绝大师本来已霍然长身而起,又慢慢的坐下,冷冷的望着他们!

"这个人是谁?"

"是个朋友。"

"想不到你居然也有朋友。"

铁震天狂笑:"铁某虽然杀人无算,结仇无数,朋友却绝不比你少,像这样的朋友,你更连一个都没有。"

绝大师又冷冷的盯着他看了许久,才转向刚刚站起来的马如龙:"你真是他的朋友。"

"是的。"

"你真的要为他拼命?"

马如龙道:"我拼的是我自己的命,我还有一条命可拼。"他没有故意要改变自己的声音,可是他的声音已经变了。

绝大师没有听出他的声音,所以又问:"你知道我为什么一定要追他的命?"马如龙不知道。

绝大师再问:"你知不知道'兄友弟恭,孝义无双'杨家三兄弟?"

马如龙知道。杨家三兄弟是河东武林大豪,世代巨富。

兄弟三个人,就好像是一个人,有钱,有名,有势,豪爽,义气,孝顺。兄弟三房,都住在一个庄院里,轮流供养他们的双亲。

绝大师的神色沉重,又说道:"你知不知道他们三兄弟的全家大小二十九口男人,都已在一夕间死在铁震天的刀下?十七位妇女都被他卖到边防的驻军处去做营奴。"

铁全义忽然大叫:"你知不知道他为什么要这么做?"他的呼声凄厉:"你

知不知道杨家三兄是用什么法子对付我的父母妻子儿女的?"

绝大师冷笑!"那是你的报应!"

"那也是他们的报应。"铁震天道:"杨家的男人都是我杀的,女人都是我卖的,跟别人全无关系。"

他指着绝大师带来的那些人,那些还在虎视眈眈,等着要他命的人。"这些人当然都是杨家的亲戚朋友兄弟,都知道我已伤在你的三阳绝户手下,也都知道杀了我是件立刻就可以成名露脸的事,你已经是名满天下的大侠,所以才没有跟他们抢这笔生意。"绝大师居然不否认。

铁震天厉声叫道:"但是,我还没有死,他们想要我的命,还不太容易,我至少还可以先把他们其中三五个人的脑袋拧下来!"

绝大师冷冷道:"他们求仁得仁,为朋友复仇而死,死亦无憾,我既不能阻止,也不必阻止。"

铁震天道:"你想不想要我索性成全了他们?"他抬手指着马如龙:"我做的事,跟这个人全无关系,只要你放走他,随便你要谁来割我的头颅,我也绝不还手。"

绝大师又冷冷的盯着他看了很久,才转向马如龙!"今日之前,我好像从未见过你。"绝大师道:"你看来并不像是个恶人。"

马如龙只听,不说,不问也不否认。绝大师又道:"你是几时认得铁震天的。"

铁震天道:"不久。"

绝大师道:"不久是多久?"

铁震天插嘴道:"他认得我还不到一天。"

绝大师叹了口气:"才认得一天就肯为别人拼命? 这种人的确不多。"

他忽然对马如龙挥了挥手。"你走吧。"

马如龙站在那里,连动都没有动。绝大师也盯着他看了半天,才问:"你不走?"

"我不走。"马如龙斩钉截铁地道:"绝不走。"

铁震天又大吼。"他要走,马上就走。"

"要我走只有一个法子。"马如龙的声音居然很平静,坚决而平静,"把我杀了,抬我走。"

绝大师冷冷道:"要杀你并不难,刚才如果不是有人拉住你,现在你已经被抬走。"

"我知道。"

"你一定要被人抬走?"

"一定。"

"为什么?"

"不为什么。"

这句话已经不太对了。一个人可以"不为什么"去交一个朋友,不计利害,不问后果,也没有目的。可是等他交了这个朋友之后,他为这个朋友做的,已经不是"不为什么"了,而是为了一种说不出的感情。为了一种有所必为,义无反顾的勇气和义气,为了一种对自己良心和良知的交代,为了让自己夜半梦回时不会睡不着。为了要让自己活着时问心无愧,死也死得问心无愧。

不为什么? 为了什么? 成又如何? 败又如何? 生又如何? 死又如何? 成也不回头,败也不回头,生也不回头,死也不回头! 不回头,也不低头!

第二十二回　绿雾非雾

马如龙抬起头,阳光正照在他脸上,这张脸虽然已经不是一张美男子的脸,已不足令少女倾心,但是无论谁看着他时,表情都会显得十分尊敬严肃。铁震天正在看着他。

"这交易本来很不错,而且已经谈成了,你为什么不答应?"

"因为我也要跟他们谈个交易。"马如龙道:"我的交易比你的还好。"

"什么交易?"绝大师问:"还有什么交易比他这交易更好?"

"他想用他们的两条命,来换我的一条命。"马如龙笑了笑:"这是亏本生意,我不做。"

"你的交易怎么做?"

"用一条命换他们的两条命。"

绝大师冷笑。"这交易谈不成。"

"为什么?"

"没有人能够用一条命换他们这两条命。"绝大师冷声道:"没有人的命这么值钱。"

"有一个人。"马如龙说:"我知道最少有一个人。"

"谁?"

"马如龙!"

听到这名字,绝大师的瞳孔立刻收缩。马如龙的瞳孔也在收缩。

"我知道你们最想找的一个人并不是铁震天,而是马如龙。"绝大师承认。

"用马如龙的一条命来换他们两条命,能不能换得过?"

"能!"绝大师尽量控制着自己:"只可惜谁也找不到马如龙。"

"有一个人能找得到。"马如龙道:"最少有一个人能找到。"

"谁?"

"我!"

马如龙也在尽量控制着自己:"只要你放他们走,我保证,能够把马如龙交给你。"

铁震天忽然大笑!"你是个好朋友,这也是个好交易,只可惜这交易做不成的。"他的笑声嘶哑:"因为谁也不会相信你说的鬼话。"

绝大师不理他,马如龙也不理他。两个人面对着面,你盯着我,我盯着你,收缩的瞳孔如尖钉。

马如龙一字字道:"你应该看得出我说的不是鬼话。"

"我看得出,"绝大师断然道:"可是我不能先放他们走。"

"你信不过我?"

绝大师道:"只要你交出马如龙,我立刻放人。"

冯超凡立刻应声:"我保证。"

马如龙冷笑:"你们信不过我,我为什么要相信你们?"

"因为我是冯超凡,他是绝大师,你只不过是个来历不明的陌生人。"这句话本来不能算是回答却又偏偏是最好的回答。

"你要谈成这交易,只有照我们的话做。"绝大师道:"否则我们就先杀铁震天,再杀你!"

他的话已说绝。他本来就是心绝情绝赶尽杀绝的人! 马如龙别无选择。

"好,我相信你。"他握紧双拳:"我就是你们要找的人。"

"你就是马如龙?"

"我就是!"

他就是马如龙,他把他自己交了出来,他出卖了他自己。如果有人问他:"为什么?"他自己也无法回答。因为他已不能再说:"不为什么?"

可是他自己也不知道自己究竟是为了什么? 是因为一时的冲动? 是因为满腔的热血? 还是因为一种谁都无法解释的义气和勇气?

马如龙还是抬着头,阳光还是照在他脸上。"你认不出我,因为我的脸已经被人修整易容过,"马如龙道:"我在这里用杂货店做掩护已经躲了很久。"他不能把他真正的面目给他们看,因为他自己也无法恢复他本来的面目。

因为玉玲珑的玲珑玉手已经把他的脸从皮肤下改变了。他也不能说出这一点,因为他不能连累别人。但是他说的是真话,每一句都是。

所以他问:"现在你们是不是已经应该放他们走!"

绝大师看着冯超凡,冯超凡看着绝大师。两个人脸上都完全没有表情。

"你看怎么样?"绝大师问。

"你看呢?"冯超凡反问:"如果他真是马如龙,他有什么理由要为了铁震天出卖自己?"

"没有理由。"绝大师道:"完全没有。"

铁震天忽又大笑。"我早就知道你骗不过他们的,我早就知道谁也不会相信你的鬼话。"

他笑得几乎连气都喘不过来。马如龙也想笑,拼命的想笑出来,大笑一场。他笑不出。

他说的不是鬼话,他说的每一句都是真话,每一个字都是真话,却偏偏没有人相信!这种事是不是很可笑?是不是应该让人把眼泪都笑出来?如果他笑出了眼泪,他的眼泪是种什么样的泪?铁震天还在笑,好像已经快要笑得连眼泪都笑了出来。如果笑出了眼泪,他的眼泪又是什么样的泪?

"你只不过是个来历不明的无名小卒而已,我却是'翻天覆地'的大盗铁震天,就算你有十条命,也换不过我的一条命,你还是快走吧。"

马如龙没有走。铁震天的笑声忽然结束,忽然大吼:"你的交易既然谈不成,你为什么还不快走?"

"因为他是你的朋友,你的朋友都是好朋友。"绝大师冷冷道:"所以他决心要陪你一起死在这里。"铁震天霍然转身,盯着他,眼睛里露出种恐惧愤怒之极的表情。

"你说过让他走的。"

"我说过。"

"现在你是不是又不肯让他走了?"

"不是我不让他走,"绝大师道:"是他自己不肯走。我从不做勉强别人的事,所以谁也不能勉强要他走,如果有人一定要勉强让他走,我就先杀了那个人。"

铁震天瞪着他,眼角都似已将睁裂。"我明白了,我明白了。"他的声音凄厉,"现在我总算明白了。"

"你明白了什么?"

铁震天咬紧牙,握紧拳:"你虽然心胸狭窄,心狠手辣,我还是把你当做个人,你是非不分,冤杀无辜,我也还是把你当做个人,我铁震天纵横一生,杀人无算,有时也难免会冤枉好人,被人冤枉又算得了什么,就算被人砍下头颅,乱刀分尸,也算不了什么。"他厉声接着道:"但是现在我才知道,你根本不是人!"

绝大师冷冷的听着,忽然问:"你是想看着你的这位朋友先死? 还是想让你的朋友看着你先死?"

铁震天怒吼,身子忽然扑起,向绝大师扑了过去。他的力已将竭,可是这一扑之势,仍然有狮虎之威。就在这时,院子里忽然响起了一阵清悦如铃的尖声:"大家都活得好好的,为什么要死呢?"

笑声响起时,墙外已经有一阵淡淡的烟雾飘进了院子,看来竟仿佛是碧绿色的,带着种茉莉花的香气。等到她这两句话十四个字说完,雾已经变浓了,浓如炊烟,绿如翡翠。

这不是烟,更不是雾。世上根本没有碧绿色的雾,可是看起来又偏偏是雾。就好像马如龙明明是马如龙,可是看起来又偏偏不是马如龙。

第二十三回　不老实的老实人

铁震天那一扑,本来已经是他最后的一击,生死都在这一击,他已抱定必死之心。可是他没有死,因为他根本没有扑过去。这一次是马如龙拉住了他的腰带。

绝大师本来已准备迎上来的,也没有迎上来。笑声一起,绿雾飘散,他的动作忽然停顿,没有表情的脸上忽然露出种奇怪的表情。然后他就已看不见铁震天。

这一阵绿雾就像是从魔童嘴里吹出来的。小小院子忽然间就已被笼罩,除了这一片雾外,什么都看不见了。这时候马如龙已经带着铁震天回到了他的杂货店。

绝大师他们什么都看不见,马如龙当然也看不见。但是他毕竟已经在这里住了好几个月,陶保义的家也来过。他的顾忌也没有绝大师他们那么多,他不怕被暗算,也不怕撞破头。一个本来已经准备要死的人,还怕什么?所以他回到他的杂货店。

睡得早的人,通常也起得早。附近都是早睡早起的人家,平常在这个时候,杂货店早就开门了。

今天却是例外。马如龙带着铁震天,从旁边一条窄巷绕到杂货店的后店,从后墙跳进去。

铁震天显得很衰弱,刚才那一击,虽然没有击出,可是他已将力气放出,放尽。马如龙拉着他走,他只有跟着走,但是他并没有忘记他的兄弟。铁全义虽然不是他的亲兄弟,但是多年以来,他们出生入死,同生共死。他们之间,也已有了种比血还浓的感情。

"我不能把他留在这里。"铁震天道:"我们一定要回去把他带出来。"现在回去已来不及了。

"他们要的不是他,是你。"马如龙道:"你还没有落入他们的手里,他们绝不会对付他。"

这杂货店的后院,格局也跟陶家的后院差不多,只少了口井,多了一间屋子。张老实住的屋子。屋子的门开着,张老实不在屋里,也不在厨房里。谢玉宝在,仿佛已真的睡着,马如龙悄悄的推门进去,没有惊动她。

他让铁震天在他平日常坐的那张旧竹椅上坐下,又到前面去把一桶盐,一箩生鸡蛋都提了起来——张老实也不在店里。

吞下一大把盐和两个生鸡蛋之后,铁震天才问:"这就是你的杂货店?"

"嗯。"

"床上这个女人是谁?"铁震天又问:"是你的老婆?"

马如龙不能回答。他不想骗铁震天,可是他也不知道是应该承认?还是应该否认。他根本不知道应该怎么说。

铁震天也没有再问,忽然叹了口气。"你不该把我带回这里来,绝对不应该。"

"我一定要把你带回这里来。"

"为什么?"

马如龙道:"因为这里有个人说不定可以治好你的伤。"

铁震天眼睛发出了光。他不能不兴奋,只要有人能治好他的伤,他就有把握可以对付绝大师。就因为他一直对自己太有信心,太有把握,所以他才会以掌力和绝大师硬拼。但是现在他已不会再犯同样的错误。

"谁能治得好我的伤?"这句话他正想问,还没有问出来,一直沉睡着的谢玉宝忽然说:"你实在不该把他带回来的,因为这里根本没有人能治好他的伤,除了谢家的人之外,谁也治不好他的伤。"

"可是你……"

谢玉宝忽然张开眼,瞪着他。"我不是谢家的人,我只不过是这个杂货店的老板娘。"

还是同样的话,同样的意思。她知道这是她惟一能逼马如龙说出真相的机会,她当然不肯放弃。铁震天忽然站起来,又吞了一把盐,两个蛋。"我走。"他真的要走了。

他纵横江湖二十年,当然已看出这其中一定别有隐情,他不想让马如龙为难。

谢玉宝不让马如龙开口,抢着道:"你本来早就应该走了。"

想不到铁震天却又坐下去!

"我不能走。"

"为什么?"

问话的人是谢玉宝,铁震天的回答却是对马如龙说的。"我留在这里,他们来找你的时候,我还可以帮你跟他们拼一拼。"

"找我?"马如龙问:"他们会来找我!"

"现在他们第一个要找的人是你。"

马如龙不懂。铁震天又叹了口气:"你真的认为他们不相信你说的话?"

马如龙道:"你认为他们相信!"

铁震天道:"绝对相信。"

马如龙道:"他们为什么不承认?"

铁震天道:"因为他们如果承认你说的是真话,承认你就是马如龙,他们就得放我走。"他冷笑:"既然我们都已落在他们掌握中,谁也逃不了,他们为什么要承认,为什么要放走我?"

马如龙怔住。现在他已经不想笑了,现在他才知道,江湖中人心的险诈,绝不是他所能想像得到的。谢玉宝一直在盯着他,忽然挣扎着坐起来。

"你就是马如龙?"她的声音已嘶哑:"你就是那个阴险恶毒,无恶不作的马如龙?"

马如龙只觉得胸中忽然有一股气涌上来,是血气,也是怒气。

"不错,我就是马如龙。"他的声音也已嘶哑:"我就是那个无恶不作的马如龙。"

铁震天怔住。

近年来,世上已经很少有能够让他惊怔的事,可是,这个女人明明应该是马如龙的妻子,为什么不知道马如龙就是马如龙?

谢玉宝仿佛也已怔住,过了很久,才叹出口气:"你不是那个马如龙。"

"我是。"

"你不是,绝对不是。"谢玉宝道:"那个马如龙阴险恶毒,什么事都做得出。"她的声音忽然又变得温柔:"可是我跟你在一起已经有三个月零二十一天,我看得出你绝不是个坏人。"

马如龙没有说话。他说不出话,他的咽喉仿佛已被塞住。现在他已习惯被人侮辱,被人冤枉,别人的同情与了解,反而让他难受。

就在这时候,前面的杂货店忽然有了声音,张老实的声音。马如龙仿佛不愿再面对谢玉宝,所以立刻冲了出去,张老实果然在店里,正在整理杂货,好像准备开店的样子。

马如龙盯着他："你回来了。"

"我没有回来。"张老实道："我根本没有出去过，怎么回来！"

他真的没有出去过？刚才他明明不在屋里，也不在厨房里，店里也没有其他的人。

张老实道："刚才我在上茅房。"

刚才他也没有上茅房，他要去方便的时候，总是把茅房的门从里面拴起来。刚才茅房的门却从外面拴上的。

马如龙已学会注意这些小事，因为他已知道，有很多大事，都是从小事上看出来的。他忽然发觉，这个老实人，也很不老实。

第二十四回　老主顾与大主顾

一家杂货店在开门之前,总有很多事要准备,有很多杂货要清理。张老实正在做这些事。一个经营杂货店已经十八年的人,店里如果忽然少了一大桶盐,一大笋鸡蛋,他绝不会不知道。张老实好像根本没有发现。

昨日午后有雨,巷子的泥泞还未干。他脚上也有泥,也没有干透。刚才他是不是出去过。到哪里去了? 为什么不肯承认? 马如龙忽然发现他非但不太老实,而且很神秘、很奇怪。这已经是马如龙第二次有这种感觉。

张老实已经准备开门了。他正想拔起门上的栓,马如龙忽然道:"今天我们休业一天。"

张老实歪着头想了想,才问道:"今天是不是过节?"

"不是。"

"今天我们家里有喜事?"

"没有。"

"那么今天我们为什么不开门?"

马如龙既不能把真正的理由说出来,也编造不出别的理由,他不是个善于说谎的人。"因为我是这里的老板。"马如龙道:"我说今天不开门,就不开门。"

张老实又歪着头想了想,这理由虽然根本不是理由,他却不能不接受。可是屋里却有人反对。

"今天我们还是照常开门,他说的话不算数。"这是谢玉宝的声音。

马如龙冲过去,已经有点生气了。"我说的话为什么不算数? 你为什么要管我的闲事?"

"不是我要管,是你这位朋友要我管的。"

铁震天道:"因为今天你这杂货店一定要开门,非开门不可。"

马如龙想不通。"现在他们已经知道我是马如龙,是这杂货店的老板,随时都可能来找我,我为什么还要开门放他们进来?"

"就因为他们知道你在这里,所以你非开门不可。"

"为什么?"

"因为杂货店若是不开门,他们就一定会闯进来。"铁震天道:"现在我们将门户大张,他们反而摸不透我们的虚实,反而不敢轻举妄动了。"

谢玉宝冷冷的接着道:"看来这地方每个人好像都比你想得周到得多。"

马如龙只有闭上嘴。他不能不承认,谢玉宝和铁震天想得都比他周到,可是张老实呢? 难道这个从来没有在江湖中走动的老实人也想到了这一点。

四块门板都已经卸了下来,杂货店已经开门了。张老实拿了把破扫帚,把门里门外都扫得干干净净,就好像已经知道有贵客要临门,特别表示欢迎。巷子里听不到一点动静。

铁震天忽然问道:"在外面扫地的那个人,就是你的伙计。"

"是。"

"他是个什么样的人?"

"是个老实人。"马如龙觉得自己好像在骗自己:"他的名字就叫张老实。"

铁震天眼里闪着光。"我喜欢老实人。"他的话中显然别有深意,"只有老实人,才能骗得过那些奸诈多疑的阴险小人。"那位名满天下的正直君子绝大师,就是个奸诈多疑的阴险小人。

马如龙了解他的愤怒。

"他相信你就是马如龙,他还是可以先杀铁震天,再杀马如龙,如果他敢这么做,我反而佩服他。"铁震天冷笑:"可是他不敢,因为他不敢当着别人的面,做出食言背信的事,他要让天下人都确信他绝对是个嫉恶如仇的正直君子。"

他用力握紧双拳:"我只恨不能将这样的君子刀刀斩尽,个个杀绝。"

谢玉宝忽然叹了口气。"只可惜这样的君子你连一个都杀不了,你自己反而快死了。"

这是事实,谁也不能反驳。

事实为什么总如此无情? 如此残酷? 谢玉宝又道:"就算他们现在摸不透这里的虚实,还不敢轻举妄动,但一定已将杂货店包围,你们也休想冲得出去。"

她的声音中带种很奇怪的意味,也不知是怜悯? 是悲伤? 还是讥诮?

"所以你们只有在这里等,我也只有陪着你们在这里等,反正他们迟早会来的,说不定现在就已准备先派人来刺探这里的虚实。"谢玉宝道:"要刺探这里的虚实并不难,因为这里是个杂货店,任何人都可以来买东西。"

她淡淡的接着道:"等他们来的时候,我好像也只有陪你们一起死。"这也是事实,不容争辩,无可奈何的事实。

谢玉宝盯着马如龙。"我不管你以前是不是真的做过那些事,我只想问你一句话。"她问的这句话就像鞭子:"你让我这么样不明不白的陪你死,你自己心里能不能问心无愧?"

话已经问出来,鞭子已经抽在马如龙身上。不能,他问心不能无愧!

"我可以告诉他们,你是无辜的,"马如龙嗫嚅道:"我可以先把你送走。"

"你能把我送到哪里去?他们会相信我是无辜的?"她冷冷的问:"你要我像野狗般被他们捉去,受他们拷打盘问?"

马如龙只觉得自己仿佛正在被拷打鞭挞。"你要我怎么做?"

"我只要你还我几样东西。"

"还你什么?"

"还我真面目,还我的武功。"谢玉宝忽然变得愤怒而激动:"这些东西我也不知是被你用什么法子骗走的,如果你还有一点良心的话,现在你就应该全部还给我。"

马如龙没法子还给她。他不敢面对她,不敢抬头,他觉得自己就像是个贼,他希望她手里真的有条鞭子。他宁愿被抽打,被鞭挞,他宁愿忍受最酷毒的苦刑,也不愿良心负疚。

就在这时,铁震天忽然沉声道:"看来你们的杂货店已经有主顾上门了。"

今天来的每一个主顾,都可能是绝大师派来刺探他们的人。铁震天额上青筋凸起。"你去看看他是来买什么的?是真的来买杂货?还是想来买我们的命。"

来的是那挺着大肚子的小媳妇。

马如龙已经听见她的笑声,她不但是附近最爱管闲事的人,也是这里最爱笑的人。

她笑,因为她心情愉快。她愉快,因为她的肚子里已经有了新的生命。

马如龙并没有出去看,他对她很是放心。

"她是个老主顾,每天都来。"

"每天都来的? 来买什么?"

"来买红糖。"马如龙道:"她总认为红糖就像是人参一样,不但滋补,而且能治百病。"

买不起人参的人,只好买红糖,人参和红糖同样都是心理上的寄托,就好像有人信神,有的人信佛一样。

但是今天她却不是买红糖的,马如龙已经听见她在跟张老实说:"我知道你一定会奇怪。"她吃吃的笑着:"因为我今天不买红糖。"

"你买什么?"张老实在问。

"买盐。"

杂货店里卖盐,每家人都要用盐,天天都有人来买盐,这一点都不奇怪。

"你要买多少?"张老实又问。

"今天我们家要腌肉,腌得越咸,越不会走味。"小媳妇好像特地解释她买盐的理由:"我要买三十斤盐。"

杂货店里天天有人来买盐,却很少有人一下子就来买三十斤。普通一家杂货店,最多也不过有三四十斤盐。

铁震天额上的青筋更粗。"你要她进来。"他压低声音道:"她不肯进来,就抓她进来。"

马如龙没有动。"你为什么不去?"

"她是个大肚子。"马如龙道:"我不能对一个有了孕的女人做这种事。"

"就算你明知她是那个伪君子派来的,你也不能做这种事?"

"我不能。"

这些事无论在任何情况下他都不能去做,不肯去做。宁死也不肯。

铁震天盯着他,忽然长长叹息:"你真的是个好人,我从来没见过你这样的人,像你这种人,现在已经不多了。"

谢玉宝忽然也轻轻的叹了口气:"像他这样的人,我也没见过。"

张老实已经告诉她:"店里的盐已经卖光,你最好晚上再来。"

小媳妇临走的时候还在笑,一家杂货店里居然没有盐卖,真是件可笑的事。

铁震天道:"你让她走,就等于已告诉绝大师我在这里,你把盐都留给我。"

马如龙也知道这一点。

铁震天道:"所以我保证你这杂货店今天生意一定很好,很快就会有第二个主顾上门的。"

他没有说错。没过多久,第二个主顾已经上门了。

第二个主顾是个大主顾,一进门就说:"我想来买点东西。"这个人的声音嘶哑低沉:"你们有什么,我都想买。"

"每一样都买?"

"每样都买。"这人道:"每一样我都要全部买下来。"

第二十五回　死　巷

这是个大主顾,是笔大生意。生意就是生意,你有东西要卖,别人就可以买,别人要买什么? 你就得卖什么,别人要买多少,你就得卖多少。马如龙看得出铁震天的脸色已经变了,也知道自己的脸色一定也变了。只可惜他看不见张老实的脸色,只听见张老实在说:

"我们这家杂货店不能算太大,也不能算太小,店里的货不能算太多,也不能算太少,你一个人能全部搬得走?"

"我可以叫人来搬。"这位大主顾说:"只要你开出价钱,我就付,就去叫人来搬东西。"

叫人来搬,叫什么人来? 是真的来搬货? 还是来要命的? 马如龙没有冲出去对付这位大主顾。他忽然有了种奇怪的感觉,觉得外面的那个老实人一定有法子可以对付的。

张老实已经在说:"我只不过是这杂货店里的伙计,这么大的生意,我做不了主。"

"谁能做主?"

"我们的老板。"

"你们的老板在不在?"

"在。"张老实道:"就在里面,你可以进去问他。"

"我不进去,你叫他出来。"

"你为什么不进去?"

"他为什么不出来?"这位大主顾的态度很绝。

张老实的回答也很绝:"因为他是老板,不管是大老板,还是小老板,多多少少都有点架了的。"

大主顾好像不高兴了:"他不出来,我什么都不买。"

张老实忽然说出句更绝的话。"现在你不买也不行了。"他说:"所以你非进去不可。"

铁震天一直在很专心的听着他们说话，眼睛里一直带着思索的表情。他们说话的声音不小，在里面每个字都可以听得很清楚，他本来用不着这么专心去听。

他一定是在分辨这位大主顾说话的口音，以前他一定听过这个人说话。马如龙正想问他，是不是知道这个人的来历，铁震天已经说了出来。

"王万武！"他的声音略带紧张："小心你那伙计的两条臂。"

武林中只有一个王万武，他的分筋错骨手，大力鹰爪功，独步江湖，他的心之狠、手之辣，也跟他的武功同样有名。只要他一出手，就必定是对方的重要关节，跟他交过手的人，不死也得残废。

现在他已经出手，铁震天的警告已经太迟了，马如龙已经听见了骨头碎裂的声音。很轻的声音，但却很刺耳，从耳朵一直刺入心里。一直刺入胃里，一直刺入骨头里。

马如龙只觉得胃部在收缩痉挛，自己的关节仿佛也酸了。不管张老实是不是真的老实人，总是他的伙计，已经跟他共同生活了三个月零二十一天。

奇怪的是，他只听见了骨头碎裂声，并没有听见惨呼声。只有两种人能够忍受这种痛苦而不叫出来，一种是骨头奇硬的硬汉。另外一种是死人，或者是已经晕过去快要死的人。

马如龙想冲出去，铁震天也想冲出去，但是他们还没有出去，外面已经有个人进来了。这个人是倒退着进来的。这个人左臂右肘的关节都已被拧断。这个人已疼出了满脸冷汗，满身冷汗，却还是忍耐住不肯叫出来。

这个人是条硬汉，江湖中每个人都知道王万武是条硬汉。这个人居然不是张老实，是王万武！以分筋错骨手，名震武林的淮南第一高手王万武，曾经折断过无数英雄手臂的王万武。现在他的臂竟已被人拧断，被一个杂货店的伙计拧断。他死也不相信这种事会发生，铁震天与马如龙也不能相信。但是本来不可能发生的事却偏偏发生了，世上本来就没有绝对不可能的事！

王万武脸上的表情不但惊讶痛苦，而且害怕，他一生从未如此害怕过。可是这个杂货店伙计的出手却让他害怕了。

分筋错骨手，大力鹰爪功，是淮南鹰爪王的独门绝技。他是鹰爪王的嫡系子弟，也是淮南门的第一高手。可是他一出手，就被制住，这个杂货店的伙计竟在一招之间就封死了他的退路,拧断了他的骨节。他一步步向后退,从挂着破布门帘的小门里退入屋子。

门帘又落下。他已经看不见那个平凡老实,猥猥琐琐的伙计,可是,他也没有看见这屋里的人。他的眼睛里充满了惊痛悲惨,已经什么都看不见了。铁震天忽然站起来,一把拉住他,把他按在那张旧竹椅上。王万武应该认得铁震天的,他们曾经是朋友,后来又变成了死敌,死敌比朋友更难忘记。但是他没有看出站在他面前的这个人就是铁震天,他好像根本没看见有个人站在他面前。他还在流汗,一颗颗比黄豆还大的冷汗珠子,不停的从他脸上往外冒。

"那个人是谁!"他的声音就像是在做噩梦:"那个人是谁?"

这问题也正是铁震天同样想知道的,他转过头去问马如龙:"你那个伙计究竟是什么人?"

马如龙无法回答。他只知道他的伙计叫张老实,是个胡里胡涂的老实人。过去既没有辉煌的往事,将来也没有远大的前程,好像已经只有在这个破烂的杂货店里混吃等死。这么样一个人,怎么能在一招间制住名震武林的王万武? 马如龙也不知道。这个杂货店的老板已经不是以前那个老板了,伙计当然可能不再是以前那个伙计。马如龙已经想到这一点,但是他也想不出这个伙计是什么人。他真的想不出。

王万武脸上还在冒冷汗,嘴里还在喃喃的问刚才他已不知问过多少遍的话。铁震天忽然一个耳光掴了过去,掴在他脸上。王万武这一生中,很可能从来都没有挨过别人的耳光。他本来是在噩梦中,这个耳光使他骇然惊醒。他终于看见了面前这个人,往日的思想和回忆立刻从他心中涌起。

"是你!"王万武道:"你……你在这里。"

"是我。"铁震天无疑也想起了他们之间的往事,"你本来就应该知道我在这里。"

王万武看着他,眼色忽然变得痛苦而悲伤。"我知道你在这里,我到这里来,就是为了想要你的命,因为我对不起你,出卖过你,所以我反而更恨你。"

这句话说得也很绝,却是真话。如果你也曾经出卖过别人,你一定也会像他一样,反而会恨那个人,想要把那个人置之于死地。因为他活着,你的心就会永远不安,永远会觉得有愧疚在心。你恨的也许并不是他,而是你自己。王万武又道:"十年前,我出卖了你,就因为那时我已经做过对不起你的事,生怕你知道,所以,才想借别人的刀来杀你。"

"我知道。"

你既然知道,那时为什么不杀了我? 王万武的神色痛苦,"我宁愿死在你的手里,那时你若杀了我,我也不会有今天了。"

这也是真话。能死在翻天覆地的大盗铁震天的手里,至少比败在一个杂货店的伙计手下好些。他败得太惨,太痛苦,铁震天了解这种痛苦。往日的思想都变成过去,"兔死狐悲"的悲伤却是永远存在的。

外面已经很久没有动静,就好像什么事都没有发生过一样。张老实也没有进来,现在一定还像是真的老实人一样,坐在前面的杂货店里,还是没有任何人能看出他是个身怀绝技的绝顶高手。——他究竟是谁? 为什么陪马如龙躲在这杂货店里? 马如龙忽然冲了出去,他比铁震天更想知道这问题的答案。

张老实果然还是老老实实的坐在他平时坐的那张破椅子上。这个杂货店也还是原来的样子。可是外面的情况却跟平时不同了,平常在这个时候,巷子里已经很热闹,晾衣服的女人,顽皮的孩子,到处撒尿的猫狗,现在都已经应该出来了。

这条巷子虽然贫穷肮脏,但却永远都是生气勃勃的。现在这条巷子里却连一个人都没有。没有人,没有动静、没有声音,这条生气勃勃的巷子,现在竟像是已经变成了一条死巷。

第二十六回　死　　地

杂货店里没有柜台,一张摆着本账簿和一个钱箱的旧书桌,就算是柜台。马如龙在木桌旁一张板凳上坐下,看着张老实。

张老实一直是个反应迟钝的人,脸上很少有表情。现在还是这样子。如果有人说他刚才在一招间就击败了淮南第一高手王万武,谁也不会相信。

——他这张脸是不是也被玲珑玉手玉玲珑易容过? ——他本来是谁? ——能在一招间击败王万武的人有几个? 马如龙盯着他看了很久,忽然叫出了一个人的名字。

"大婉。"

"大碗? 你要大碗?"张老实脸上绝没有丝毫异样的表情:"碗都在厨房里,你是不是要我去拿给你?"

"我说的大婉是一个人。"

"哦?"

"你没有见过她?"

马如龙叹了口气,慢慢的站起来,忽然出手,用食中二指去挖他的双眼。

张老实的眼睛闭了起来。这就是他惟一的反应,除了眼睛外,他全身上下都没有动。马如龙当然也没有真的下毒手。他忽然发觉自己很笨,张老实就算真的是个老实人,一定也知道他绝不会真下毒手的,用这种法子,当然试不出他的功夫。问也问不出,试也试不出,应该怎么办呢? 马如龙还不知道应该怎么办的时候,就已经知道又有主顾上门了。

"笃,笃,笃",木杖点地的声音,很远就可以听见。来的是两个人,两个人都是跛子,都拄着拐杖,只看他们的上半身,就好像是一个人。两个人的衣着,神态,容貌,都像是一个模子里铸出来的,都有一条弯曲扭斜,发育不良的腿,软软的挂在半空中,就好像有人把他们本来一条腿锯断了,把另外一条婴儿的腿接上去。看来有说不出的丑陋怪异。

可是两个人脸上的表情都很严肃,而且充满了自尊自信。两个人惟一不同的地方是,一个人的缺陷,是在左腿,另一个人的缺陷,是在右腿。马如龙立刻想到了一个在武林中流传已久的故事,两个已几近神话般的人物。

在极北的星宿海,有一对天生残废的孪生兄弟,一位叫天残,一位叫地缺。他们的性情偏激怪异,武功也同样怪异,他们所收的门人子弟,也都是跟他们一样的天生残废孪生子。

江湖中人大多都知道他们,却很少有人能见到他们。星宿海的门徒一向很少过问江湖中的事,几乎从来没有人到过江南。跟传说中不同的地方是——

星宿海的子弟装束都非常怪异华丽,有的人身上甚至穿着真是用珍珠缀成的珍珠衫,一种与生俱来的自卑,使得他们更喜欢炫耀做作卖弄。这两个人的穿着都很平实,和一般正常人没什么两样。

星宿海的子弟都一定要等到艺成之后才能入江湖,等到他们的师长已经认为他们有把握能不败的时候。残废练武本来就比正常人困难,他们能入江湖时年纪通常都已不小。

这两个人却都是年轻人,最多只有二十三四。难道他们在这种年纪就已练成星宿海的独门绝艺?已经有把握能不败?

这些虽然只不过是传说,但是一种已深入人心、根深蒂固的传说,往往比真实的事更"真实",更容易被人接受。木杖点地的声音已停止,人已在杂货店里。马如龙转身面对他们,心里虽然已认定他们是星宿海门下,却还是问:"两位来买什么?"

"我们什么都不买。"缺左足的人先开口,缺右足的人接着说:"我们只不过想来看看,你究竟是个什么样的人,居然能把王万武留住,是用什么法子留住的?"他们说的话既没有虚假也没有一点矫情做作。

"我姓孙,名孙早,"缺左足的人道:"他是我的孪生兄弟,叫孙迟。"

"因为我出世时比他迟了一点。"他们的名字也很平实,也不像传说中星宿海门人的那么故弄玄虚,故作神秘。

孙早又道:"我们是孪生人,又天生畸形,这种人通常都喜欢冒称为星宿门下。"

孙迟接着说:"所以你一定也认为我们是星宿海门下。"

"但是你错了,"孙早道:"我们和星宿海别无关系。"

"十年前我们曾经到星宿海走过一次,"孙迟接道:"我们也想找到传说中的异人,传给我们一点能够无敌于天下的绝艺。"

"可惜我们失望了。"

"那里只不过是一片荒无人烟的穷荒之地,夏日酷热,冬日苦寒,任何人都很难生存。"

"我们告诉你这些事,只不过要你知道,我们的武功,都是我们自己苦练出来的。"

"所以你如果也想留下我们,不必有任何顾忌。"

马如龙一直在听,听他们说完了,心里忽然有很多感触。他们都是年轻人。他们不做作,不卖弄,不虚伪,不矫情,他们要自己闯出自己的名声,绝不倚赖任何人。他们虽然残废,但是绝没有一点自卑,并不自暴自弃。马如龙不想和这样的年轻人为敌。"我不想留下你们。"他说:"你们随时都可以走。"

他们没有走,兄弟两人都在用同样的眼色看着他,一种很奇怪的眼色,先开口的还是孙早。

"我们也看得出你没有把我们当作仇敌,"孙早说:"如果你是别人,我们说不定会结个朋友。"

"你实在不是个奸险的小人,"孙迟道:"只可惜你是马如龙。"

兄弟两人,同时叹了口气,同时转过身,"笃"的一声,以木杖点地,准备走了。他们好像也不想跟马如龙为敌。但是他们也没有走出去。

他们的身子刚移动,腋下的木杖刚刚点在地上,张老实的手已扬起。马如龙只听见一阵极尖细的急风破空声,两木杖就忽然从中折断,两样东西随着断折的木杖落下,竟是两颗花生。

张老实喜欢喝酒。花生是最普通,也是最好的下酒物。张老实的桌子上总是摆着一堆花生。但是从来也没有人想到他能用花生打断坚实的木杖。用钢刀去砍,都未必能砍断的木杖。

孙早兄弟也没有想到。他们虽然没有跌倒,他们用一条腿站在地上,还是站得很稳,就像是钉在地上的一样。可是他们脸色已变了。

马如龙的脸色也变了。"你想干什么?"

"我想留下他们。"张老实仍然面无表情:"你不想,我想。"

马如龙没有再说为什么。就在这一瞬间,他已感觉到自己的指尖,脚尖,嘴角,眼角,每一个感觉最灵敏的地方,都同时起了一种奇妙的变化,忽然同时变得僵硬麻木。

也就在这一瞬间,孙早兄弟的身子已凌空跃起,向外面窜了出去。他们虽然是残废,可是他们的身子掠起时,不但姿态优美,而且快如鹰隼。他们虽然是残废,可是他们的轻功之高,江湖中已很少有人能比得上。

但是他们落下来时,还是在这个杂货店里,一落下来,就无法再跃起。因为他们兄弟两个人身上,都至少已有四处穴道被封死。

八九个花生随着他们的身子一起落在地上。真正的内家高手,飞花摘叶都可以伤人,当然也同样可以用花生隔空打穴。只不过从来也没有人能看出张老实是这样的高手,从来也没有人能想得到。

张老实是怎么出手的,孙早兄弟是怎么倒下去的?马如龙都没有看见。他的视觉已模糊,整个人都已变得麻木迟钝。他也没有看见张老实站起来走过去,从孙早兄弟身上搜出了一瓶药。

直到张老实把这瓶药灌入他嘴里,他才渐渐恢复清醒。张老实仍然别无表情,只淡淡的问:"现在你是不是已经知道我为什么要留下他们?"

马如龙已经知道。有些事他虽然没有看见,却已经知道,世上本来就有很多事是用不着亲眼看见也一样会知道的。他知道他已经中了孙早兄弟的毒,一种看不见,也感觉不出的无形无影的毒。

他们说的也许确实是真话,只有真话才能使别人变得大意疏忽。就在他对他们已经没有敌意时,他们放出了这种无形无影的毒,就正如有些人已经把某些人当作朋友时,才会被出卖一样。

马如龙并不是完全不了解这些事,可是他能开口时,他说的第一句话就是:"放他们走。"他说:"现在就放他们走。"

张老实忍不住要问:"为什么?"

"因为我是马如龙,因为他们做的只不过是他们自觉应该做的事。"

因为他们还年轻。年轻人做事往往都是这样子的,因为他们要成名,要做一个成功的人。这不是他们的错。一个年轻人想要成功,想要成名,绝不是错。

孙早兄弟走的时候没有再回头,也没有再看马如龙一眼。马如龙也没有再去看他们,他不愿再增加他们心中的愧疚。

他只问张老实:"你真的没有见过大婉,也不知道她是谁?"马如龙问:"你一直都只是这家杂货店的伙计?"

张老实没有回答。他已经把地上的花生一颗颗的捡起来,一颗颗的剥开,一颗颗放进嘴里。等他开始咀嚼的时候,才叹息着喃喃的说:"该问的事他不问,该问的人他也不去问,却偏偏来问我这些废话。"

马如龙道:"我知道我应该去问王万武,这次他们究竟来了多少人?来的都是些什么人?"

"你为什么不去问?"

马如龙道:"因为我现在问的这件事更重要。"

"重要,有什么重要?"张老实又在叹气,"我见过大婉又如何? 没见过大婉又如何? 你为什么一定要问?"

"因为我想知道她在哪里?"马如龙说得很坚决:"我一定要知道。"

"她在哪里,跟你又有什么关系?"

"当然有关系。"马如龙直视着张老实,说道:"如果你也曾想念过一个人,你就会明白的。"

张老实脸上还是全无表情,手里的花生却忽然全部掉落在地上! 他又弯下腰去捡,仿佛特地要避开马如龙那双炽热的眼睛。就在这时,里面一间屋子里的谢玉宝忽然大声的说:"你想知道大婉的事,为什么不进来问我!"

马如龙立刻就进去了。就在他转身走入那道挂着旧布门帘的窄门时,忽然有一行人用碎步奔入了这条小巷。

一行二十八个人,年轻,健壮,动作矫健灵敏,行动整齐划一。二十八个人身上,都穿着质料剪裁都完全一样的黑色紧身衣,打着倒赶千层浪的裹腿,手里都提着个形状大小都完全一样的黑色帆布袋。

布袋里装的是什么? 这二十八条大汉是来干什么的,大多数人都有好奇心,大多数人都会留下来看看他们的来意。马如龙没有留下来,他只看了一眼,就掀起门帘,走了进去。除了大婉外,别的人,别的事,好像都已引不起他的兴趣。

谢玉宝已经挣扎着坐了起来,眼睛里的表情复杂而奇怪,也不知是痛苦? 是愤怒? 还是悲伤? 也许这几种感情每样都有一点。她盯着马如龙。"你认得大婉? 这件事就是你们两个串通好来害我的?"

马如龙没有否认。他不想否认,现在也不能再否认,不必再否认。谢玉宝一双干瘦的手虽然用力握住棉被的角,却还是在不停的抖。

"你一直都在想念她?"她的声音忽然嘶哑:"你天天跟我在一起,可是你天天都想念她?"

马如龙也没否认,这一点他更不想否认。谢玉宝的手抖得更厉害。

"你为什么要想念她? 难道你喜欢那个丑八怪?"

这一点也正是马如龙时常都在问自己的。——我为什么会如此想念她? 是不是因为我已经真的喜欢她? 不是喜欢,是爱。只有爱才会如此持久,如此强烈。但是这一点他连想都不敢去想,连他自己都不敢相信。

谢玉宝又冷笑。"你想不想知道她是谁?"

"我想。"

"如果你知道她谁,说不定会很失望的。"

"我不会,绝不会。"马如龙的回答坚定明确:"不管她是谁都一样。"

"好,我告诉你,"谢玉宝仿佛在喊叫:"她只不过是我的一个丫头而已。"

马如龙的态度却很平静。"你是大小姐,她是丫头,你是美人,她是丑八怪,不管你是什么人,她是什么人,我还是一样可以想念她。"说完了这句话,他又走了出去。

谢玉宝大喊:"你回来,我还有话告诉你。"

马如龙没有回来,连头都没有回过来,不管她要说什么,他都不想听。谢玉宝忽然倒在床上,钻入枕头下,她真是位大小姐,也许比公主更骄傲,更尊贵,从来也没有人看见她流过泪。难道她现在已流泪?"张荣发"只不过是家杂货店的老板,"马如龙"只不过是一个什么事都做得出的恶贼,不管是为了谁,她都不该流泪的。

铁震天与王万武一直在冷冷的看着他们,铁震天忽然叹了口气。

"我是个好色的人,我一辈子,最少已经有过几百个女人。"

"我也差不多。"王万武说。

"但是我始终不了解女人,"铁震天叹着气:"我这一辈子都无法了解。"

王万武也叹了口气,说道:"我也是一样。"

马如龙没有听见他们说的话。他一走出门,就立刻被外面的变化所震惊,他从未想到在这条陋巷中,这个陋店里,会看到如此惊人的变化。

张老实没有变。他仿佛又醉了,他的破桌上有个空樽,樽中的劣酒,已入了他的肠。他伏在桌上,也不知是醒? 是睡? 是愁? 是醉? 他时常都是这样子的,这已不是第一次,惊人的变化,发生在这条穷苦平凡的陋巷中。

外面本来已看不见人,那些居住在陋巷破屋中的人,本来已不知到哪里去了,现在连他们遮身的破屋都已看不见。就在这片刻间,所有的屋子都已被拆除,被那二十八条年轻健壮,动作矫健的黑衣大汉所拆除。他们的帆布袋里,装的就是拆房屋最有效的工具。他们的动作更确实有效。

屋顶上的砖瓦一块块被掀下,木板一块块被撬开,钉子一根根被拔起,很快的被运走。破旧的家具,还没有清洗和已经清洗了的衣服碗筷,孩子们破碎的玩器,妇女们陪嫁时就已带来的廉价首饰,男人们酸淡淡的浊酒……也都已同样被运走。

这条陋巷,虽然穷苦平凡,在某些人的心目中,却是惟一可以躲避风雨的安乐窝。因为这里是他们的家。可是现在他们的家已不见了,所有的房屋也都已不见了。这条巷子已经不再是一条巷子,除了这家杂货店外,所有的一切已被拆除移走。这条巷子忽然间都已变成了一片泥泞、丑陋的空地。空地,死地,空空荡荡,空无所有的死地!

第二十七回　黑　石

高处依然有蓝天白云阳光,远处仍然有市声人群屋宇。青天仍在,红尘依旧,却已不属于马如龙的这个世界了,距离马如龙已非常非常遥远。马如龙眼中所见的,只有一片死地! 他震惊,他也想不通。

幸好他回过头时,张老实已清醒,也不知道是从愁中醒,是从睡中醒? 还是从醉中醒来的? 有时清醒还不如睡,还不如醉,因为他一醒,他的眼中立刻有了同样的惊讶与恐惧。

马如龙立刻向他问道:"你看见了什么?"

"我什么都没有看见。"什么都看不见,绝对比看见任何事都可怕,不知,无知,永远是人类最深痛的恐惧。

马如龙又道:"就算他们要把我们困死在这里,也不必把屋子都拆光的,他们可以躲在屋子里,用这些屋子作掩护。"

他想不通他们为什么要拆除这些房子,他希望张老实能够解释。张老实还没有开口,又有二十八条大汉用碎步奔入这条陋巷。

马如龙看得出他们不是刚才那二十八个人,却同样的年轻健壮,着同样的紧身黑衣,他们手里提着的也不是帆布袋,是个黑色的竹篮。篮子装着的,竟是一颗颗黑色的圆石,圆润如珠,黑得发亮,看来就像是黑色的珠玉。

马如龙从未见过这样的石头,也看不出这些大汉是谁的属下。这样的黑石并不易得,想要找一两块也不是易事,能养得起这些黑衣壮汉人,江湖中也没有几个。最奇怪的是,他们竟将这些珍贵的黑石,一颗颗,一行行,像插秧般,铺在地上。

他们的动作整齐迅速确实有效,泥泞的空地很快就有一大片被黑石铺满。这二十八个人手中的提篮已空,很快的奔出去,立刻又有同样装束的二十八个人,提着同样的黑石,用同样的步伐奔进来。马如龙正想问张老实,看不看得出他们是谁的属下,想不想得出有谁能养得起他们这些人,知不知道他们是在干什么?

他还没有问,因为他忽然发现张老实的脸上居然也起了极奇特的变化,一双昏暗无光的眼睛里,已露出种恐惧之极的表情。他忽然冲过去,用最快的速度,将杂货店的门板一块块上起,今天本来是他一定要开门做生意的,现在为什么忽然又要关门了?马如龙更不懂。张老实已拉着他,快步冲进了里面的屋子。

里面的光线更暗,屋里的三个人看来都已比刚才更委顿憔悴。张老实从贴身的衣服里拿出个乌木瓶,抛给了铁震天。

"这是给你的,"他的声音很急促:"你先吃一半,留一半,先嚼碎,再吞下去。"

铁震天当然忍不住要问:"这是什么?"

"这就是碧玉珠。"张老实道:"半个时辰内,就可以把你的伤势治好一半,黄昏时你再服下另外一半,气力就可以恢复八成了。"他忽然叹了口气,又道:"只希望你能够活到那时候。"

铁震天眼睛里已发出了光。他手里拿着的,就是当今天下惟一能够救他的灵药,也是天下最珍秘贵重的药物。但是他却没有吞下去,因为有些事他一定要问清楚。

"你是谁?"他问张老实:"你怎么会有碧玉珠?"

"这全都跟你没有关系。"

"有关系。"铁震天一字字地道:"我铁震天这一生中,从未平白无故受人的好处,我若不知道你是谁,怎么能够拿你的药?"恩怨分明的男子汉,本来就宁死也不肯做这种事的。

马如龙却忽然插嘴道:"你可以拿他的药,也可以接受他的恩惠,而且用不着报答他。"

"为什么?"

"因为他是我的朋友,你也是的,"马如龙道:"朋友之间,无论谁为谁做了什么事,都不必提起'报答'二字。"

铁震天连一个字都没有再说,拔开瓶塞,吞下了半瓶药。

王万武忽然长长吐出口气,道:"铁震天,现在你不妨杀了我,我已死而无憾。"

因为现在他已经知道,刚才击败他的人,并不是个无名之辈。只有碧玉山庄的门下,才有碧玉珠。能够败在碧玉珠门下的手里,绝不是件丢人的事,既然败了,死又何妨?

这些话王万武虽然没有说出,铁震天也已了解。现在每个人都已确信张老实是碧玉山庄的门下,数百年来,碧玉山庄门下从来没有男性子弟,张老实无疑也是女子假扮的。马如龙双眼凝视着他,一个字,一个字的说道:"现在,你是不是已经应该承认了?"

"承认什么?"

"承认你就是大碗!"

张老实终于轻轻叹了口气,道:"不错,我就是大婉。"

这个不老实的老实人果然就是大婉,不是厨房里装菜饭的大碗,是那个有血有肉,敢做敢为的大婉,是马如龙一直在思念的大婉。她是不是也在思念着马如龙?

马如龙不能了解。女人的心事,本来就不是男人所能了解的。大婉伸出手,指尖轻触他的手,立刻又缩回。没有人能比她更会控制自己的感情。

"铁震天的气力已将恢复,王万武不该死,你也不必死。"她冷冷的说:"只要一有机会,你们就可以冲出去。"

马如龙也在尽量控制着自己,却还忍不住要问:"你呢?"

"我……"

谢玉宝忽然叫了起来:"你们为什么不问问我? 我应该怎么办?"

大婉终于转过头面对她,谢玉宝的眼睛里充满愤怒恐惧怨毒。

谢玉宝怒声道:"你为什么要把我害成这样子?"

"我对不起你。"大婉道:"但是你一定要相信我。我绝不是故意要害你。"

"你为什么要做这种事?"

"因为我不能让你嫁给邱凤城。"

大婉接着道:"我们是从小就在一起长大的,我绝不能让你嫁给那种阴狠歹毒的人。"

马如龙失声问道:"她就是碧玉夫人的女儿?"

"她就是,"大婉道:"谢夫人将你们召到寒梅谷去,就是为了替她找一个好丈夫。"

"那天你也去了?"

大婉点了点头:"那天我不但去了,而且亲眼看到了所有的变化。"

无论谁亲眼看见当时的变化,都一定会认为马如龙就是凶手。

大婉又道:"但是我却认为那其中一定还另有机谋。"

马如龙立刻问:"为什么?"

"因为其中的巧合太多了。"大婉道:"我一直不相信巧合太多的事。"

——雪地上的坑,小婉的玉佩,金枪林的一枪正好刺在玉佩上,绝大师和彭天霸的及时出现……这些都是巧合。巧合太多的事,通常都是经过特地安排的。

大婉接着又道:"谢夫人叫我到那里去,就是为了要我替她选择,这件事关系到大小姐的终生幸福。我绝不能轻易下判断。"

她凝视马如龙:"所以,我故意让你逃走,就因为我还要试探试探你,看你究竟是个什么样的人?"——被埋在雪地中,故意伸出一只手,就是她的第一个试探。

大婉道:"如果你没有停下来救我,那天你就已死在我手里。"

一个亡命的凶手,绝不会冒险援救一个陌生的女人,而且将自己御寒的皮裘和马匹送给了她。但是这一次试探还不够,以后还有一次又一次的试探。

"经过无数次试探后,我才相信你绝不是个阴险恶毒的人,我已经开始怀疑邱凤城。"大婉道:"只可惜这计划实在太周密巧妙,连我都抓不到他的一点破绽。虽然我明知你是被冤枉的,也没法子替你洗刷。"她轻轻叹息,又道:"因为我完全没有证据,要让谢夫人相信你是无辜的,一定要有证据。"

马如龙苦笑,"就算碧玉夫人肯相信,绝大师他们也不会放过我的。"一个已经被那些江湖名侠们认定是凶手的人,怎么能做碧玉山庄的东床快婿。

大婉道:"后来我才知道,就在我一直跟踪你的时候,谢夫人已经决定选邱凤城做女婿了,甚至连婚期都已决定。"

王万武忽然插口:"这件事我好像也听说过。"

"谢夫人已经决定了的事,一向很少更改。"大婉道:"除非我能找到真凭实据,能证明这是邱凤城的阴谋。"

她找不到。邱凤城做事,绝没有留下一点把柄。最巧妙的一点是,他明明已将其中的关键全部告诉了马如龙,可是马如龙说出来的时候,还是没有人相信。非但不信,别人反而认为他是在故意陷害邱凤城。反而更认定他是凶手。邱凤城先将自己置于死地,然后再巧妙的脱身,就因为他深知人类的心理。

大婉又叹了口气。"他这个计划不但周密巧妙,做得更绝,连我都不能不佩服他,但是要我眼看着他把大小姐娶回去,我也不甘心。"

谢玉宝忽然也叹了口气,"这时候我已经出来了,并不是出来看邱凤城的,是出来找你的。"

"我明白,"大婉柔声道:"不管你嘴里怎么说,你心里一直都把我看作你的姐妹。"

谢玉宝苦笑:"可是我连做梦都没有想到,你会忽然出手制住我。"

大婉道:"我只有那么做。"

因为她要时间找证据,她要拖过碧玉夫人已经决定了的婚期。如果新娘子忽然失踪了,婚礼当然就没法子如期举行。

大婉道:"我想来想去,最好的法子,就是先把你们两个人藏起来,让别人找不到你们,也让你能渐渐了解马如龙是个什么样的人。"她接着又解释道:"故意先让他知道你是个美丽的女孩子,也是为了要试探他,在暗室之中,是不是还能把握住自己。"

"所以你也来陪着我们,"谢玉宝道:"因为你还是不太放心。"

大婉承认:"如果他敢对你怎么样,我也不会让他活到现在的。"

谢玉宝忽然又轻轻的叹了口气。"你没有看错他,"她的声音也变得很温柔;"他的确不是个坏人!"

马如龙一直静静的在听,这件事其中的关键,连他都直到现在才明了。

铁震天忽然长长叹息一声,说道:"他本来就是个好人,这件事,本来也是件好事,只可惜,他这个好人却偏偏交了个坏朋友。"

"朋友就是朋友,"马如龙道:"朋友绝不分好坏,因为朋友只有一种,如果你对不起我,出卖了我,你根本就不是我的朋友,根本就不配说这两个字。"他的态度庄重而严肃,"我不信神,不信佛,我只相信朋友。"

"我明白你的意思,"铁震天说道:"但是,你若没有我这个朋友,你的身份就不会暴露,不管怎么样,总是我连累了你。"

"你是不是后悔交了我这个朋友,"马如龙问:"还是要让我后悔交了你这个朋友?"

"我不后悔,"铁震天道:"我知道你也绝不会后悔的。"

在"友情"的词汇中,本来就没有"后悔"二字。

王万武忽然也叹了口气。

"看见你们这样的朋友,我才知道我这一辈子从来都没有交到朋友。"

马如龙的秘密确实是因为铁震天而暴露的,大婉呢? 如果不是为了马如龙,有谁会知道她就是"张老实"? 有谁会知道她是碧玉山庄的门下? 如果不是为了马如龙,她这个计划又怎么会半途而废? 但是她也没有怨言,更不后悔。因为如果不是为了马如龙,根本她就不会做这些事。

马如龙又在问她:"我们被人困死时,那一阵绿色的雾,当然也是你散发出来的?"

"那不是雾,"大婉道:"那是碧玉山庄的"翠寒烟",比雾更浓,也比雾散得快,寒烟一散,什么都看不见了。"

"就因为你散出了翠寒烟,所以他们才知道这里有碧玉山庄的人。"

"也就是因为他们知道有碧玉山庄的人在这里,所以他们才不敢轻举妄动。"

大婉又道:"他们不动,只要能拖一段时候,我们也许还有机会,只可惜现在情况已经完全不同了,我们已绝对没机会全身而退。"

马如龙问:"为什么?"

大婉反问:"你刚才看见了什么?"

马如龙道:"看见了六七十个穿黑衣服的人。"

大婉道:"你还看见什么?"

马如龙道:"还看见了一大堆黑色的石头。"

第二十八回　死谷传奇

黑色的石头有什么可怕？只要没有人强迫你吞下去，也没有人拿它来打破你的头，不管是白色的、红色的、蓝色的、黄色的，还是黑色的石头，都没有什么可怕。奇怪的是，大婉却偏偏好像觉得它很可怕，谢玉宝居然也好像觉得它很可怕。

谢玉宝忽然问："你看见的那些石头，是不是非常、非常黑、又圆、又黑，黑得发亮？"

"是。"

"你在哪里看见的？"

"在那群黑衣人的手里，"马如龙道："他们每个人手上都提着一大筐黑色的石头。"

"然后呢？"

"然后他们就把这些黑色的石头一颗颗铺地上。"

谢玉宝不问了，也不说话了，眼睛里仿佛也露出了和大婉同样的表情，一种恐惧之极的表情，就好像一个小孩子忽然发现那些只有在噩梦中会出现的妖魔已到了眼前。他们为什么要怕这些黑色的石头？

铁震天的好奇心也被引起，也忍不住问："附近有没有这种黑色的石头？"

"没有，"马如龙道："就算有几颗，也没有这么多。"

王万武又替他补充："我到这里来的时候，已经将这附近几百里地都勘查过，这里什么样的石头都有；又圆又黑，黑得发亮的石头，我连一颗都没有看见过。"

"所以那些石头一定是从几百里以外的地方运来的。"

"一定是。"

铁震天更奇怪："为什么有人要从几百里外运石头来铺在地上？"

这问题他本来并不期望有人能回答，大婉却说了出来。

她说："因为他是个疯子。"

大婉自己也说:"真正的疯子并不可怕,可怕的是那些外表看来比谁都正常,其实心里却已疯狂了的人。"

她又解释:"平时你看他做事总是规规矩矩,态度总是彬彬有礼,可是只要等他一发起疯来,什么样的事他都做得出,连疯子都做不出的事他都能做得出。"

最可怕的一点是,谁也不知道他会发疯,更不知道他什么时候会发疯,所以也不会提防他,往往就在你已认定他是个谦谦君子时,他却忽然割下你的鼻子拿去喂狗。等到你的鼻子不见之后,你甚至还不相信他会做出这种事来。

大婉道:"我说的这个疯子,就是这么样一个人。"

铁震天道:"你见过他?"

大婉道:"我没有,本来我以为永远都不会见到他的!"

她叹了口气又道:"只可惜现在我很快就要见到!"

谢玉宝忽然紧紧握住她的手。

"他真的会来?"

"他一定会来。"大婉道:"是翠寒烟把他引来的。"

"你看见了那些黑色石头,就知道他会来?"马如龙问。

"不错,"大婉道:"普天之下,只有他住的那个地方,才产这种黑石。"

"他住在什么地方?"

"死谷,"大婉道:"什么都没有的死谷,才有这种黑色的石头。"

她慢慢的接着道:"那里人迹罕至,飞鸟难渡,无论谁都很难在那种地方活下去,想不到他却活下来了,而且好像还活得不错。"

"他为什么要住到那种地方去?"

大婉道:"他自己并不想去,是被人逼去的。"

"被谁逼去的?"

"世上只有一个人能击败他,"大婉道:"所以也只有一个人能逼他做他不愿做的事。"

她忽然又问:"你们知不知,三十年前,江湖中有个叫'无十三'的人?"

"吴十三?"

大婉道:"不是周吴郑王的吴,是虚无的无。"

"他为什么要叫无十三?"

"因为他自己说他是个无名无姓无父无母无兄无弟无姐无妹无子无女

无妻无友的人。"

"这也只有十二无。"马如龙问：

"还有一无是什么?"

"无敌。"

"无敌?"马如龙不信道:"真的无敌?"

"三十年前,他才二十三岁的时候,就已横扫江湖,无敌于天下。"

马如龙还是不能相信,"三十年前的事并不算久远,为什么至今就已没有人知道。"

铁震天忽然插口,"有人知道,我就知道,"他说得详细而肯定,"那一年是庚子,我才十九岁,是在九月重阳那一天,才听人说起他的名字的。"

"你老却能记得这么清楚。"

"因为那一天正好是我的生日,"铁震天道:"也因为他正好是在那一天击败连山云的。"

连山云是当时的顶尖高手,以"横云遮日七七四十九剑"名震江湖,剑势绝不在创立"回风无柳七七四十九剑"的巴山顾道人之下。

铁震天道:"他的七七四十九剑连一招都未使出,就已被击败了,被一个初入江湖的年轻人空手夺下了他的剑。"

马如龙问:"这个年轻人,就是无十三?"

"当时我也知道,昔年有位名动天下的剑客,燕十三,可是此后的三个月里,我听见的就只有无十三了。"他又强调说道:"整整三个月,九十天。"

马如龙忍不住要问:"你怎么会记得正好是九十天?"

"因为就在重阳到腊八月初的这九十天内,他已战败当时江湖中最负盛名的四十三名高手,"铁震天道:"最后一位是铁剑门的掌门人,正在和门人子弟喝腊八粥的时候,被他抛入了粥锅里。"

"然后呢?"

"然后就没有了。"

"没有了?"马如龙问:"没有了是什么意思?"

"没有了的意思,就是自从那一天之后"无十三"这个人就没有了,"铁震天道:"从此之后,江湖中就没人再听说过这个人。"

"也没有人知道他的下落?"

"没有。"

"有,"这次插口的是大婉:"有人知道,我就知道。"

她知道的事别人都不知道。那一天之后,无十三也不知用什么方法找到了"碧玉山庄",就在当年除夕那一天,和碧玉夫人决战于庄外的翡翠坡,这一战败的当然是无十三。

没有人能够战胜碧玉夫人,从来都没有。奇怪的是,碧玉夫人并没有将他置之于死地,只不过将他困入了死谷,要他发誓永生不再出谷。寸草不生,飞鸟难渡的死谷,就像是极北荒寒的星宿海一样,从来都没有人生存。所以无十三就从此"没有了",而且很快就被世人遗忘。

大婉道:"可是我们并没有忘记他,因为夫人常说,如果世上只有一个人能在死谷生存,这个人绝对就是他,只要他活着,等到他自觉有把握报复时,就一定会违背自己的誓言,逃出死谷来的。"

马如龙道:"死谷中本来只有他一个人?"

大婉道:"只有他一个。"

马如龙道:"但是现在他至少已经有了八十四名属下。"

大婉叹口气,说道:"只怕连夫人都想不出他怎么能在死谷中活下去,更想不到那些人是怎么来的,但是夫人也说过,别人连想都想不到的事,他也能够做到。"

外面本来极安静,这时候却忽然传来一阵清朗的笑声,一个人用一种极优雅愉快的声音说:"多承谢大小姐和大姑娘关心,其实这些事我本来也做不到,只不过我的运气特别好而已。"

说话的人距离这屋子还有段距离,可是他说出的话,屋里的每个人都能听得很清楚。屋里这些人说的每句话,他也能听得很清楚。

大婉脱口问:"你就是无十三?"

她的声音并没有提高,外面的人还是听了。

"我就是。"他回答。

大婉又故意叹了口气:"你的耳朵真灵,好像比兔子还灵。"

她显然是在故意地要激怒他,想要他一个人闯进来,外面的这个人,却笑得更愉快,"这是我练出来的,我一个人在那死谷中孤孤单单的过了一两年,什么声音都听不见,闷得我简直快疯了,我只有想法子去听那些别人听不见的声音。"

"什么声音?"

"毒蛇在地底交配的声音,小虫在地下爬的声音,蛇吞虫,虫吃蛆的声音,乌龟生蛋的声音,"无十三带着笑问:"这些声音各位听见过没有。"

没有,没有人听见过。

无十三道:"可是我已经全都能听得见了,而且听得很清楚。"

一个人如果连这些声音都能听得很清楚,还有什么声音是他听不见的?

无十三又接着说:"幸好现在我已经不必再听这些声音了!"

"哦?"

"因为五年之后,我就已找到很多人去陪我说话,"无十三道:"那个没有人的死谷里,现在已经有八百二十四个人陪我说话,我要他们说什么,他们就说什么,我想说什么,他们就听什么。"

大婉道:"你怎么找到这么多人去陪你说话?"

"因为我的运气特别好,"无十三笑道:"那死谷中除了黑石外,还有种别的东西。"

"什么东西?"

"黄金,"无十三笑得愉快极了,说:"我保证各位这一辈子,都没有见过那么多的黄金!"

有了那么多黄金,还有什么办不到的事。

无十三又道:"所以我的日子越过越愉快,武功好像也进步了一点,所以我才忍不住想出来走走,最主要的当然还是想来看看谢夫人和她的大小姐,如果不是因为她,我怎么会有今天?"

大婉又忍不住问:"你怎么知道谢夫人大小姐在这里?"

"我当然知道,"无十三笑道:"一个人有了这么多黄金后,不知道的事就很少了。"

"你为什么不进来看她。"

"我不急,"无十三道:"我已经等了二十多年,再等几天又何妨?"

"你等什么?"

"我已经派人专程去采购绫罗绸缎,去请手艺最好的裁缝,来为谢大小姐量身裁衣。还特地带来了一些京城宝石斋的胭脂花粉,"无十三大笑道:"等到谢大小姐换过新衣,梳妆打扮好之后,我自然会来求见的。"他微笑又道:"现在我还不急,因为我一向不喜欢肮脏的女人。"

他的笑声听来还是那么令人愉快,也没有说过一个猥亵不敬的脏字。大婉的心却已沉了下去,她已经听出了他话中可怕的含意。——他喜欢打扮得漂漂亮亮的女人,等到谢玉宝打扮漂漂亮亮时,他就准备来"喜欢"她了。

铁震天当然也明白他准备用的是什么法子,忽然问道:"他是不是个人?"

"好像是的?"

"那就好极了。"铁震天道:"既然他也是个人,我也是个人,我为什么不能出去看看他?"

外面的无十三立刻说:"请出来,快请出来,我早已在这里摆下战宴,等着各位光临。"

铁震天大笑:"我正想舒舒服服的大吃一顿。"

他忽然问王万武:"你想不想?"

第二十九回　盛　　宴

　　王万武已经站了起来:"我也想得要死。"战宴还未开,泥泞的空地上已铺满圆润晶亮的黑石,但却只摆着一张木质极好,雕刻极精致的胡床,胡床后百锦帐高高支起,一个鬈须虬髯,凹眼碧睛的波斯奴,戴着顶鲜红的帽子,帽子上垂着蓝色的丝带,穿着件绣金的黑色长袍,系着条鲜红的腰带,手扶弯刀,肃立在胡床后。无十三就坐在这张胡床上。

　　他看起来绝不像是个无名无姓无父无母的孤儿,更不像是个疯子。他的脸色非常苍白,但却非常英俊,他的态度温文而优雅,苍白的脸色使人很难看出他的真实年纪,文雅动人的微笑,和华丽高贵的服饰,更使人根本就不会注意到他的年纪。

　　战宴虽然仍未开,客人却已经到了不少。绝大师他们居然也是他的客人,也像别的客人一样,站在胡床前面。因为这里除了这张胡床外,既没有椅,也没有可以让人坐下来的地方。

　　除了这张胡床外,这里根本连一样东西都没有。但是,等到铁震天和王万武出来后,主人居然用最客气的态度,请他们"坐下来"。

　　他先问那波斯奴:"你看还有没有别的客人会来?"

　　"我看没有了。"

　　无十三立刻举手揖客,带着绝无虚假的微笑说:"请坐,请各位先入席坐下来再说话。"

　　第一个"坐下"的居然是绝大师,坐在一张根本不存在的椅子上,他的脸上还是全无表情,悬空坐在那里,就好像下面真的有张椅子一样。于是每个人都"坐"下去了,只有铁震天还站着。

　　无十三问他:"阁下为什么不坐?"

　　"我喜欢站着吃东西。"铁震天回答得也很妙:"站着吃才能吃得多些。"

　　"有理!"无十三拊掌微笑,说道:"今天各位一定要多吃些,今天我替各位准备了东海乌鱼,北海的鱼趣,南海的燕窝和龙虾,京城的羊羔和烤鸭,江南的醋鱼和蒸蟹,还有整只的牛羊,足够让各位开怀大嚼。"

他说的这些东西根本连一样都没有，但是他却用最殷勤的态度一再劝客"多吃一点"。他还替绝大师准备了一点素菜。

第一个开始吃的又是绝大师，连绝大师都已经在吃了，别的人当然也只好跟着吃。这些人几乎全部都是威镇一方的武林大豪，江湖好汉，现在，却像是小孩子在办"家家酒"一样，每个人都合手拿起了一双根本不存在的筷子，坐在一张根本不存在的椅子上，开始吃喝那些根本不存在的东西。惟一和孩子们不同的地方是，他们自己也不认为这种玩法很有趣。他们的动作看来虽然很滑稽，神色却很沉重。

除了绝大师外，每个人脸上的表情都好像被一双看不见的手扼住了脖子。绝大师脸上却还是全无表情，一筷子一筷子慢慢的夹菜，一口一口慢慢的咀嚼，咀嚼的也不知是愤怒，是恐惧？还是一嘴苦水。自从他成名以来，从未在任何人面前做过一件丢人泄气的事。可是现在他已将他辛苦博来的声名，捧着那些根本不存在的东西，一口口嚼碎，一口口吞下肚里。

铁震天看得全身的鸡皮疙瘩都冒出来。他想不通绝大师为什么要这么做？为什么要对这疯子如此畏惧。只不过现在他已明白无十三是个什么样的疯子了。

大婉虽然已经将他描述得很仔细，但是，铁震天现在才知道，不管她说得多仔细，还是不足以形容出他的疯狂可怕于万一。无十三也在盯着铁震天，只有铁震天一个人没有动筷子。

"你为什么不吃一点？"

"吃什么？"

"羊羔和醋鱼的味道都很不错，"无十三道："烤鸭也要趁热吃才好。"

"烤鸭在哪里？"铁震天问："醋鱼在哪里？"

"你看不见？"

"我看不见。"

无十三道："别人都看得见，你为什么看不见。"

"因为我没有他们聪明，"铁震天道："你说的这些东西，一定只有聪明人才看得见。"

无十三又盯着他看了老半天，忽然大笑："原来你是个呆子，这么多好吃的东西，只有呆子才看不见。"

他的声音忽然停顿，脸上忽然露出种愤怒之极的表情，转过脸，狠狠的瞪着冯超凡，厉声问："你怎么能做这种事？"

冯超凡怔了怔，"我做了什么事？"

"有这么多好东西你不吃，为什么偏偏要吃我的小狗？"

"你的小狗？"冯超凡听不懂他在说什么，"你的小狗在哪里？"

"刚才还在这里的，"无十三道："现在已经被你连皮带骨都吃了下去！"

他看来不但愤怒，而且悲伤："这条小狗我已经养了好几年，就像是我的儿子一样，你为什么要吃掉他？为什么如此残忍？"

冯超凡脸色变了，"奉天大侠"冯超凡三十年前就已成名，以一对六十三斤重的混元铁牌纵横白山黑水间，什么事他没见过？他当然已看出无十三是存心找他的麻烦。他希望绝大师能助他一臂之力，跟这疯子拼一拼，他们是多年的好朋友，绝大师至少总该替他说句话的！

想不到第一个替他说话的并不是他的好朋友，而是他一向深恶痛绝的大盗铁震天。"这里根本连一条狗都没有，"铁震天道："大狗小狗都没有。"

"你是呆子，你当然看不见。"无十三道："我亲眼看见的，绝不会假的！"

"这次你恐怕看错了。"

"你一定要说这里没有狗？"

"绝对没有。"

"可是我说有，而且已经被他吃进肚子！"无十三脸上忽然又露出种神秘的笑容，一字字道："你想不想跟我赌？"

"怎么赌？"

"赌那条小狗是不是在他肚子里，"无十三吃吃的笑道："用你的人头做赌注。"

铁震天忽然觉得手脚冰冷了，胃里好像已经开始要呕吐，他已经猜出这个疯子要干什么。冯超凡显然也猜出来，忽然大吼一声，向无十三扑了过去。他的"虎爪功"和他的混元铁牌，同样都是威震关东的武林绝技。

绝大师的脸色居然也变了，疾声道："住手！快住手！"他说得还是迟了一步，冯超凡的身子已扑起，无十三身后那波斯奴的弯刀已出鞘。

刀光一闪，鲜血如乱箭般射出。——只有一种方法能看出一个人肚子里有没有小狗，一种最原始，最野蛮，最残酷的方法，一种只有疯子才会用的方法。这个疯子用出来了。纵横江湖三十年的冯超凡，竟没有闪过这一刀，开膛剖腹的一刀。

每个人脸色都变了，有的人已忍不住在呕吐，有的人向外逃窜，有的人向前猛扑！无十三还在吃吃的笑，笑声疯狂诡秘而惨厉，无论谁只要听过一次,一辈子都忘不了。刀光还在不停闪动,一刀就是一条命。没有人能避得开这波斯奴的刀,因为他一刀劈来时,已经先有一枚黑石飞过来,是从无十三手里飞过来的。

无十三以中指弹黑石,风声一响,黑石已打在对方的穴道上。能够避得开的只有绝大师和铁震天,但是他们也没法子逼进那张胡床,刀光和血光已封住了他们的眼。他们几乎已看不见无十三的人在哪里。就在这时,他们看见了马如龙。

马如龙冲入了刀光和血光,他不是来送死的,他是来救人的,虽然他自己也没有把握全身而退,但是他一定要冒这个险。没有人能拉得住他,他宁死也不能坐视这种残杀继续,他一定要把能够救出来的人全都救回来。在这一瞬间,他根本没有把自己的死活放在心上。

他没有死,他知道自己没有死,而且救了几个人回来。但是他冲回杂货店时,已筋疲力竭,一进门就已倒下! 他出生入死,拼了命去救回来的人是谁?

第三十回　裁缝胭脂花轿

马如龙醒来时,所有的声音全已静止,天地间又变为一片死寂。他已经被人抱入了里面的一间房,躺在屋里仅有的一张床上,这是他第一次睡上这张床。

谢玉宝就在他身旁看着他,屋子里只有他们两个人。马如龙勉强对她笑了笑,立刻就问:"人呢?"

"什么人?"

"我救回来的那些人。"

谢玉宝没有回答,却反问他:"你知不知道你救回来的是些什么人?"

"我知道。"马如龙说:"铁震天是跟我一起回来的。"

"除了他还有谁?"

"还有绝大师,"马如龙的神情很平静,"绝大师跟我们一起回来了。"

他说得很平静,谢玉宝却显得有些激动:"你自己知道你救的人是他?"

马如龙笑笑:"我怎么会不知道?"

他居然笑了。为什么总是有些人在最不应该笑的时候笑出来?

"你知道?"谢玉宝显得更激动:"你知道他就是把你逼得无路可走,一心想要你这条命的人,你居然还要救他?"

"我救的是人,"马如龙道:"只要他是人,我就不能看着他死在那疯子手里,不管他是我的朋友,还是我的仇人都一样,不管他是什么人都一样。"

谢玉宝用一种很奇怪的眼色看着他,看了很久才问道:"你说的是真话?还是故意做给我看的!"

马如龙没有回答这个问题。他拒绝回答。

"你是真的,"谢玉宝道:"因为你刚才真的是在为他拼命!"她忽然叹了口气:"我本来实在不能相信你是个这么好的人,但是现在我已经不能不相信。"

绝大师一直静静的站在角落里那个摆杂货的木架旁,自从他进了这家杂货店,就一直站在那里,没有动,没有开过口,也没有看过别人一眼。他的身上已有血污,衣衫已破碎,而且受了伤。但他却还是能够保持冷静镇定。

跟他同时回来的,除了铁震天外,另外两个人本来应该是他的同伙。但是这两个人却好像根本没有看见他这么一个人,好像只要一走近他,就会被传染上什么可怕的致命瘟疫。他们当然都知道这杂货店里的人,都是他的死敌,他们都不愿被他连累。绝大师也没有去看他们,眼睛里空空洞洞的,仿佛什么人都没看见。

第一个说话的是大婉:"我知道你留在这里一定也很难受,可是只要你愿意留下来,我们也绝不会赶你走。"

绝大师仍然保持沉默。

大婉却又道:"你是不是有什么话要说?"

"是的,"绝大师忽然开口:"可是我要说的话,只能对一个人说。"

"谁?"

"马如龙。"

小屋里凌乱且简陋,大婉就在这小屋里呆了将近四个月。现在屋里只有两个人。绝大师终于单独地和马如龙相见了。

"这次是你救了我,"他说:"如果不是你,我绝不会到这里来的,如果不到这里来,我一定也像别人一样死在外面。"他慢慢的接着道:"但是我绝不会因此而放过你,只要我不死,你也没有死,我还是不会放过你的。"

马如龙笑了笑,淡淡说:"我救你并不是要你放过我,否则我又何必救你?"

绝大师道:"只不过,那都是以往的事。"

马如龙叹了口气:"不错,不管你以往要怎么对我,都没有什么关系,因为我们很可能全都活不到明天。"

"但是我们现在还没有死,"绝大师道:"裁缝还没有到,脂粉也没有送来,那个疯子暂时还不会闯进来的。"

"但愿如此。"

"一定是这样子的,"绝大师道:"我了解那个疯子,他已经把我们看成网中的鱼,已经会不急着要我们的命。"

他又道:"所以我们说不定还有机会能逃出去,所以我才要来告诉你,不管你我以后是友是敌,在这段时候里,我唯你马如龙的马首是瞻,我这一生中,从未听命于人,这次却是例外。"

马如龙凝视着他,过了很久才问:"这就是你要对我说的话?"

"是的。"

和马如龙一起回来的,除了铁震天和绝大师之外,还有两个人。其中一个是王万武。他有一条臂的关节已经被捏碎,但是他居然还没有死在那柄别人都避不开的弯刀下。

大婉安排绝大师去见马如龙的时候,他忽然问铁震天:"我知道你有个兄弟落入了绝大师手里,你难道不想知道他的生死下落?"

"我想。"

"你为什么不问?"

"我不能问,也不想问,"铁震天道:"我怕他已经死在那和尚手里。"

铁全义如果已经死在绝大师手里,铁震天一定不会放过绝大师的。

"但是我不能杀他,"铁震天道:"马如龙既然已将他带回来,我就不能再伤他毫发。"

这时候大婉已经回来了,王万武忽然对她说:"我也想单独去见他。"

"去见谁?"大婉问:"马如龙?"

"是。"

"你也有话要说?"大婉又问:"你要说的话,也只能对他一个人说?"

王万武点头。

他在点头的时候,眼睛在看着铁震天,因为他知道铁震天一定也有话对他说。

铁震天果然已经在问他:"你知不知道你为什么还没有死?"

王万武说道:"我没有死,只因为你一直在保护我,我们以前虽然是对头,现在你却好像已经把我当作朋友。"

"但是你要说的话,却只能对马如龙一个人说。"铁震天道:"你为什么不能够对我说?显然你不信任我。"

"我信任你,"王万武道:"只不过我更信任马如龙。"

"你为什么要信任他?"

"因为绝大师也信任他,"王万武道:"绝大师是不是他的朋友?"

"不是。"

"一个人如果能让他的仇敌和他的朋友同样信任他,别的人怎会不信任他?"

铁震天忽然大笑。"好,你说得好,"他用力拍王万武的肩:"你去吧。"

马如龙也想不到王万武会要求单独来见他,更想不到王万武第一句话就告诉他一个秘密。

"我还没有死,并不是因为铁震天在保护我,"王万武道:"我还没有死,只因为无十三根本不想要我死。"

他接着又说出另一个秘密:"他的'弹指神功,飞石打穴',的确已练到别人从未练到过的火候,他那波斯奴出手之快,的确也比别人快得多,只不过死在他们手里的那些人,并不是完全死在飞石和弯刀下的。"

"不是?"

"那些人的死,只因为那些人之中最少已经有一半被收买了。"

王万武又解释:"譬如说,张三和李四是朋友,但张三已经被他收买了,李四却不知道,那波斯奴一刀劈下,李四就死在刀下,别人是不是会认为李四的死,只因为他避不开波斯奴那一刀?"

"是!"

"等到别人看见无十三弹指飞石时,是不是又会认为李四的死,只因为他被无十三的飞石打中了穴道?"

"是。"

"其实不是这样的。"王万武道:"其实他并没被无十三的飞石打中穴道,而是被他的同伙在混乱中点了他的穴道。"

他又道:"我一定要来告诉你,因为我已不想要你把无十三的武功估得太低,也不想让你把他看成个神人。"

马如龙当然要问:"你怎么会知道这秘密的。"

"因为我也被他收买了,"王万武苦笑:"所以我才没有死。"

"你为什么要把这秘密告诉我?"

"因为我信任你,"王万武道:"现在我已可确定,你绝不会出卖任何人。"

和马如龙一起回来的,除了铁震天,绝大师、和王万武之外,还有一个人。这个人年纪既不太大,也不太小,长得既不英俊,也不太难看,穿着既不太华丽,也不太寒酸。这种人你每天都不知要遇见多少个。

现在他还没有死,也许就因为他的样子看起来太平凡。只有少数人才知道"平凡"有时也是种很好的掩护,有时候甚至就是不平凡。

大婉无疑就是这少数人其中之一,她一直都在注意他,忽然问:"你贵姓?"

这个平凡人笑了笑,点点头,又摇摇头。

大婉又问:"你听不见我说的话,还是不会说话?"这个人回答还是跟刚才一样,还是对她笑笑,点点头,又摇摇头。

谁也看不懂他这是什么意思,大婉也看不懂。他的意思就是要让人看不懂。

大婉忽然也笑了笑。"你当然不会是聋子,也不是哑巴,你只不过不想把名字说出来而已。"她淡淡的接着道:"我问你,你当然可以不说,可是等到别人问你的时候,你想不说恐怕就很难了。"

这个人忽然反问她:"你们是不是在等一个人?"

"等谁?"

"等一个裁缝,"这人道:"无十三派来替一位谢姑娘量新衣的裁缝。"

大婉盯着他。

"你怎么知道无十三要派一个裁缝来?"大婉问:"你怎么知道我们在等他。"

"我当然知道。"这个人说:"我还知道裁缝现在已来了,不但把绸缎和胭脂都带来了,而且带来了一顶花轿。"

"这个裁缝的人在那里?"

"就在这里,"平凡的人忽然露出不太平凡的微笑:"我就是这个裁缝。"

第三十一回　神奇的裁缝

仔细一看,这个人的确是个裁缝,再仔细看看,你又会觉得,他什么都像,随便你说他是干什么的,都绝不会有人怀疑。每种行业都有他这样的人,平平凡凡的样子,普普通通的装束,客客气气的笑容。

"我是个好裁缝,附近几百里以内,绝对不会有比我更好的裁缝。"他微笑道:"我做出来的衣服,保证式样新颖,而且剪裁合身。"好裁缝本来是人人都欢迎的,但这个裁缝却是例外,这地方绝对没有一个人欢迎他。

大婉勉强笑了笑,"我看得出,你是一个好裁缝,可是,不管多好的裁缝,没有布料也做不出衣服。"

衣服做好,无十三就不会让他们再安安稳稳的呆在这里了。她希望这个裁缝做不成衣服,她看不出他身上带着衣料。

这个裁缝却说道:"我刚才已经带来了,保证都是最好的料子,颜色好,花样新,质料高贵,而且绝不褪色。"

"你带来的料子在哪里?"

"就在这里。"

谁也看不见他带来的衣料在那里,可是他一转身,手上就忽然多出了两疋绸缎,一疋大红绸子上面还绣着金花牡丹。每个人都怔着。谁也看不出他是用什么法子,从什么地方把这两疋绸缎拿出来的。然后他又像变戏法一样,变出了一大包胭脂香油花粉。谁也看不出在他身上有什么地方能藏得下这么多东西。

铁震天叹了口气:"想不到我们这些老江湖都看走眼了,想不到这位朋友居然是位高人。"

裁缝微笑摇头。"我不是高人,我一点都不高,你长得就比我高,越高的人穿衣服越有样子,越好看。"他上上下下的打量着铁震天:"只可惜你这身衣服做得不好,下次有机会,一定要让我替你做两套。"

"我刚才好像听说,你带来了顶花轿来。"

"时候一到,花轿自然会来的。"裁缝笑道:"新郎新娘都不急,各位何必着急。"

"新郎新娘"这四个字一说出来,每个人的脸色都变了。

他们果然没有猜错,无十三的野心果然不小,如果他真的能娶到"碧玉山庄"的大小姐,不但碧玉夫人要气死,大婉也要一头撞死。

铁震天忽然问大婉:"我们能不能让他替谢姑娘做衣服?"

"不能。"

铁震天道:"天下有没有不会做衣服的裁缝?"

"好像只有一种。"

"哪种裁缝不会做衣服?"

"死裁缝。"

这个裁缝居然好像还听不出他们的意思,居然还在笑。"我不是死裁缝,我是好裁缝。"

"只可惜好裁缝也会变成死裁缝的,"铁震天冷笑,慢慢的伸出了手。他的伤已经快好了,他的铁掌伸出,全身骨节暴响,密如爆竹。

这个裁缝就算真是笨蛋,现在也明白他的意思了,忽然大叫:"等一等,我还有话说。"

"你说。"

"我要说的话,也只能对马如龙一个人说。"

"他不想听,"铁震天一步步逼近:"我知道他不想听。"

马如龙忽然走近来。

"这次你错了,"马如龙道:"他也是人,他说的话我为什么不想听?"

马如龙带着裁缝走了,没有人阻止,也没有人反对。只要是马如龙决定的事,就没有人反对。这个裁缝究竟有什么秘密要告诉马如龙?为什么只肯告诉他一个人?没有人知道,也没有人想知道。大家都信任马如龙,就好像相信他们自己一样。谁也不知道这种情况什么时候开始的,可是现在情况已经这样子了。

过了很久很久,马如龙才回来,是一个人回来的,大婉立刻问他。

"那个裁缝呢?"

"在后面的房里替谢玉宝量衣裳。"

"你为什么让他去?"

“因为他是个裁缝,他本来就要来量衣裳的,”马如龙道:“世上并不是只有他一个裁缝,我不让他去,别的裁缝就会来了。”

他的解释实在不能让人满意,现在他们最需要争取的就是时间,多争取一刻,就多一分机会。这道理马如龙明明应该懂的,可惜他偏偏不懂,杂货店里面的人都忍不住要叹气,杂货店外面的无十三却忽然大笑。

“我已经有很久没有佩服过别人了,”无十三道:“现在却不能不佩服你。”

“你佩服我?”马如龙居然问:“你为什么要佩服我?”

“因为我知道你就是那个马如龙,这些人本来全都是你的冤家对头,早就应该把你活埋了的,”无十三道:“可是现在他们每个人好像都服了你,有什么秘密都只肯告诉你一个人,就算觉得你做的事情有点笨,也没有人反对,像你这种人,实在不应该陪他们一起等死的。”

“我应该怎么办?”马如龙居然问。

“你应该出来,跟我见个面,交个朋友。”

马如龙居然立刻答应道:“好,我出去。”

他居然真的出来了。无论谁都想不到他会出去的,就连无十三自己都一定想不到。可是他居然把别人连做梦都想不到的事做了出来。难道他真的想跟那个疯子交朋友? 难道他真的不知道一出去就可能会死在哪里疯子手里? 难道他也是个疯子,跟无十三一样的疯子,平时看来虽然不疯,其实却疯得厉害。

看到他推开门板上的一个小门走出去,每个人都吓了一跳,铁震天看着大婉,大婉看着铁震天。两个人都不能相信马如龙竟忽然变成了这么样一个人。

“他是不是疯了?”

“好像没有。”最了解马如龙的本来是大婉,现在却连大婉也没有把握能确定了。

“他看起来好像也不算太笨。”

“他绝不笨。”

“那么他为什么要出去?”

“天知道。”这种事好像的确只有天知道。

铁震天忽然又问:“你看那个裁缝是不是有点怪?”

"不但有点怪,而且怪得要命。"无论谁能够忽然从身上变出两大疋绸缎来,都绝不会是个平凡的人。

"我知道江湖上有种摄心术,能够让别人的本性迷失。"

"是真的有。"

"你看马如龙是不是被那裁缝用摄心术迷住了。所以才会变成这样子。"

这种想法当然非常有可能,还有另外一种可能是——那个裁缝已经制住了谢玉宝,用谢玉宝来要胁马如龙。

铁震天和大婉都已经想到了这一点,同时冲入了那道挂着布的门帘。一冲进去,他们又大吃一惊,远比刚才看到马如龙走出去时更吃惊,比看见鬼更吃惊。铁震天纵横江湖数十年,从来也没有见到过这么惊人的事。他几乎不能相信自己的眼睛。他们究竟看到了什么?

第三十二回　吓人的手

里面这间屋子里的情况已经和他们离开时不同了,那张终年都像虔诚事佛的人家中的神案般摆在屋子中的大床,现在已被拆除搬去,平常连更衣洗手都要经过一番费力挣扎的谢玉宝,现在竟已站了起来,站得很直。这并不就是让铁震天和大婉吃惊的原因。

他们吃惊,只因为他们又看见了马如龙,和大婉并肩站在一起的,竟不是那个裁缝,而是马如龙。他们刚才明明亲眼看见马如龙已经从前面走了出去,但是现在他们又明明亲眼看见马如龙站在他们面前。

其实他们看见的并不是"马如龙",他们两次看见的都是"张荣发"。在他们的印象中,"张荣发"就是"马如龙",两个人已经变成了一个人。这里也只有一个"张荣发",刚才既然已经走了出去,此刻为什么还在这里,那个裁缝为什么反而不见了。

本来摆着大床的地方现在已全无所有,但是马如龙和铁震天却好像对它很感兴趣。两个人一直站在那里,眼睛一直盯着这块空地,看见大婉和铁震天,马如龙立刻伸出一根食指,封住了自己的嘴,叫他们不要出声。大婉和铁震天总算是非常能沉得住气的人,总算没有叫出来。他们并没有忘记那个疯子连毒蛇交尾、乌龟生蛋的声音都听得见!

大婉立刻又冲出去,把她平时记账的笔墨账簿拿了进来,她以笔墨代替她的嘴问马如龙。"你是谁?"

她已经不能分辨这个人究竟是不是那个扮成张荣发的马如龙。这个人是马如龙,谢玉宝也证实了这一点。

"刚才出去的那个人是谁?"

"是那个裁缝。"

大婉和铁震天虽然已想到了这一点,却还是不大相信。

"那个裁缝怎么会变成张荣发的?"

马如龙笑了笑,用秃笔蘸淡墨在那本破账簿上写:"她既然能把我扮成张荣发的样子,她自己为什么不能变成张荣发。"

大婉怔住,她实在太惊奇,实在太欢喜,她实在想不到这个人会到这里来。现在她当然已经明白这是怎么回事了,铁震天却不明白。"你们说的这个人是谁?"

大婉立刻写出了这个人的名字,一个神奇的人,一个神奇的名字:"玲珑玉手玉玲珑。"

一件表面看来极复杂神秘惊人的事,如果说穿了,答案往往反而极简单。现在铁震天也明白了,"玲珑玉手玉玲珑",这个名字已足以说明一切。她以妙绝天下的易容术,扮成了一个相貌平凡,绝不引人注意的裁缝,代替无十三请来的那个裁缝,混到这里来。

没有人想到她会来,所以也没有人能看出她一点破绽,她和马如龙单独见面时,又用她早已准备好的器具和药物,将自己扮成了另一个张荣发。

大婉现在才想到,"那个裁缝"和"张荣发"的容貌,本来就有些相似之处,只要经过她的玲珑玉手稍微整型改动,很快就可以变成张荣发。这当然也是她早就计划好的。她为什么要这样做?为什么要以马如龙的身份出去见无十三呢?大婉和铁震天还是想不通。

本来摆床的地方,现在除了一点灰尘外什么都没有了,马如龙和谢玉宝在看什么?他们为什么要把这张大床拆除搬走?

大婉和铁震天也想不通。他们问马如龙,马如龙只对他们笑笑,于是他们也只好陪着他像傻瓜一样站在那里,看着这块根本没什么可看的空地。就在他们觉得自己非常傻瓜的时候,他们忽然又被吓了一跳。因为他们又看见了一件很吓人的事。

这次他们看见的是一只手。这块什么都没有的空地上,竟忽然有一只手从地下冒了出来。一只宽大结实粗糙有力的手,就像是一株小树忽然破土而出,中指小指和无名指伸得很直,食指和拇指做了个圆圈。这种手式的意思,通常都是表示什么事都已解决,什么事都不成问题了。

这是谁的手?这只手怎么会从地下冒出来的?这当然是只活人的手。死人的手绝不会打手式。他们已经在这里住了好几个月,这屋子的地下怎么会有个活人。

看见这只无论谁看见都会吓一跳的手,马如龙居然连一点吃惊的样子都没有。他也伸出手，用手指在这只手的拇指指甲上轻轻弹了三下，隔了一阵，又弹三下，连续弹了三次。这只手忽然又缩回去了，缩入地下。

空无所有的地上忽然又变成空无所有，只不过多了一个洞。一个可以让一只手伸出来，也可以让一只手缩回去的洞。手不见了，洞还在。

手是从洞中来的，洞是怎么来的？这块地也与大地联结，这块地上的泥土也和别的地方没有什么不同，也许能够生得出草木果实花树，却绝不会凭空生出一个洞来。一个里面随时都会伸出一只手的洞。

第三十三回 洞 中

大婉看着铁震天,铁震天看着大婉,然后两个人一起去看马如龙。他们都不知道这是怎么回事,但是他们知道马如龙一定知道。马如龙没有看他们,他在全神贯注看着这个洞。

本来像碗口那么大的一个洞,忽然变大了,洞旁的硬泥地,忽然像潮水般起了波浪。波浪越来越大,动得越来越剧烈,就像是一锅水已煮沸。忽然间,沸腾的泥土全都平定落下,一个小洞忽然变成了一个大洞,比桌面还大的洞。一个人从洞中冒了出来,方方正正的脸上满是泥土,眼睛里却在发光。他对马如龙笑了笑,对大婉笑了笑,对每个人都笑了笑。但是他并不认得他们,因为他们也不认得他。他们从来都没有见过他。

这个人已经从洞里钻了出来,站在他自己刚钻出来的这个洞旁边,看看这个洞,眼睛里充满了欢愉得意欣赏的表情,就好像一个艺术家在欣赏着他们自己最得意的杰作。他看了很久,才转过身,拿起那根秃笔蘸淡墨,在破账簿上写了四个字:"请君入洞。"

这个洞好像好深好深。这个洞根本不是一个洞,而是条地道,又深又长的地道。这条地道是从很远很远的地方挖到这里来的,出口绝对在那片已铺满黑石的空地之外。大婉终于明白了。每个人都明白了,这条地道就是他们惟一的一条活路。所以每个人都钻进了这个洞。

地道比想像中还要长,出口已经在几条街之外的一条虽然阴暗却很宽阔的横巷里。出口处停着一辆只有在王公豪富人家中才能看得到的豪华马车,漆黑的车厢光可鉴人。拉车的四匹马无疑也都是久经训练的良驹。还有三辆同样的马车分别停在横巷两端,赶车的也已扬鞭待发。

这个从洞中钻出来的青衣壮汉向他们解释:"为了避免无十三的追踪,所以我们另外还准备了三辆车,车上也同样有六男一女七个人,留下的车辙蹄印绝对完全相同。"他说六男一女,只因为大婉还是男装,他自己也准备要坐上这辆马车。

"我们不必等玉大小姐,她一定有法子对付无十三,一定有法子全身而退。"

他看着一直不肯上车的马如龙,微笑道:"她特别要我关照你,千万不要等她,因为她知道你这个人有点牛脾气。"

幸好马如龙这次并没有再犯他的牛脾气,他一上车,赶车的立刻扬鞭打马,十六匹健马同时扬蹄,三十二个车轮同时开始滚动,四条路上都留下了同样的车辙蹄印。

青衣壮汉道:"这四条路一条可以到天马堂,一条可以到嵩山,一条可以到碧玉山庄。"

"另一条呢?"

"另一条是无十三的来路。"青衣壮汉道:"可以到死谷。"

"我们走的是哪条路?"谢玉宝充满希望:"是不是回碧玉山庄去?"

"不是!"大婉道:"一定不是。"

"为什么?"

青衣壮汉道:"因为无十三一定会想到我们最可能走这条路。"

谢玉宝叹了口气,大婉道:"你准备送我们到哪里去?"

"死谷。"青衣壮汉道:"因为谁都不会想到我们会到死谷去。"

他又补充:"而且玉大小姐也坚持要我们走这条路,她自己也会去死谷。"没有人再问"她为什么要去?"每个人都相信玉大小姐这么做一定有很好的理由。

车行平稳迅速,车厢里宽大舒服,大婉一直在注意这青衣壮汉,忽然问:"你是不是丐帮弟子?"每个人都认为他应该是的,要完成如此周密的计划,只有丐帮那种庞大的人力物力才能办到,敢出手管这件事的,也只有江南俞五。

青衣壮汉却摇了摇头,"我不是丐帮弟子,"他微笑道:"我根本从未在江湖中走动。"

这回答每个人都觉得很意外,大婉又问:"你贵姓大名?"

青衣壮汉迟疑着,好像很不愿说出自己的名姓,好像觉得说出来是件很丢人的事。只不过他终于还是说了出来。"我叫俞六。""俞六?"大家更意外,都忍不住要问:

"江南俞五是你的什么人?"

"是我的五哥。"

江南俞五名满天下，统率江湖第一大帮，亲朋故旧遍布江湖。他的弟弟本来也应该是个很有名的人，奇怪的是，谁也没有听过"俞六"这个人。

"你们一定不知道俞五有我这么样一个弟弟。"俞六道："你们一定奇怪，江南俞五的弟弟，为什么从未在江湖中露过面？"

"你为什么？"

俞六苦笑："有了江南俞五这么样一个哥哥，我还在江湖中混什么？就算再混一百年，也只不过是俞五的弟弟而已。"他看看自己一双宽大结实粗糙的手，慢慢的接着道："何况我什么本事都没有，我只会挖洞。"

马如龙看着他，眼睛里忽然露出尊敬之色。他一向尊敬这种有志气的人，尊敬这种独立自主的人格。

"你说你什么本事都没有，只不过挖了一个洞。"马如龙道："只不过从四条街之外，挖了一个七八十丈长的洞，而且算准了出口一定是在那个杂货店的中间屋子里。"他叹了口气，又道："你说你什么本事都没有，可是像这样的洞，除了你还有谁能挖得出？"

俞六笑了。"听你这么说，我自己好像也觉得自己有点本事了。"他用笑眼看着马如龙："现在我才明白，我五哥为什么会那样说了。"

"他说什么？"

"他说你最大的好处，就是你从来不会忘记别人的好处。"俞六道："他还说，像你这样的人他一生中只见过两个。"

"哪两个？"

"一个是他自己，"俞六微笑："另外一个就是你。"他的笑眼中充满温暖："所以他还要我问你，肯不肯跟一个只会挖洞的人交朋友？"马如龙已经伸出手。

第三十四回　华屋恶夜

江南俞五不但是江湖中的名侠,也是名士,才子,惊才绝艳,洒脱不羁。俞六却完全是另外一种人,就像他自己所说的,他看来确实像是个粗人,粗手大脚,平凡朴实。一张方方正正的脸上,连一点聪明的样子都没有,只有在微笑的时候,才可以看到一点俞五的影子。可是,现在每个人都对他有了好奇心,都觉得他并不像外表看来那么平凡简单了。每个人都有很多问题想问他,因为每个人都想知道他究竟是个什么样的人。

"你从来没有在江湖中走动? 你都在做些什么事?"

"什么事我都做,"俞六回答:"只不过通常我都在替别人盖房子。"

"你是个泥水匠? 还是木匠?"

"泥水匠我也做,木工我也做,"俞六道:"只不过通常我都是在打样子。"

要盖房子,一定要先把样子打出来,也就是先把图形打好,房子应该盖多高? 屋顶应该有多大斜度? 能够承受多少重量? 地基应该打多深? 每一点都要计算得极精确,绝对错不得。只要有一点错,房子很快就会垮的。

挖洞也一样,也需要计算,计算距离,计算方向,只要有一点错,出口就不在原来计划中的地方了。如果他把那条地道的出口挖到杂货店外面,挖到无十三的面前去。那么他就等于替他自己和这些人挖了个坟墓。

大婉叹了口气。"现在我才知道,你五哥为什么要特地请你来挖洞了。"大婉道:"要挖那么样一条地道,一定比盖房子还难。"

"那条地道也不是我一个人能挖得出来的,刚才坐另外三辆马车走的人,全都是我的帮手。"

这当然也是已计划好的,那些人来的时候帮他挖地道,走的时候又可以替他把无十三诱入歧途,每个人都发挥了最大的效用。

"他们当然都是你五哥派来的,都是丐帮的子弟。"

每个人都认为如此,俞六却又笑了笑道:"他们也不是丐帮子弟,"他说:"他们都是帮我盖房子的人,所以他们也会挖洞。"

每个人都很意外。"这件事全是你计划的?"

俞六微笑:"我五哥既然要我替他来做这件事,我当然要替他办好。"

如此周密的计划,如此庞大的行动,居然全是这么样一个"粗人"主持的。他看起来虽然还是粗粗脏脏笨笨的,手上脸上衣服上鞋子上全是泥,连指甲缝里都是泥,可是已经没人会觉得他又粗又脏又笨了。

只有人问:"你五哥呢?"

俞六叹了口气:"他把这件事交给我,自己就什么都不管了。"

铁震天忽然也叹了口气:"如果我也有你这么一个兄弟,我也会像俞五一样,什么都不必操心了。"

他叹气的时候,眼睛却在盯着绝大师,每个人都知道他一定也想起了他的兄弟铁全义。他的兄弟也许比不上俞五的兄弟,可是他的兄弟却可以做得出别人的兄弟做不到的事。他的兄弟随时都可以为他而死。

绝大师没有反应。不管别人说些什么,他都好像没有听见。

子夜。他们上车时天已经完全黑了,现在只不过走了两个多时辰。每个人都认为俞六一定会连夜赶路的,可是每个人都想错了。

他们刚走入一个很大的市镇,刚经过一条很宽阔的大街。从车窗中看出来,街道两旁的店铺虽然都已打烊,还是可以看得出这市镇的繁荣热闹。就在他们往外面看的时候,车马忽然转入了一条死巷。

巷子的尽头处没有路,只有一户人家,看来无疑是个大户人家。朱门大户,门外蹲踞着两个很大的石狮子,还有条可以容马车驶进去的车道。朱漆大门是关着的,他们的车马,却直驶上这条车道。好像已经要撞在大门上了。就在这时候,朱漆大门忽然洞开,车马直驶而入,停在一个很大的院子里。车马一驶入,大门就关了起来,车门却已被俞六推开。

"各位请下车。"

"下车?下车干什么?"

"今天晚上,我们就留在这里!"

"为什么要留在这里?"

俞六笑了笑:"因为无十三一定也认为我们会连夜赶路的。"

每个人都认为他要连夜赶路,所以他偏偏要留在这里。铁震天忽然也笑了笑:"这是个好主意!"

院子很大,屋子也很大,画栋雕梁,新糊上的雪白窗纸,在夜色中看来白得发亮。可是屋子里什么都没有,没有人,没有桌椅,没有家具,也没有灯光。虽然没有灯光,却有星光月色。虽然有星光月色,却衬得这栋一无所有的华屋更冷清凄凉。

俞六解释:"这是我最近替人盖的一栋房子,屋主是位已退隐致仕的高官,要等到下个月中才会搬进来。"

现在下弦月还高高挂在天上,所以这里连一个人都没有。

"刚才开门的人是谁呢?"

"也是帮我盖房子的人,"俞六道:"我保证他绝不会泄漏我们的秘密。"

这个人,当然绝不会泄漏任何人的秘密。这个人是个聋子,不但聋,而且哑,又聋又哑又跛又驼又老,对人生,已经完全没有欲望,世上已经没有什么事能打动他。

一栋空空洞洞的华屋,一个迟钝丑陋的残废,一盏阴暗破旧的灯笼,一个月冷风凄的春夜,七个亡命的人,破旧的灯笼在风中摇晃,丑陋的驼子,提着灯笼一跛一跛的在前面带路,别人不愿看见他的脸,他也不愿让别人看见他。

他将七个人分别带入了四间空屋。马如龙和俞六一间,大婉和谢玉宝一间,铁震天和王万武一间,绝大师单独住一间。没有人愿意接近他,他也不愿接近任何人。在一个春寒料峭的晚上,一个像这么样的人,单独留在一间什么都没有的空屋里,前尘往事新仇旧怨一起涌上心头时,他将如何自处?

每个人都觉得很疲倦了,非常非常疲倦,但是能够睡着的人却不多。谢玉宝没有睡着。地上铺着床草席,她睡在草席上,窗外的风声如怨如低泣。

"你睡着了没有?"

"没有。"大婉也没有睡着。

"你为什么睡不着?你心里在想些什么?"谢玉宝又问她。

"我什么都没有想,"大婉道:"我只想好好的睡一觉。"

谢玉宝忽然笑了笑:"你用不着骗我,我知道你心里在想什么。"

"哦?"

"你在想马如龙,"谢玉宝道:"我知道你很喜欢他。"

大婉既不承认,也没有否认,却反问道:"你为什么睡不着?你心里也在想什么?"

谢玉宝的回答无疑会使每个人都吃一惊。

"我也跟你一样,我也在想马如龙,"她叹息着道:"这几个月来,他每天晚上都跟我睡在一间屋子里,每天晚上我都可以听见他的呼吸声,现在我怎么会不想他?怎么能睡得着?"

大婉没有再说什么,却忽然站了起来,走到窗口,推开窗户。在这个夜深如水的晚上,一个像她这样的女孩子,如果被人触动了心事,她还能说什么?

谢玉宝却好像还有很多话要说。

"我没有姐妹,我这一辈子最接近的人就是你,"谢玉宝道:"我从来都没有想到你会害我,所以那天你忽然出手点住我的穴道时,我实在吃了一惊。"

她叹了口气:"现在我虽然已经明白你那么做是一番好意,但当时却真的吃了一惊!"

大婉没有回头,也没有开口。

谢玉宝又说:"如果那时候我已经完全晕迷反倒好些,可惜我居然还很清醒,你对我做的每件事,我全都知道,"谢玉宝慢慢的接着说:"那些事我这一辈子都忘不了的。"

她又叹了口气:"你把我带到那个衙门里去,把我关在一间小房子里,脱光我的衣服,让我躺在一张又冷又硬的木板床上,还带了一个男人来看我的身子,每件事我都知道。"

大婉忽然也叹了口气:"那时候我以为你已经晕过去了,所以……"

谢玉宝没有让她说下去,忽然问她:

"你知不知道那时候我心里是什么感觉?"谢玉宝问:"你知不知道一个女孩子第一次被男人看的时候,心里是什么感觉?"

"我不知道。"

"你当然不会知道,"谢玉宝说:"因为你还没有被人脱光衣服,还没有被男人看过。"

她忽然笑了笑:"可是我保证你很快就会知道了。"

大婉的脸色变了,身子忽然跃起,箭一般往窗外窜出去,可惜她还是迟了一步。就在她身子窜起时,谢玉宝已经从她背后出手,点住了她的穴道。

谢玉宝要报复。——大婉已经有了警觉,所以已经准备逃走。这种想法当然绝对合情合理,可是你如果这么想,你就错了,完全错了。

大婉刚才变色跃起，并不是因为她已警觉到谢玉宝会出手。她根本没有听见谢玉宝在说什么。刚才她变色跃起，想窜出窗外，只因为她看到一件极惊心可怕的事。一件她连做梦都没有想到她会亲眼看见的事。

如果她能说出来，以后就不会有那些可怕的事发生了。可惜她已说不出。谢玉宝一出手就点了她六七处穴道，连她的哑穴道已被封死。她连一个字都说不出了。

如果谢玉宝知道她看见了什么，一定也会大吃一惊的，可惜谢玉宝不知道，所以她还在笑，笑得很愉快。

"现在你很快就会知道那时候我心里是什么感觉了，"谢玉宝吃吃的笑着道："因为我也要用你对付我的法子来对付你，也要让马如龙来看看你。"

马如龙也没有睡。他想找俞六聊聊，可惜俞六一倒在草席上就已睡着。俞六不是江湖人，不是武林名侠，也不是出身世家的名公子，他没有名人们的光荣，也没有名人们的烦恼。马如龙心里在叹息，他也希望能做一个俞六这样的平凡人，每天一倒在床上就能睡着。可惜他是马如龙。

窗户半开半掩，风在窗外低吟，他忽然看见窗外有个人向他招手，是谢玉宝在向他招手，要他出去。

"我要带你去看样东西，"谢玉宝的眼睛发亮，说："我保证，你定会喜欢看的。"

她笑得又愉快又神秘，马如龙当然忍不住要跟着她去。他们回到谢玉宝和大婉的那间房子里，地上有两张草席。她把大婉放在一张草席上，用另外一张草席盖住。

"你把草席掀起来看看，"谢玉宝道："先看这一头，再看那一头。"

她要马如龙先看大婉的脚，再看大婉的脸。马如龙照她的话做了。他先看了看这一头，脸色就已改变，再看了看那一头，脸上的表情就好像忽然被人砍了一刀。

谢玉宝又笑了，吃吃的笑着道："我本来以为你不会这么吃惊的，因为你也应该想得到，我一定会报复。"

马如龙的脸色看来更可怕，过了很久才能开口问："你要报复的是谁？"

"当然是大婉，"谢玉宝笑笑道："以前她怎么样对我，现在我就要怎么样对她。"

"以前她怎么对你，现在你就要怎么对她，"马如龙将这两句话又重复了一遍，声音听起来也像是被人砍了一刀。

"你是不是也把她的穴道点住？是不是把她放在这张草席下面了？"

谢玉宝点头，一面点头，一面笑。马如龙什么话都没有再说，却忽然把上面的一张草席掀了起来。谢玉宝忽然笑不出来了，脸上的表情也变得像是忽然被人砍了一刀，狠狠的砍了一刀。刚才她明明是把大婉放在这里，用这张草席盖住的，可是现在草席下面这个人竟不是大婉，草席下这个人赫然竟是那又聋又哑又驼又老的残废。

第三十五回　恶夜惊魂

现在这个残废已经和别的人没什么不同,因为他已经死了。每个人都会死,死人都是一样的,无论他生前是英雄也好,是美人也好,死了之后就变成一样的了,只不过是个死人而已。这个死人和别的死人惟一不同的地方是,他的人虽然已死,一双手却还是紧紧的握着,就好像一个守财奴在握着自己的钱袋。他手里握着什么?

马如龙扳开了他的手,脸上的表情好像又被人砍了一刀。这只残废的手里握住的是一块石头,又圆又亮的黑色石头,只有死谷中才有这种黑石。

谢玉宝失声惊呼:"无十三!"

如果无十三真的来了,大婉到哪里去了? 这问题马如龙和谢玉宝都不能回答。甚至连想都不敢去想。还有另外一个问题是:"俞六的计划绝对周密,无十三是用什么法子找到这里来的?"

铁震天睡着了。像他这样的老江湖,只要有机会能睡下时,通常总是能睡着的,他也认为俞六的计划很周密,这地方很安全。

只不过,像他这样的老江湖,也很容易被惊醒。他被一种很奇怪的声音所惊醒,醒来时王万武已经不在屋里,连铺在地上的那张草席也不见了。

屋子里惟一的一道门和两面窗户却还是拴得好好的,他也没有听见王万武开门开窗的声音,何况门窗都是从里面拴上的,王万武出去之后,绝不可能再把门窗从里面拴上。可是现在门窗的栓明明没有动过,王万武却不见了。他是怎么离开这屋子的?

惟一的解释就是这屋子里另外还有秘密的出口。大户人家住的地方,本来就常有地道暗室复壁,何况这屋子又是俞六盖的。

铁震天却找不到这个出口。所以他更奇怪,王万武也跟他一样,是第一次到这里来,他找不到出口,王万武怎么能找得到? 另外当然还有别的问题。王万武为什么不好好的在屋里睡觉? 为什么要悄悄的溜出去? 就算他要出去,也不必从地道中走。

这些问题铁震天都没有多想,想不通的事,他从不多想,他已经开始行动。他开门走出去的时候,正是谢玉宝把马如龙叫出去的时候,铁震天看见他们,却没有叫住他们。

在一个夜凉如水的晚上,一个年轻的男人和一个年轻的女人想悄悄的去谈谈心,他为什么要去打扰? 他从不愿做这种煞风景的事,他只想找到王万武。

他们住的地方是一个跨院中的厢外,外面就是占地极大的后园。庭园也还没有经过布置,在这静寂的春夜里,显得说不出的阴森荒凉,他走过一条用圆石铺成的小径,忽然听见假山后有人在呻吟。他听不出是谁在呻吟,却听得出这个人声音中充满痛苦。

假山后只是个荷塘水池,虽然还没有荷花,池水却已从地下引入。一个人赤裸裸的从水池中钻出来,倒在池边的泥地上,全身已因痛苦而痉挛。这个人不是王万武。这个人赫然是绝大师。

铁震天怔住。他从未想到绝大师会变成这样子,可是他很快就看出绝大师是为什么痛苦了。绝大师也是人,也有欲望,也有被欲望煎熬的时候,却不能像别人一样去寻找发泄,只有在夜半无人时,一个人偷偷的溜出来,用冷水使自己冷下来。铁震天忽然发现他是个可怜人,他的冷酷和偏执,只不过是他多年禁欲生活的结果。绝大师已被惊动,忽然跃起,披上僧袍,吃惊的看着铁震天。

铁震天叹了口气:"你用不着怕我告诉别人,今天晚上我看见的事,绝不会有第三者知道。"

绝大师惊惶,羞怒,悔恨,不知所惜,忽道:"你知不知道铁全义已死了?"

铁震天握举双拳:"是你杀了他?"

"不管是谁杀了他,你要为他报仇,现在就不妨出手。"

铁震天看着他,非但没有出手,反而又叹了口气:"现在我不能杀你。"

"为什么?"

——因为现在他对绝大师只有怜悯同情,没有杀机。这些话铁震天并没有说出来,就听见了一声尖锐的惊呼。呼声正是谢玉宝看见那残废的尸体时发出来的。

尸体上没有血渍,也没有伤口,致命的原因是他心脉被人用内家掌力震断。一种极阴柔的内家掌力,震断人心脉后,不留丝毫掌印痕迹。铁震天赶来时,俞六也来了。显得惊惶而恼怒。

"是谁杀了他的?"俞六问:"为什么要来杀一个可怜的残废?"

铁震天也同样愤怒,"那凶手要杀人从来用不着找理由。"

"你说的是无十三?"

"除了他还有谁?"

俞六更惊奇:"他怎会找到这里来的? 难道我的计划有什么漏洞?"

这问题每个人都想过。

谢玉宝忽然道:"我明白了。"

"明白了什么?"

"那恶魔连乌龟生蛋的声音都能听见,怎么会听不见你在掘地道?"谢玉宝道:"他一定早就等在那地道的出口外,一直都盯着我们。"

"不对,"俞六说得很肯定:"他绝对听不到我在掘地道。"

"为什么?"

"如果他将耳朵贴在地上,专心一意的去听,也许能听得见,"俞六道:"他一定也是用这种法子听见乌龟生蛋的声音。"

何况"乌龟生蛋"这句话,也只不过是种形容描叙的词句而已。乌龟生蛋是不是有声音? 谁也没有听见过,谁也不知道。

"我掘地道的时候,他所注意的只不过是那杂货店里的声音,怎么会听见远处地下的声音?"俞六保证:"我们的行动都非常小心,几乎连一点声音都没有。"

他对自己有信心,别人也对他有信心,所以问题又回到原来的出发点。

"如果无十三没有听见挖掘地道的声音,这计划也没有漏洞,他怎么在半天之间就找到这个地方来了?"

铁震天忽然道:"这计划只有一个漏洞。"

"漏洞在哪里?"

"在王万武身上。"

俞六立刻道:"你认为他是奸细? 在路上做了暗记,让无十三追到这里来。"

这个问题本身就是答案。除了王万武之外,这里没有第二个人可能会做奸细,如果没有奸细,无十三也不可能追到这里来。

"王万武的人在哪里?"

"他的人已经不见了,"铁震天道:"我醒来时,他就已不见了。"

"你怎么会醒的?"

"被一种很奇怪的声音惊醒的,"铁震天道:"本来,我也分不出那是什么声音,现在才想到,很可能就是开地道的声音。"

俞六立刻证实了这一点:"这间房本来是准备做主人的书房的,他在位时一定得罪了一些人,所以特地要在那里造了条秘道。"

铁震天道:"可是我一直找不到。"

俞六建造的秘道,别人当然找不到,幸好他自己是一定能找得到的。

那间厢房本来既然准备做主人的书房的,当然不会太小。王万武本来睡在靠窗的一个角落里。

秘道的入口,就在他睡的地方下面,只要机关消息一开,他就可以从翻开的"翻板"上溜下去,铁震天找不到开翻板的"钮",只因为那个机钮只不过是雕花窗台上的一条浮雕花纹而已。俞六将雕花一扳,翻板就翻起,地道的入口就出现了。

地道中阴暗潮湿,出口在一口井里。这口井当然也是没有水的井。虽然没有水,却有人。

有一个死人,一个用草席包裹起来的死人,草席就是他们睡的最廉价的草席,死人就是王万武。

第三十六回 三 更 后

尸体上也没有血渍伤口,王万武也是被那种阴柔之极的掌力震断心脉而死的。

"他怎么会死?"问话的人是谢玉宝,回答的人是铁震天。

"他当然要死,"铁震天道:"做奸细的人,本来就是这种下场。"

"你认为是无十三杀他灭口的?"

当然是。这个问题本身也就是答案,惟一的一种可能,惟一的一个答案。没有人能回答的问题是:"无十三在哪里? 大婉在哪里? 无十三会用什么手段对付大婉?"这问题大家是连想也不敢去想。

远处的更鼓正在敲三更,三更时总是令人最断魂断肠的时候。他们忽然想起了绝大师。

听到谢玉宝的惊呼,铁震天就冲去了,绝大师却还留在那水池边。他和铁震天同时听到那声惊呼,应该知道这里已经发生了可怕的事,应该来找他们的。可是他没有来。

——难道他也跟王万武一样,被人无声无息的击杀在这华屋中某一个阴暗的角落里? 手里也紧握着一枚黑石。

这地方现在已完全被死亡的阴影笼罩,每个人都随时可能被扑杀。第一个死的是那残废,第二个是王万武,第三个很可能就是绝大师,下一个会轮到谁?

三更刚过,夜色更深,下半夜里死的人可能更多,杀人的凶手就像是鬼魅般倏忽来去,现在就可能在黑暗中选择他下一个对象。马如龙知道现在又到了他应该下决定的时候了。

"你们走吧。"

"走?"谢玉宝问:"到哪里去?"

马如龙道:"随便到哪里去,只要赶快离开这里。"

"我们走,你呢?"

"我……"

谢玉宝忽然大声道:"我知道你要干什么,你要留在这里找大婉,找不到她,你是绝不肯走的。"

马如龙承认,"难道我不该找她?"

"你当然应该找她,"谢玉宝冷笑:"但是你为什么不想想? 你是不是能找得到她? 找到了又怎么样? 难道你能从无十三手里救她出来? 难道你以为无十三不敢杀你?"

她越说越激动:"你一心一意只想找她,除了她之外,别的人难道都不是人? 你为什么不替别人想想,为什么不替你自己想想?"

说到最后两句话时,眼泪珠子,已经开始在眼睛里打滚,随时随地可能掉下了。每个人都看得出她是为什么而流泪的,马如龙当然也应该看得出。但他却连一句话都没有说,不说话的意思,就是他已经把话都说完了,不管别人怎么说,他还是要留在这里。

谢玉宝咬着嘴唇,跺了跺脚:"好,你要找死就自己一个人去死,我们走。"

她明明已经决心走了,却偏偏连一步都没有走出去。她在跺脚,可是她一双脚仿佛已被一根看不见的柔丝绑住,连一步也走不开。

马如龙终于叹了口气,柔声道:"其实你也该明白的,如果失踪了的不是大婉是你,我也一样会留下来找你。"

他的话还没有说完,谢玉宝的眼泪已经流了下来。

铁震天忽然仰天而笑,道:"我也明白了。"

"你明白了什么?"

"本来我总以为,不怕死的都是无情人,现在我才知道错了,"铁震天道:"原来有情人更不怕死,因为他们心里已经有了情,已经把别的事全都忘得干干净净。"

他用力拍了拍马如龙的肩,又道:"你不走,我们也不走,不找到大婉,谁都不会走。"

但是他这句话刚说完,他的身子已经窜起,急箭般窜了出去。马如龙和谢玉宝也跟着他窜出,因为他们又同时听到了一声惊嘶,不是人在惊嘶,是马在惊嘶。

大门又已洞开。但闻马惊嘶,车轮滚动,他们赶来时,车马竟已绝尘而去。赶车来的车夫,却已倒毙在石阶前,手足已冰冷,手中也紧握着一枚黑石,是谁赶车走的?载走了什么人?

晚风中隐约还有车轮马嘶声传来,要追上去还不太难。"追!"铁震天双臂一振,竟施展出"八步赶蝉"轻功身法,向车马声传来的方向扑了过去。

江湖中每个人都知道这种轻功,每个人都听过"八步赶蝉"这名字。但是能练成这种身法的人却远比任何人想像中都少得多。

幸好马如龙的"天马行空"也是武林中享誉已久的轻功绝技,他很快就赶上了铁震天。能够和名满天下的铁震天并肩齐驱,无疑是件非常值得骄傲的事。铁震天也为他骄傲,甚至还拍了拍他的肩,表示赞许。但是他们很快又觉得自己并没有自己想像中那么值得骄傲了。

因为谢玉宝也已追了上来,轻飘飘的跟在他们身旁,完全没有一点费力的样子。被玉大小姐的玲珑玉手医治过之后,她的功力已经完全恢复。合他们三人之力,是不是已经能够对付无十三和那拔刀如电的波斯奴?

轻功最大的用处不是攻击,而是"退",是"守"。无论在哪一种战斗中,"退守"的作用绝不比"攻击"低,需要溜转的力量有时比攻击更大。施展轻功时所消耗的体力气力也绝不比任何一种武功少。谢玉宝居然还能很从容的开口说话。

"我们绝对追不上的。"她说:"拉车的四匹马都是好马,不但经过训练,而且很有耐力,我坐在车上的时候,已经算过它们跑得有多快。"她也需要喘口气才能接着说下去:"开始的时候,我们比他们快,所以现在我们好像还能追得上,但是再过三五里之后,我们就会渐渐慢下来,它们却反而会越跑越快。"

马如龙也知道谢玉宝算得不错,可是他还要追,追不上也要追。这就是答案。就因为人类有这种百折不回,明知不可为而为之决心,所以人类才能永存。

他们果然追不上。前面的马车越来越远,渐渐听不见了,后面却有一阵马车声响起,越来越近,赶马追来的人是俞六。开始时他虽然比较慢,可是现在他已经追上来了,赶着一辆四马六轮的大车赶上来的。他让本来远比他快的人上了他的马车。

"我们一定可以追上去的,"俞六保证说:"这是条直路,他们只有这条路可走。"

"这条路是到什么地方去的？"

"死谷。"

追到死谷去之后又怎么样？如果他们根本不是无十三的对手，追去了岂非也是送死？这问题他们连想都没有想。

现在每个人好像都被染上马如龙的脾气，做事只讲原则，不计后果。他们的态度可以用谢玉宝的一句说话来说明。

"不管怎么样，死谷总不是人人都能去的地方，我们能去看看也算不容易。"

谁也没有去过死谷，谁也不知道死谷究竟是个怎么样的地方。但是每个人都可以想像得到，那里已经不是以前那种荒凉无人的地方。因为那里已经有了黄金，人类从未梦想到的大量黄金。

黄金无疑已改变了那里所有的一切，已经有无数健康优秀的年轻人被吸引到那里去，建造起无数华美雄奇的宫室。这是他们的想法，每个人都会这样想的，可惜他们全都想错了。

第三十七回　死　谷

死谷还是死谷,没有黄金,没有宫室,什么都没有。他们追踪的那辆马车,一入死谷的隘口,就忽然神秘的失踪了。

凌晨,太阳升起。阳光照在晶亮的黑石上,闪动着黄金般的光采。可惜黑石还是黑石,无论它闪出什么样的光采都是黑石,不是黄金,黄金呢?

如果这里根本没有黄金存在,无十三是用什么收买那些人的? 如果这里真是有他们所说的那些黄金,他们为什么连一钱金砂都看不见?

马如龙关心的不是黄金,是大婉,他相信,只要能找到那辆马车,就能找到大婉。"——马车到哪里去了?"一辆四马六轮的大车,怎么会忽然像一阵风一样消失在阳光下?

马如龙忽然说:"在下面。"

"什么在下面?"

"车马,黄金,人,都在下面。"马如龙道:"他们一定在地下建造了一个规模很大的秘窟。"

这不是幻想。黄金可以毁灭很多原来无法毁灭的事,也可以做到很多本来做不到的事。

如果说这里地下真有秘窟,那么惟一能找到入口的人就是俞六,俞六却在摇头。

"你错了,"他说:"他们绝不在下面,他们在上面。"

"上面?"

马如龙回过头,顺着俞六的目光看过去,就看见了那柄斜插在血红腰带上的弯刀。那个挥刀如电的波斯奴正站在隘口旁阳光下的一块危石上向他招手。

"马如龙!"波斯奴的声音生涩而响亮:"谁是马如龙,你想找大婉,你就跟我来,有别的人跟来,大婉就死。"

天空澄蓝,阳光灿烂,生命如此多姿多彩,谁愿意死? 但是这世界上偏偏有这种人,偏偏要去做非死不可的事。只要他们觉得这件事是非做不可的,明知必死也要去做。

马如龙就是这种人。他慢慢的转过身,面对他的朋友,他们当然都了解他是个什么样的人。铁震天本来也不想说什么,因为无论说什么都没有用的。但是有些话是非说不可。

"那个人是疯子,"铁震天道:"他杀人从来都用不着找理由的。"

"我知道。"

"何况他这次有理由杀你。"铁震天道:"因为你已骗过他一次,这次他绝对不会放过你,他杀了你之后,还是一样可以杀大婉。"

"我知道。"

"你还是要去?"

马如龙凝视着他:"如果你是我,你去不去?"

铁震天叹了口气:"我也会去,一定会去。"

他走过来用力握了握马如龙的手,俞六也过来握住他的另一只手,然后就默然的走开了。他们都知道谢玉宝一定还有很多话对他说,他们都不愿再听,也不忍再听。

阳光正照在谢玉宝的脸上,阳光如此灿烂,她的脸色却苍白如冷月。

"我也知道你一定会去的。"这次她居然没有流泪,居然还笑了笑:"如果我落在他们手里,你也一定会去。"她又说:"我只希望你明白一件事。"

"什么事?"

"不管你是死是活,不管你心里喜欢的是谁,我都已是你的人了。"谢玉宝又笑了笑:"你有没有问过你自己,除了你之外,我还能嫁给谁?"

马如龙走了,连一句话也没有再说就走了,他不能回答她的问题,也不忍再看她的笑。他走了之后,天空依然澄蓝,阳光依然灿烂,地上的黑石也依旧闪耀着金光,这个世界绝不会因为任何一个人的生死而改变。他去了很久很久都没有回来。

谢玉宝忽然道:"你们走吧。"

铁震天道:"你要我们走? 为什么要我们走?"

谢玉宝道:"你们都应该知道他绝不会回来的了,还等在这里干什么?等下去又有什么用?"

俞六忽然大声道:"有用。"

谢玉宝再问:"有什么用?"

俞六道:"我已经找到了!"

谢玉宝道:"找到了什么?"

俞六没有说话,他以行动作回答——他已经找出了死谷的秘密,已经找到了秘密的枢纽。

黑石在太阳下闪着光,千千万万枚黑石看起来仿佛都是一样的。其实却不一样。

如果你也有俞六一样的经验和眼力,你就可发现这千万枚黑石中,有七七四十九枚是完全不一样的。马如龙没有错。死谷的秘密确实在地下,地下秘室的入口,就在这四十九枚不一样的黑石间,俞六已经找出了这秘密的枢纽,只可惜马如龙已经看不见了。

荒山险径,寸草不生。马如龙默默的跟着波斯奴往前走,既不知要走到哪里,也不知走了多远。但却知道他们一直追踪的车马在什么地方了。车马既没有消失,也没有入谷,却转过危石,驰上了这条山径。

想不到这条自古以来就很少有人行走的山径,宽度竟然刚好容车马驶过。换一种方式说,那辆堂皇华丽的马车居然能驶上这条山径,也同样是件令人想不到的事。这条山径的宽度坡度,好像都是经过特别设计,是与马车配合的。那辆马车的宽度,速度,好像也经过特别设计,来与这条山径配合的。

但是山径的尽头并没有华丽的宫室,甚至连房屋都没有,只有个看来仿佛很深的洞穴,刚好也能让车马直驶而入。阳光照不进洞穴,马如龙也看不到洞穴里的情况,只看见无十三一个人背负着双手,站在洞穴前,看来仿佛很悠闲。

现在马如龙终于看清楚这个人了。无十三也在看着他,两个人面对面,互相凝视了很久,无十三脸上忽然露出种谁也没法子解释的诡异笑容。忽然说出句谁也想不到他会说出来的话,他忽然问马如龙:"我们这出戏是不是已经应该演完了?"

第三十八回　疑云重重

地下也没有黄金，没有宫室，那辆失踪了的马车也不在。地道的入口建造得虽然巧妙，下面却远比任何人想像中的都狭小简陋得多。地室中只有一张床，一张桌子，一张大椅，都是用泥土砌成的，外面再砌上一层黑石。

难道这就是无十三的居处？那么样一位不可一世的武林怪杰，怎么会住在这么样的地方？每个人都觉得很惊奇，很失望，甚至不能相信。

但是他们如果仔细想一想，就会明白这地方本来就应该是这样子的。这里是死谷，什么都没有的死谷，无十三毕竟是个人，不是神，虽然能用他的智慧决心毅力技巧和一双有力的手建造出这样一个巧妙的秘道，却绝对没法子凭空变出一张床来。

他想要一张床，只有用泥土和黑石来做，因为这里只有泥土黑石。这一点每个人都应该看得出，每个人都应该想得到。令人想不通是——他属下那些健康优秀，训练有素的青年人是怎么会来的？从哪里来的？住在哪里？更奇怪的是，他虽然没法子找到一张真正的床，也没法子找到真正的桌椅，可是床上居然有被，桌上居然有灯。

床上的被居然是非常柔软舒服的丝棉被，被面还是用湘绣做成的。桌上的灯居然是价值最昂贵的波斯水晶灯，灯里居然还有油。如果这里真的什么都没有，灯是从哪里来的？被是从哪里来的？

俞六用随身带着的火折子点亮了这盏水晶灯，等到灯火照亮了这地方的时候，每个人都忍不住惊呼出声来，连一向被江湖中人认为是为铁心铁胆铁手的铁震天都忍不住要惊呼出声来。他们又看见了一样他们连做梦也想不到会看见的事。

他们看见了一个人，在这自古以来就少有人迹的死谷地下密室里，居然还有一个人。

床上不但有被，赫然还有一个人，用绣花的丝棉被盖着，睡在床上，显然已睡得很沉，连有人进来都听不见。他们也看不见这个人长得什么样子，只能看见他露在棉被外，落在枕上的一头已经花白了的头发。

铁震天抢先一步,抢在谢玉宝和俞六身前,厉声喝问:"你是什么人?"

他的喝声除了聋子之外谁都能听得见,就算睡着了的人也应该被惊醒。这个人却还是完全没有反应。如果他不是个聋子,就一定是个死人,这个死人是谁呢?这里怎么会有死人?

铁震天不是铁打的,可是他的胆子却好像真是铁打的。他忽然一个箭步窜过去,掀起了床上的被。

被里的人已经不能算是一个"死人",被里的人已经变成了一副骷髅,除了那一头花白的头发外,只剩下一副枯骨,一身衣服。枯骨上斜插着一根削尖了的竹子,从背后刺进去,一直穿透心脏。

这个人无疑是在熟睡中被人从背后暗算而死的,完全没有挣扎反抗,一刺就已毙命。暗算他的人,出手准,下手狠,如果不是行动特别轻捷,就一定是他很熟悉,而且绝不会提防的人。

——这个人是谁呢?

——无十三为什么要把一个死人留在这里?

谢玉宝忽然说道:"这个人就是无十三。"铁震天、俞六吃惊的看着她,简直不能相信她会说出这句话来。

"你说这个死人就是无十三?"

"绝对是。"谢玉宝的口气很肯定。

"你怎么看出来的?"

"他到碧玉山庄去过。"

"那时候你出世了没有?"

"没有。"

铁震天叹了口气,苦笑道:"那时候你还没出世,怎么能看得到他?"

俞六道:"就算你以前见过他,现在也没法子认出来了。"

谁也没法子从一副枯骨上判断出一个人的身世姓名来历。谢玉宝却还是显得很有把握。

"虽然我没有见过他,也一样能认得出来。"

"为什么?"

"因为我母亲曾经跟我说过有关他的很多事。"谢玉宝道:"只凭其中一件事,我就能认出他。"

"一件事?"俞六问:"哪件事?"

"牙齿。"

"牙齿?"

"不错,牙齿,"谢玉宝道:"一个人的容貌虽然会改变,牙齿却绝不会改变的,而且每个人的牙齿长得都不一样。"

牙齿当然也绝不会腐烂。

谢玉宝说:"我母亲常说:天下牙齿长得最奇怪的人,就是无十三。"

俞六和铁震天都在看着这个死人的牙齿,都看不出有什么奇怪的地方。

铁震天忍不住问:"他的牙齿有什么奇怪?"

"他的牙齿比别人多四颗,"谢玉宝道:"他有三十八颗牙齿,加上智慧齿就是四十颗。"

她问铁震天道:"你以前有没有见过长了四十颗牙齿的人?"

铁震天没有见过,俞六也没有。虽然他们很少注意到别人的牙齿,但是他们也知道每个人都只有三十六颗牙齿,就好像每个人都有两只眼睛一样。这个死人却有四十颗牙齿。

"我已经数过,数了两遍。"谢玉宝道:"所以我才能确定他就是无十三。"

铁震天怔住,俞六也怔住,过了很久他们才能开口。

"如果这个死人就是无十三。"他们几乎同时问:"那个无十三是谁呢?"

"是假的。"

"假的?"

谢玉宝答道:"这里根本就没有黄金,无十三也根本不可能找到那么多人为他效力。所以那个无十三当然是假的。"

她又补充:"何况谁也没有见过无十三,谁也看不出他是真是假,每个人都可以冒充他的。"

"为什么要冒充他?"

谢玉宝还没有开口,忽然听见另一个人说话的声音。地室中本来只有他们三个人,她听见的却是第四个人说话的声音,声音很轻,仿佛是从很远很远的地方传来的,但是她却听得很清楚。她清清楚楚的听见这个人在说:"我们这出戏,是不是已经应该演完了?"

第三十九回　解　　答

每个人都要呼吸,所以每个地室一定都有通风的地方。就因为这个地室也有通风的地方,所以无十三的尸体才会腐烂风化。将一根巨大的毛竹竹节打通,从地面上通下来,就是这地室的通风处,他们听见的声音,就是从通风口里传下来的。

刚听见的时候,他们听不出这是谁的声音,然后,他们又听见一个人用一种惊讶的口气问:"演戏? 谁在演戏? 演什么戏?"

这个人说话的声音,他们每个人都很熟悉,立刻就听出他是马如龙。他在跟谁说话?

"当然是我们两个人在演戏。"

"你不是无十三?"

"我当然不是,"这人笑道:"明明是你花了五千两银子要我来扮这个角色的,你还装什么糊涂。"

"是我叫你来扮无十三的?"马如龙显得更惊讶。

"当然是你。"

"我为什么要做这种事?"

"因为你要别人都认为你是天下无双的大好人,所以要我来扮一个天下无双的大坏蛋,要我去杀人,让你去救人,让别人都能亲眼看见你的英雄气概。"

"那些人难道不是你杀的?"

"当然不是我。"这人笑道:"我有什么本事杀人? 是你收买了他们的同伴,先故意做成混乱,让他们在混乱中乘机出手暗算,再让你这位波斯奴乘机斩断他们的头颅,我只不过是个傀儡而已。"

"跟你去拆房子的那些人呢?"

"他们当然也是你的人,天马堂有钱有势,什么事办不到?"

这人笑道:"我实在不能不佩服你,你居然能假造出那么样的一个故事,硬说死谷里有黄金,你实在是个天才。"

马如龙不说话了。

这人又笑道:"更妙的是,我手上明明连一点力气都没有,你却能制造出一个专门打石子的机筒,叫我藏在袖子里,把那些黑石头一个个打出来,让别人都认为我的手力很强劲。"

又过了很久马如龙才问:"难道你根本不会武功?"

"虽然会一点,可是跟你们连比都不能比。"

"那么你怎能听见我们在那杂货店里说的话?"

"我听见了什么?"这人道:"你们说的话,我连一句都没有听见。"

"那时候在外面的人不是你?"

"当然不是我。"

"不是你是谁?"马如龙问。

"我怎么知道是谁? 那时候外面根本没有人说过话。"这人道:"这出戏都是你安排的,其中的巧妙我怎么会知道?"

他叹了口气:"不管怎么样,现在这出戏总算已经演完了,那位大婉姑娘和那个老和尚都在山洞里,你赶快把他们带走吧,这一来你不但可以扮一次英雄救美的角色,连你那个对头老和尚都会佩服你,感激你一辈子。我只不过收了你五千两而已,如果你有良心,就应该再多……"

他的声音忽然停顿。就在他声音停顿的同一刹那间,只听"噗"的一声响,然后就没有声音了,什么声音都没有了。

地室中也没有声音,没有人开口说一句话,一个字。马如龙是他们的朋友,现在居然做出了这种事,他们还有什么话可说? 也不知过了多久,俞六才长长叹息:"想不到他居然会是个这么样的人。"

这真是谁都想不到的事,如果不是因为他们找到了这地室,听到了那些话,他们定然要被他骗一辈子。幸好天网恢恢,疏而不漏,现在总算已真相大白。

铁震天忽然说道:"有件事我还是不明白。"

"哪件事?"

"那个假冒无十三的人既说听不见我们在杂货店里说的话,那时我们听见无十三的那些话,是什么人说出来的?"

"如果我猜得不错,一定是本来就在那杂货店的人。"俞六沉思着道。

"可是那时杂货店也没有人开口。"

"有些人不开口也可以说话。"

"哪些人?"

"会腹语的人,"俞六说:"我见过这种人。"

"不错。"铁震天恍然道:"我也见过这种人,可以用肚子说话,你明明见到声音是从别的地方来的,其实却是从他肚子里说出来的。"

他叹了口气:"难怪那时我就觉得他说话的声音很怪,而且说话的人就好像在我耳朵旁边的一样。"

"你猜不猜得出这个人是谁?"

"当然是王万武,"铁震天道:"绝对就是他。"

"为什么?"

"他本来根本不必去自投罗网的。"铁震天道:"他到那杂货店去,为的就是要去故弄玄虚,让我们相信无十三有非人所及的神通,让我们相信那个无十三就是真的无十三。"

"所以他后来才会被杀人灭口。"

铁震天冷笑:"这种人本来就应该是这种下场。"

马如龙应该得到什么样子的下场呢?

"我们到上面去等他,"铁震天握紧双拳:"我们看看他还有什么话可说。"

他正想拉俞六一起走,一直没有开过口的谢玉宝忽然道:"等一等。"

"还等什么?"

"我有样东西掉在这里了。"谢玉宝道:"我一定要找到才能走。"

她怎么会有东西掉在这里的? 掉的是什么?

她居然真的掉了东西在这里,掉的是三颗珍珠,好像是从一串珠链上断落的。

她在门旁边的一个角落里找到了。

铁震天和俞六都觉得很奇怪,都忍不住要问:"这是你的?"

"是。"

"你的东西怎么会掉在这里?"

谢玉宝的回答更令人吃惊,"因为我到这里来过。"

铁震天和俞六都怔住,怔了很久,才能开口:"你怎么会到这里来的? 来干什么?"

"来找我的舅舅。"

"你的舅舅?"铁震天失声问:"无十三怎么会是你的舅舅?"

"他是我母亲嫡亲兄弟,怎么会不是我的舅舅?"

谢玉宝叹息着,接着道:"可是我从来没有见过他,因为碧玉山庄从来都不准男人逗留,就算是我们的嫡亲骨血都不例外,男孩子一生下来就要被远远送走。"

现在铁震天才知道无十三为什么要叫无十三了。他知道自己的身世后,当然难免悲伤愤怒,所以自称无父无母,所以一心要找到碧玉山庄去,为自己争一口气。只可惜他还是败了。现在铁震天也明白,为什么碧玉夫人破例留下了他的性命?怎么会知道他有四十颗牙齿?

谢玉宝道:"我母亲虽然将他放逐到死谷来,可是并没有忘记这个兄弟,所以才会常常在我面前提起他,所以我才下决心要来找他。"

"你既然早就知道他已经死了,当然也早就知道那无十三是假的。"

"不错。"

"你为什么不揭穿他的阴谋?"

"因为我要乘这个机会找出暗算我舅舅的凶手,"谢玉宝道:"这是惟一的一个机会。"

——只有暗算他的凶手,才知道他已经死了,才敢叫人冒充他。

谢玉宝道:"所以我只要能查出这阴谋是谁主使的,就能查出凶手是谁了。"

俞六也不禁长长叹息:"你一定想不到凶手就是马如龙。"

谢玉宝忽然用一种奇怪的眼光盯着他,过了很久才一个一个字的说:"你错了。"

"我错了? 什么事错了?"

"凶手不是马如龙,"谢玉宝说得极肯定:"绝不是。"

"不是他是谁?"

谢玉宝盯着他很久,眼睛里竟仿佛充满了悲愤怨毒:"是你!"她指着俞六:"凶手就是你!"

俞六笑了。"你一定是在说笑话,可惜这个笑话一点都不好笑。"

"这个笑话当然不好笑,因为根本不是笑话。"

"你真的认为我是凶手?"

"我本来也想不到是你的,"谢玉宝道:"幸好我碰巧知道一件别人都不知道的事。"

"你知道什么?"

"我知道俞五没有弟弟,"谢玉宝道:"绝对没有。"

她一个字一个字的接着道:"因为俞五碰巧也是我的舅舅!"

铁震天又怔住,俞六居然还在笑!

"就凭这一点,你就能够证明我是凶手?"

"这不能,"谢玉宝道:"幸好大婉也碰巧看到一样她本来不该看到的事。"

"什么事?"

"她看见你杀了王万武!她亲眼看见的。"

俞六终于笑不出了。

谢玉宝道:"那时候我没有让她揭穿你的阴谋,因为那时候我们还不知道你是谁。"

俞六忍不住问道:"现在,你已经知道。"

"现在我已经知道,你计划这件事,为的只不过是要陷害马如龙,"谢玉宝道:"因为你知道大家渐渐都看出他是个什么样的人了,都渐渐相信他不会做出那种事,所以你才想出这计划陷害他。"

她忽然问铁震天:"你知不知道谁最想害他?"

铁震天当然知道,毫不考虑就回答:"邱凤城。"

"是的,"谢玉宝道:"当然是邱凤城。"

她指着俞六,一个字一个字的说:"他就是邱凤城!"

这个"俞六"居然又笑了。

"你已然好像全都知道了,我好像也不必再否认。"他居然说:"不错,我就是邱凤城。"

谢玉宝叹了口气:"这倒真是一件让人想不到的事,连我都想不到你居然这么痛快就承认。"

"还有一件事你一定想不到。"

"什么事?"

"我也是无十三惟一的一个徒弟。"

他真的是。他从小就有野心,称霸天下的野心,可是他也知道就凭邱凤城家的银枪,是没法称霸天下的。有一次他在无意中听到了无十三的故事。

"他实在是个奇人,"邱凤城道:"他的身世奇,遭遇奇,我实在被他迷住了,想尽千方百计,终于找到死谷来,碰巧那时候,无十三也正想收个徒弟,为他出气。”

无十三真的收了他这个徒弟，把一身本事都教给了他。无十三的本事不止一种。

“挖洞的本事也是他教我的，”邱凤城道：“奇门遁甲，消息机关，使毒易容，这些本事无一不通，无一不精。”

“为什么你要杀他？”

“我的行动他处处要限制，他的本事我却已学全了，”邱凤城居然又笑了笑：“我不杀他杀谁？”

“你不但杀了他，也杀了和你齐名的杜青莲，沈红叶，而且将马如龙也引入死路，你已经应该很满意了，”谢玉宝又问：“你为什么还要这么做？”

“因为你说的不错，我的确已发觉你们渐渐开始信任他了。”邱凤城也不禁叹息：“马如龙的确是个很不简单的人。”

“其实你什么事都不必做的，我们根本找不出你的破绽，抓不到你的证据。”谢玉宝也叹了口气：“只可惜你太聪明了一点。”

“太聪明了一点也没什么不好，你们找不找得到我的证据都一样。”

“一样，怎么会一样？”

“因为你们反正都已经快死了。”邱凤城忽然问：“你们知不知道刚才那“噗”的一声响是什么声音？”

“好像是刀锋砍进脖子上的声音。”

“是谁的脖子？谁的刀？”

邱凤城自己回答了这问题：“如果你们认为是那个冒牌无十三的脖子，你们就错了。”

“哦？”

“脖子是马如龙的脖子，刀是彭天高的刀。”邱凤城又解释：“彭天高就是那波斯奴，也就是彭天霸的弟弟，他的刀法远比彭天霸的高得多，只可惜他是庶出的，他的母亲是个波斯女奴，所以他永远都不能接受五虎断门刀的道统，彭家的万贯家财，他也只有看看。”

“所以他才会被你说动，做你的帮手，而且替你杀了彭天霸。”

邱凤城微笑点头承认，却忽然改变了话题。“无十三活着的时候，我曾经问过他，最想要的东西是什么？”邱凤城道：“我实在想不到他最想要的居然是一床棉被和一盏灯。”

“你当然替他送来了。”

"我替他送来了最好的棉被和最好的灯,灯芯油也是最好的,只有最后一次是例外。"

"最后一次你送来的是什么?"

"是掺入了迷药的灯油和灯芯。"邱凤城笑道:"迷药当然也是最好的,就是你们刚才在不知不觉间也被迷住了的这一种。"

他笑得非常愉快。可惜笑的并不长。忽然间,"叮"的一响,桌上的灯灭了,门外却有一点火光点起。闪动的火光下已经出现了一个人,一个他认为已经永远看不见的人。他又看见了马如龙。

马如龙是和大婉、绝大师,一起出现的。他们当然没有死,大婉的被掳,也是她和谢玉宝安排好的圈套。

谢玉宝最后才告诉邱凤城:"我故意对大婉说那些话,故意让你听见,让你认为我要报复,"她说:"当然我又故意去找马如龙,给你机会,其实那时我早已解开大婉的穴道。"

大婉淡淡接着说:"所以你们听见刀锋砍在脖子上的声音时,刀确实是彭天高的刀,脖子也是他的脖子。"

尾　声

邱凤城当然得到了他应该得到的制裁,绝大师远赴饱宝绝顶去面壁思过,铁震天和马如龙痛饮了三日之后,就在一个有风有月的寒夜飘然而去,不知所踪。

江南俞五依然领袖江南武林,玉大小姐依旧行踪飘忽,神出鬼没。大婉和谢玉宝呢?她们和马如龙的结局应该是种什么样的结局?

几年之后有人在江南碰到了马如龙,据说身旁还多了两个如花似玉的美娇娘,其中一个当然就是谢玉宝,但另一个是否就是大婉呢?没有人知道。只是她的神韵和大婉为何如此神似呢?

绝

不

低

头

目 录

第一回 大 都 市

"波波。"

汽车来了。

"波波"也是个女孩子的名字。

没有人知道她为什么要替自己取这名字，也许是因为她喜欢这两个字的声音，也许因为她这个人本来就像是辆汽车。

有时甚至像是辆没有刹掣的汽车。

汽车从她旁边很快的驶过去，"波波"。

她笑了，她觉得又开心，又有趣。

这城市里的汽车真不少，每辆汽车好像都在叫她的名字，向她表示欢迎。

她今年已十九，在今天晚上之前，她只看见过一辆汽车。

那时她刚从一个山坡上滚下来，"波波"，一辆汽车刚巧经过这条山路，若不是她闪避得快，几乎就被撞上了。

她还听见一个系着黄丝巾的女孩在骂。

"这个野丫头，大概还不知道汽车会撞死人的。"

波波非但没有生气，反而觉得很愉快、很兴奋，因为她总算看见一辆真的汽车了。

她看着那条在风中飞扬着的黄丝巾，心里恨不得自己就是那个女孩子。

她发誓，自己迟早总有一天也要坐到汽车上，像那个女孩子一样。

只不过假如有人险些被她撞倒的时候，她非但绝不会骂这个人，而且，一定会下车把这个人扶起来。

所以她来到了这个城市。

她早已听说这是全中国最大的城市，汽车最多，坐汽车的机会当然也比较多。

但这还并不是她偷偷从家乡溜出来的最大原因。

最大的原因是，她一定要找到她的父亲。

在他们的家乡里，赵大爷早已是位充满了传奇性的名人。

有人说他在关外当了红胡子的大当家，有人说他在这大城里做了大老板，甚至还有人说他跟外国人在做贩毒的生意。

无论怎么说，赵大爷发了大财，总是绝没有人会否认的。

所以赵大奶奶除了每年接到一张数目不小的汇票外，简直就看不见她丈夫的影子。

波波这一生中，也总共只见到她父亲四五次。

但她还记得她父亲总穿着马褂，叼着雪茄，留着两撇小胡子，是个相貌堂堂，很有威仪的人。

她相信她父亲无论在什么地方，都一定是个了不起的大人物。

大人物总是很容易找得到的。

所以她来了。

霓虹灯还亮着。

霓虹灯的光，为什么会闪得如此美丽，如此令人迷惑？

波波也觉得有趣极了。

她心里在想："这次我来了，无论遇着什么事，我都绝不会后悔的！"

她这句话说得真太早！

忽然间，天地间已只剩下群星在闪烁。

汽车呢？霓虹灯呢。

波波忽然发现自己来到了一个更新奇、更陌生的地方。

她已面对扬子江，就像大海那么浩瀚壮丽的扬子江。

她第一次看到了船，大大小小，各式各样的船。

船停泊在码头外，在深夜里，码头永远是阴森而黝暗的。

码头上堆着大大小小，各式各样的麻包和木箱。巨大的铁钩，悬挂在天空中，几乎就像月亮那么亮。

明月也如钩。

"麻袋里装的是什么？可不可以弄破个洞看看？"

世界上有种人，是想到什么，立刻就会去做什么的，谁也没法子阻拦她，连她自己都没法子。

波波就是这种人。

她刚想找件东西把麻袋弄破一个角，就在这时候，她听到了一种奇怪的声音。

以前她从来也没有听见过这种声音。

那就像是马蹄踏在泥浆上，又像是屠夫在砧板上斩肉。

声音是从右面一排木箱后传来的。

她赶过去看，就看到了一样她这辈子连做梦都没有想到过的事。

木箱后有二三十个人，都穿着对襟短褂，曳脚长裤，有的手里拿着斧头，有的手里拿着短刀，还有的手里拿着又粗又长的电筒。

那种奇怪的声音，就是刀刺入肉里，斧头砍在骨头上，电筒敲上头颅时发出来的。

这群人已绝不是人，是野兽，甚至比野兽更凶暴、更残忍。

就算是刀刺入肉里，就算是斧头砍在骨头上，也没有一个人发出声音。

要倒下去，就倒下去，还可以拼命，就继续再拼。

他们真的是人？

人对人为什么要如此残酷？

波波想不通，她已经完全吓呆了。

可是她不忍再看下去，她忽然冲出去，用尽平生力量大吼！

"你们这些王八蛋全给我住手！"

忽然间，高举起的斧头停顿，刚刺出的刀缩回，电筒的光却亮了起来。

七八只大电筒的光，全都照射在波波的身上。

波波被照得连眼睛都张不开了，但胸膛却还是挺着的。

有几只电筒的光，就故意照在她挺起的胸膛上。

她也看不出别人脸上是什么表情，用一只手挡在眼睛上，还是用那种比梅兰芳唱生死恨还尖亮的嗓子，大声道："这么晚了，你们为什么还不回家睡觉？还在这里拼什么命？"

拿着斧头的，被砍了一斧头的，拿着刀的，挨了几刀的，脑袋上已被打得鼻青脸肿的，全都怔住了。

假如这世界真是个人吃人的世界，他们就正是专吃人的。

他们流血、拼命、动刀子，非但吭都不吭一声，甚至连眉头都不会皱一皱。

但现在他们已皱起了眉。

一个脸上长满青渗渗须发的大汉，手里紧握着他的斧头，厉声问："朋友是哪条路上的，凭什么来蹚这趟浑水。"

波波笑了。

在这种时候，她居然笑了。

"我不是你们的朋友，在这里我连一个朋友都没有，也没有掉下水，只不过刚巧路过而已，你们难道连这点都看不出来？"

别人实在看不出来。

这丫头长得的确不难看，假如在平常时候，他们每个人都很有兴趣。

但现在并不是平常时候，现在是拼命的时候，为了十万现大洋的"货"在拼命。

十万以下的货，"喜鹊"是绝不会动手的！

若在十万以上，就算明知接下这批货的是"老八股"，还是一样要拼命。

"喜鹊"能够窜起来，只因为他们拼命的时候，就是真拼命！

所以他们拼命的时候，就算有人胆子上真的生了毛，也绝不敢来管他们的闲事。

"老八股"的意思，并不是说他们有些老古董，而是说他们的资格老。

事实上，"老八股党"正是这城市阴暗的一面中，最可怕的一股势力。

他们的天下，是八个人闯出来的。

八个人渐渐扩张到八十个，八百个……

现在闯天下的八位老英雄已只剩下三位，虽然已在半退休的状况，但这城市大部分不太合法的事业，还是掌握在他们的手里。

他们有八位得意的弟子，叫"大八股"，那脸上长满了青渗渗的胡碴子的大汉，"青胡子"老六正是其中之一。

他的人就像他的斧头一样，锋利、残酷，专门喜欢砍在别人的关节上。

现在他显然很想一斧头就砍断这小丫头的关节。

"你真是路过的？"

波波在点头。

"从哪里来？往哪里去？"

"从来的地方来，往去的地方去！"波波昂起了头，好像觉得自己这句话说得很高明。

青胡子老六冷笑："这么样说来，你也是在江湖上走过两天的人。"

"何止走过两天？"波波的头昂得更高："就算是千山万水，我也一个人走了过来。"

她并没有吹牛。

从她的家乡到这里，的确要走好几天的路，在她看来，那的确已经是千山万水了。

青胡子的脸色也变得严肃了起来，无论谁都知道，一个女孩子若敢一个人出来闯江湖，多多少少总有两下子的。

江湖人对江湖人，总得有些江湖上的礼数。

"却不知姑娘是哪条路上的？"

"水路我走过，旱路我也走过。"

"姑娘莫非是缺少点盘缠？"

波波拍拍身上的七块现大洋："盘缠我有的是，用不着你操心。"

青胡子整张脸都发了青。

"难道姑娘想一个人吞下这批货？"

"那就得看这是什么货了！"波波又在笑："老实说，现在我的确有些饿，就算要我一口吞下个鸡蛋，也不成问题。"

这丫头似通非通，软硬不吃，也不知是不是在故意装糊涂。

青胡子老六的眼睛里现出了红丝。

"你究竟是什么人？"

"我叫波波！"

"波波？"

"不错，波波，你难道没听见过？"

"没有。"

"汽车你看见过没有？"

"汽车？"

波波用一双手比着，好像在开汽车："波波，波波，汽车来了，大家闪开点。"

这丫头究竟是怎么回事？是有神经病？还是在故意找他们开心，吃他们豆腐。

波波却笑得很甜："我就是辆小汽车，我来了，所以你们就得闪开，不许你们再在这里打打杀杀的。"

小汽车。

这丫头居然把自己看成一辆小汽车。

也不知是谁在突然大喝："跟这种十三点啰嗦什么？先把她废了再说！"

"你们自己打自己难道还不够？还想来打我？"波波双手插起了腰，道："好，看你们谁敢来动手！"

的确没有人过来动手。

谁也不愿意自己去动手，让对方占便宜。

波波更得意了："既然不敢来动手，为什么还不快滚？"

她实在是个很天真的女孩子，想法更天真。

青胡子老六突然向旁边一个穿白纺绸大褂的年轻人道："胡老四，你看怎么样？"

胡老四就是"喜鹊帮"的老四胡彪，一张脸青里透白，白里透青，看来虽然有点儿酒色过度的样子，但手里的一把刀却又快、又准、又狠。

"你看怎么样？"胡彪反问。

他很少出主意，就算有主意，也很少说出来。

青胡子老六沉声道："咱们两家的事先放下，做了这丫头再说！"

胡彪的回答只有一个字："好！"

一个字也是一句话。

江湖上混的人，说出来的话就像是钉子钉在墙上，一个钉子一个眼，永无更改。

波波忽然发现所有的人都向她围了过来。

远处也不知从哪里照过来一丝阴森森的灯光，照在这些人脸上。

这些人的脸好像全都变成了青的，连脸上的血都变成了青的。

波波还是用双手插着腰，但心里却多少有了点恐惧："你们敢怎么样？"

没有人回答。

现在已不是动嘴的时候。

动手！

突然间，一条又瘦又小的青衣汉子已冲了过来，手里的刀用力刺向波波的左胸心口上。

他看来并不像是个很凶的人，但一出手，却像是条山猫。

他手里的刀除了敌人的要害外，从来不会刺到别的地方去。

因为他自己知道，像他这种瘦小的人，想要在江湖中混，就得要特别凶、特别狠。

波波居然一闪身就避开了，而且还乘机踢出一脚，去踢这汉子手里的刀。

她也没有踢到。

但这已经很令人吃惊，"拼命七郎"的刀，并不是很容易躲得开的。

已有人失声而呼！

"想不到这丫头真有两下子！"

波波又再昂起了头，冷笑着道："老实告诉你们，石头乡附近八百里地的第一把好手，就是本姑娘！"

这句话也说得并不能算太吹牛。

她的确是练过的，也的确打过很多想动她歪主意的小伙子，打得他们落荒而逃。

但那并不是因为她真的能打，只不过因为她有个名头响亮的爸爸，还有个好朋友。

别人怕的并不是她，而是她这个朋友，和赵大爷的名头。

只可惜这里不是石头乡。

青胡子老六和胡彪对望了一眼，都已掂出了这丫头的分量。

老江湖的眼，本就毒得像毒蛇一样。

胡彪冷笑。

"老七，你一个人上！"

他已看出就凭"拼命七郎"的一把刀，已足够对付这丫头了。

有面子的事，为什么不让自己的兄弟露脸？

"拼命七郎"的脸却连一点表情也没有，冷冷的看着波波。

波波也在冷笑："你还敢过来？"

"拼命七郎"不开口。

他一向只会动刀，不会开口——他并不是个君子。

他的刀突又刺出。

波波又一闪，心里以为还是可以随随便便就将这一刀避开。

谁知这一刀竟是虚招。

刀光一闪，本来刺她胸口的一把刀，突然间就已到了她咽喉。

波波连看都没有看清楚，除了挨这一刀，已没有别的路好走。

就在这时候，突然有样东西从黑暗中飞过来，"叮"的，打在刀背上。

刀竟被打断了。

一样东西随着半截钢刀落在地上，竟只不过是把钥匙。

"拼命七郎"的刀，是特地托人从北京带回来的，用的是上好的百炼精钢。

他的出手一向很快，据说快得可以刺落正在飞的苍蝇。

但这柄钥匙却更好，而且一下子就打断了这柄百炼精钢的好刀。

"拼命七郎"很少有表情的一张脸，现在也突然变了。

波波的心却还在"扑通扑通"的跳。

这柄钥匙好像是从左面飞过来的。

左面有一堆木箱子。

木箱子的黑影里，站着一个人，一个全身上下都穿黑的人。

他静静的站在那里，动也没有动。

黑暗中，波波也看不见他的脸，但却忽然觉得这个人很可怕。

这连她自己都不知道是怎么回事，她这一辈子几乎从来就没有怕过任何人。

　　她当然也不懂有些人天生就带着种可怕的杀气，无论谁看见都会觉得可怕的。

　　连"拼命七郎"都不由自主后退了两步。

　　"你是谁?"

　　黑暗中这个人发出的声音不是回答，是命令："滚! 喜鹊帮的人，全都给我滚!"

　　突然有人失声而呼："黑豹"。

　　"老八股党"的人精神立刻一振。

　　胡彪的脸色却变了，挥了挥手，立刻有十来个人慢慢的往后退。

　　刚退了两三步，突又一齐向黑暗中那个人大吼着冲了过去。

　　十来个人，十来把刀。

　　最快的一把刀，还是"拼命七郎"的刀——一个像他这样的人，身上当然不会只带一柄刀。

　　黑暗中这个人的一双手却是空的，只不过有一串钥匙。

　　钥匙在"叮叮当当"的响，这个人却还是动也不动的站在那里。

　　"老八股党"的弟兄们已准备替他先挡一挡这十来把刀。

　　青胡子老六却横出了手，挡住了他们，冷笑着道："先看他行不行? 不行咱们再出手。"

　　这句话还没有说完，已有一个人惨呼着倒下去。

　　动也不动的站在黑暗中的这个人，忽然间，已像是豹子般跃起。

　　他还是空着手的。

　　但他的这双手，就是他杀人的武器。

　　他的出手狠辣而怪异，明明一拳打向别人的胸膛，却又突然翻身，一脚踢在对方的胸膛上。

　　然后就又是一串骨头碎裂的声音。

　　"拼命七郎"的刀明明好像已刺在他胸膛上，突然间，手臂已被撑住。

　　接着，就又是"格"的一响。

　　"拼命七郎"额上已疼出冷汗，刚喘了口气，左手突又抽出柄短刀，咬着牙冲过去。

　　他打架时真是不要命。

只可惜他的刀还没有刺出，他的人已经被踢出一丈外。

胡彪终于也咬了咬牙，挥手大呼："退！"

十来个人还能站着的，已只剩下六七个人，六七个人立刻向后退。

青胡子老六扬起斧道："追！"

"不必追！"这个人还站在黑暗里，声音也是冷冰冰的。

青胡子瞪起了眼："为什么不追？"

"二爷要的是货，不是人！"

青胡子老六怒声道："你知不知道这件事是谁在管的？"

黑衣人道："本来是你。"

青胡子老六道："现在呢？"

黑衣人的声音更冷："现在我既然已来了，就归我管。"

青胡子大怒："你是里面的人，谁说你可以管外面的事？"

"二爷说的。"

青胡子突然说不出话了。

黑衣人冷冰冰的声音中，好像又多了种说不出的轻蔑讥嘲之意："但功劳还是你的，只要你快押着这批货回去，就算你大功一件。"

青胡子怔在那里，怔了半天，终于跺了跺脚，大声吩咐："回去，先押这批货回去！"

风从江上吹过来，冷而潮湿。

月已高了，那巨大的铁钩，却还是低垂在江面上。

月色凄迷。

远处有盏灯，灯光和月光都照不到这神秘的黑衣人的脸。

他静静的站在那里，面对着波波，只有一双眼睛在发着光。

这双发光的眼睛，好像也正在看着波波。

波波忽然感觉到有种无法描述的压力，压得她连气都透不过来。

过了很久，她总算说出了三个字："谢谢你。"

"不必。"

"……"

波波忽然觉得已没什么话好说了。

她本是个很会说话的女孩子，但在这个人的面前，却好像有道高墙。

她只能笑一笑，只能走。

谁知道奇怪的人却突然说出了一句让她觉得很奇怪的话："你不认得我了？"

波波怔了怔："我应该认得你的？"

"嗯。"

"你认得我？"

黑衣人的声音中竟有了很奇妙而温暖的感情，甚至仿佛在笑："你是辆小汽车！"

波波张大了眼睛，看着他，从头看到脚，从脚再看到头。

月更亮，月色已有一线照在他脸上。

他的脸轮廓分明，嘴很大，颧骨很高，不笑的时候，的确很可怕。

但波波以前却看过他的笑，时常都看到他在笑。

她的眼睛突然亮了，比月光更亮。

她突然冲过去，捉住了他的手："原来是你，你这个傻小子！"

江上的风虽然很冷，幸好现在已经是三月，已经是春天了。

何况，一个人的心里若是觉得很温暖，就算是十二月的风，在他感觉中也会觉得像春风一样。

波波心里就是温暖的。

能在遥远而陌生的异乡，遇见一个从小在一起长大的朋友，岂非正是件令人愉快的事。

江水在月光下静静的流动，流动不息。

时光也一样。

你虽然看不见它在动，但它却远比江水动得更快。

波波轻轻的叹息："日子过得真快，我们好像已经有十年没有见过面了。"

"七年，七年零三个月。"

波波嫣然："你记得真清楚。"

"我离开石头乡的那一天，正在下雪，我还记得你们来送我。"

他的目光深沉而遥远，好像在看着很远的地方。

那地方有一块形状很奇特的大石头。

两个十七八岁的少年人，和一个十二三岁的小女孩，就是在那块石头下分手的。

石头上堆满了雪，地上也积满了雪。

波波的眼波仿佛已到了远方。

"我也记得那天正是大年三十晚上。"

"嗯。"

"我要你在我家过了年再走，你偏偏不肯。"

"年不是我过的，是你们过的。"

"为什么?"

他没有回答，他的眼睛却更深沉。

一个贫穷的孤儿，在过年的时候看着别人家里的温暖欢乐，心里是什么滋味?

他知道，波波却绝不会知道。

波波在笑，她总是喜欢笑，但这次却笑得特别开心："你还记不记得，有次你用头去撞那石头，一定要比比是石头硬，还是你的头硬。"

这次他也笑了。

波波又接着道："自从那次之后，别人才开始叫你傻小子的。"

"但现在却没有人叫我傻小子了。"

"现在别人叫你什么?"

"黑豹!"

第二回 黑 豹

黑豹。

每个人都叫他黑豹。

因为每个人都知道，野兽中最矫健、最剽悍、最残忍的，就是黑豹！

锅盖移开时，蒸气就像雾一样升了起来。

卖面的唐矮子用两根长竹筷，一下子就挑起了锅里的面，放在已加好佐料的大碗里。

他用这两根长竹筷的时候，简直比外科医生用他们的手术刀还要纯熟。

桌上已摆着切成一丝丝的猪耳朵，切成一片片的卤牛肉，还有毛肚、猪肝、香肠、和卤蛋。

面是用小碗装的，加上咸菜、酱油、芝麻酱，还有两根青菜。

那味道真是香极了。

波波在咽口水，直到现在，她才想起从中午到现在还没有吃过饭。

"这面我至少可以吃五碗。"

黑豹看着她，等她吃下第一个半碗，才问她："你今天才来的？"

"嗯。"

"一个人来的？"

"嗯。"

波波的嘴还是没有功夫说话，她觉得这个城市里每样东西都比家乡好得多，甚至连面的滋味都不同。

"这叫做什么面？"

"四川担担面？"

"这里怎么会有四川的面？"

"这地方什么都有。"

波波满足的叹了口气："我真高兴我能够到这地方来。"

黑豹的嘴角又露出那种奇特的微笑："你高兴得也许还太早了些。"

"为什么?"

"这里是个吃人的地方。"

"吃人? 什么东西吃人?"

"人吃人。"

波波反而笑了："我不怕。"她笑得明朗而愉快，还是像七年前一样："若有人敢吃我，不噎死才怪。"

黑豹没有再说什么，他目光又落入遥远处的无边黑暗中。

波波开始吃第二碗面的时候，他忽然问："小法官呢?"

波波没有回答，埋着头，吃她的面，吃了两根，忽然放下了筷子，那双春月般明亮的眼睛里，仿佛忽然多了一层雾。

一层秋雾。

雾中仿佛已出现了一个人的影子，高大、明朗、正直、愉快。

小法官。

他当然不是真正的法官，别人叫他小法官，也许就因为他的正直。

他叫罗烈。

他就是那年除夕之夜，在石头乡送别黑豹的另一个少年。

他们三个人是死党。

两个男孩子对波波，就好像两片厚蚌壳保护着一粒明珠。

"小法官，他……"波波眼睛里的雾更浓："我也有很久没有看见他了。"

黑豹看着她眼睛里的雾，当然也看出了雾里藏着些什么。

一个女孩子若是对一个男孩子有了爱情，就算全世界的雾也掩饰不住。

"他也走了?"黑豹问。

"嗯。"

"什么时候走的?"

"也快三年了。"

那时波波已十七岁，十七岁的女孩子，正是爱得最疯狂、最强烈的时候。

黑豹的眼睛更黑，过了很久，才慢慢的说："他不该走的，他应该陪着你。"

波波垂下头，但忽然又很快的抬了起来，用很坚决的声音说："可是他一定要走。"

"为什么?"

"因为他不愿意一辈子老死在石头乡，我……我也不愿意。"

波波的眼睛里又发出了光，很快的接着说："像他那样的人，在别的地方，一定有出路。"

黑豹点点头："不错，他一向不是傻小子，他绝不会用自己的脑袋去撞石头，因为他知道石头一定比脑袋硬。"

波波笑了。

黑豹也笑了。

波波笑着道："其实你也并不是个真的傻小子。"

"哦。"

"他总是说你非但一点也不傻，而且比谁都聪明，谁若认为你是傻小子，那个人才是真正的傻小子。"

"你相信他的话?"

"我当然相信。"波波的笑容又明朗起来，道："你们一起长大，一起练功夫，一起打架，谁也没有他了解你。"

"他的确很了解我，"黑豹同意道："因为他比我强。"

"但你们打架的时候，他总是打不过你。"

黑豹笑了笑："可是我们打架的法子，却有一大半是他创出来的。"

他们练的功夫叫"反手道"。

那意思就是说，他们用的招式，全是反的。

在拳法中本来应该用左手，他们偏偏要用右脚。

应该用左腿的时候，他就偏偏要用右手。

"你们打架的那种法子，我也学过。"这一点波波一向觉得很得意。

"只要你练得好，那种法子的确是一种最有效的法子。"

波波也同意。她刚才就看见了用那种法子来打人的威风。

黑豹微笑着："只可惜你并没有练好，所以你千万不能再去多管别人的闲事，尤其是在这里，这里的人吃人是绝不会被骨头鲠死的。"

"为什么?"波波撅起了嘴，满脸都是不服气的样子。

"因为他们吃人的时候，就会连骨头也都一起吞下去。"

波波还是不服气，但想起刚才"拼命七郎"的那柄刀，也只好将嘴里要说的话咽下去。

何况她心里边有一句更重要的话要问。

"我爹爹在哪里?"

"你在问我?"黑豹好像觉得很奇怪。

"我当然是在问你，你已来了七年，难道从来也没有听见他的消息?"

"从来也没有。"

波波第一次皱起了眉，但很快的就又展开。

黑豹当然不会知道他爹爹的消息，他们根本就不是同一阶层的人，当然也不会生活在同一个圈子里。

"你是来找你爹爹的?"

"嗯。"

"那只怕并不容易，"黑豹在替她担心："这是个很大的地方，人很多。"

"没关系。"波波自己并不担心："反正我今天才刚到，时间还多得很。"

"你准备住在哪里?"

"现在我还不知道，反正总有地方住的。"这世上好像根本就没有什么能让她担心的事。

黑豹又笑了。

这次他笑的时候，波波才真正看见七年前那个傻小子。

所以她笑得更开心："反正我现在已找到了你，你总有地方让我住的。"

这个旅馆并不能算很大，但房间却很干净，雪白的床单，发亮的镜子，还有两张大沙发。

沙发软极了，波波一坐下去，就再也不想站起来。

黑豹却好像还是觉得有点抱歉："时候太晚，我已经只能找到这地方。"

"这地方已经比我家舒服一百倍了。"波波的确觉得很满意，因为她已经发现床比沙发更软。

"你既然喜欢，就可以在这里住下来，高兴住多久，就住多久。"

"这地方是不是很贵？"

"不算贵，才一块钱一天。"

"一块大洋？"波波吓得跳了起来。

黑豹却在微笑："可是你用不着付一毛钱，这地方的老板是我朋友。"

波波看着他，有点羡慕，也有点为他骄傲："看起来你现在已变成了个很有办法的人。"

黑豹只笑了笑。

"你刚才说的那位二爷呢？"

"他也许已经可以算是这地方最有办法的人。"

"他姓什么？"

"姓金，有的人叫他金二爷，也有的人叫他金二先生。"

"大爷是谁呢？"波波心里又充满希望——大爷会不会是赵大爷？

"没有大爷，大爷已死了。"

"怎么死的？"波波的希望变成了好奇。

"有人说是病死的，也有人说是被金二爷杀死的。"黑豹的脸又变得冷漠无情："我说过，这里是个人吃人的世界。"

像波波这么大的女孩子，听到这种事，本来应该觉得害怕的。

可是她反而笑了，道："幸好你还没有被他们吃下去。"

她笑的时候绝不像是辆汽车。

事实上，她全身上下惟一像汽车的地方，就是她一双眼睛。

她的眼睛有时真亮得像是汽车前的两盏灯。

"你是金二爷的朋友？"她忽然又问。

"不是。"

"是他的什么人？"

"是他的保镖。"

"保镖？"

"保镖的意思就是打手，就是专门替他去打架的人。"

黑豹的眼睛，仿佛露出种很悲伤的表情："一个人为了要吃饭，什么事都得做的。"

波波忽然跳起来，用力拍他的肩，大声道："做保镖也好，做打手也好，都没关系，反正你还年轻，将来说不定也会有人叫你黑二爷的。"

黑豹这次没有笑，反而转过身。

窗子外面黑得很，连霓虹灯的光都看不见了。

黑暗的世界，黑暗的城市。

黑豹忽然道："这城市敢跟金二爷作对的，只有一个人。"

"谁？"

"喜鹊。"

"喜鹊？一只鸟？"波波又在笑。

"不是鸟，是个人。"黑豹的表情却很严肃："是个很奇怪的人。"

"你见过他？"

"没有，从来也没有人见过他，从来也没有人知道他是谁。"

"为什么呢？"波波的好奇心又被引来了。

"因为他从来也不露面，只是在暗中指挥他的兄弟，专门跟金二爷作对。"

"他的兄弟很多？"

"好像有不少。"黑豹道："刚才你见过的那批用刀的人，就全都是他的兄弟。"

"那批人也没什么了不起。"波波撇撇嘴："除了那个瘦小子还肯拼命之外，别的人好像只会挨揍。"

"你错了。"

"哦。"

"他的兄弟里，最阴沉的是胡彪老四，花样最多的是老二小诸葛，功夫最硬的是红旗老幺，但最可怕的，还是他自己。"

"想不到你也有佩服别人的时候。"

黑豹的表情更严肃："我只不过告诉你，下次遇见他们这批人，最好走远些。"

"我才不怕。"波波又昂起了头："难道他们真能把我吃下去。"

黑豹没有再说什么，他知道现在无论再说什么都没有用的。

他很了解这辆小汽车的毛病。

所以他转过身："我只想要你明白，现在我已不能像以前那样，天天陪着你。"

"我明白。"波波笑着道："你既不是我的保镖，又不是我的丈夫，现在我们又都长大了。"

黑豹已走到门口,忽又转身:"你最近有没有他的消息?"

"他"当然就是罗烈。

"没有。"

"你也不知道他在哪里?"

波波摇摇头,说道:"他走的时候,并没有告诉我他要到哪里去,只不过告诉我,他一定会回来的。"

她的声音里并没有悲伤,只有信心。

她信任罗烈,就好像罗烈信任她一样——"无论等到什么时候,我都一定等你回来的。"

这是他们的山盟海誓,月下蜜语,她并没有告诉黑豹,也不想告诉任何人。

但是黑豹当然听得出她的意思。

他开门走了出去。

门还是开着的。

波波躺在床上,心里觉得愉快极了。

她到这城市来才只不过一天,虽然还没有找到她的父亲,却已找到了老朋友。

这已经是个很好的开始。

何况还有明天呢!

说不定明天她就能打听出她父亲的下落,说不定明天她就会得到罗烈的消息,说不定……

又有谁知道明天会发生些什么事。

"明天"永远都充满了希望,就因为永远有"明天",所以这世上才有这么多人能活下去。

只可惜今天已快结束了。"

现在波波只想先痛痛快快的洗个澡,再舒舒服服的睡一觉。

"你若要叫人做事,就按这个铃。"

叫人的铃就在门上。

铃一响,就有人来了。

女侍的态度亲切而恭敬，旅馆老板跟黑豹的交情好像真不错。

波波忽然觉得自己好像也变成了个很有办法的人，她实在愉快极了。

浴室就在走廊的尽头，虽然是这层楼公用的，但是现在别的客人都已经睡了，所以波波也用不着等。

女侍放满了一盆水，拴起了窗子，赔着笑："毛巾和肥皂都在那边的小柜子里，赵小姐假如怕衣服弄湿，也可以放到柜子里去。"

波波忽然从身上掏出了一块大洋道："这给你做小账。"

她听说过，在大城市里有很多地方都得给小账，给一块钱她虽有点心痛，但一个人在心情愉快的时候，总是会大方些的。

等她脱光了衣服，放进柜子，再跳进浴盆后，她更觉得这一块钱给的一点也不冤枉。

水的温度也刚好。

这城市里简直样样都好极了。

她用脚踢着水。

"波波，汽车来了。"

看着她自己健康苗条的躯体，她自己也觉得这辆汽车实在不错，每样零件都好得很。

事实上，她一向是个发育很好的女孩子，而且发育得很早。

所以她又想到罗烈。

她的脸忽然红了。

罗烈走的那一天，是春天。

他们躺在春夜的星光上，躺在春风中的草地上。

星光灿烂，绿草柔软。甚至仿佛比刚才那张床还要柔软。

罗烈的手就停留在她自己的手现在停留的地方。

他的手虽然粗糙，但他的动作却是温柔的。

她听得出他的心在跳，她自己的心跳得更快。

"我要你，我要你……"

其实她也早已愿意将一切全都交给他，但她却拒绝了。

"我一定是你的，可是现在不行。"

"为什么？……你不喜欢我？"

"就因为我喜欢你，所以我才要你等，等到我们结婚的那一天……"

罗烈没有勉强她，他从来也没有勉强她做过任何的事。

可是现在，她自己反而觉得有点后悔了。

陌生的地方，软绵绵的手，软绵绵的水……

她忽然从水里跳起来。

水太软，也太温暖。

她不敢再泡下去，也不敢再想下去。

"躺在床上会不会想呢?"

她没有仔细研究，反正那已是以后的事了，现在她只想赶快穿回衣裳。

衣裳已放到那小柜子里去。

她匆匆擦了擦身子，打开那小柜子的门。

她突然怔住。

小柜子里一只袜子都没有，她的衣服已全都不见了。

就好像变魔术一样，忽然就不见了。

衣服是她自己放进柜子的，这浴室里绝没有别人进来过。

柜子里的衣服哪里去了呢?

她想不通。

想不通的事，往往就是可怕的事。

波波已能感觉到自己背脊上在冒冷汗。

她当然不会想到这柜子后面还有复壁暗门，也不会想到大都市中的旅馆，看来无论多华丽干净，也总有它黑暗罪恶的一面。

她只觉得恐惧。

一个女孩子在赤裸着的时候，胆子绝不会像平时那么大的。

幸好门和窗子还都关得很紧，但是浴室距离她的房门还有条很长的走廊，她这样子怎么能走得出去。

她想用毛巾裹住身子，毛巾又太短、太小。

窗帘子呢?

她正想去试试看，但窗外却忽然响起了两个人说话的声音:

"一个女孩子洗过澡，忽然发现衣服不见了，那怎么办?"

"没关系。"

"没关系?"

"因为她不是女孩子,是汽车。"

"不错,汽车是用不着穿衣服的。"

然后就是一阵大笑。

笑的声音还不止两个人。

波波已退到浴室的角落里,尽量想法子用那条毛巾盖住自己,大声问:"外面是什么人?"

"我们也不是人,只不过是一群喜鹊而已。"

"喜鹊!"波波的心沉了下去。

"喜鹊一向报喜不报忧,我们正是给赵小姐报喜来的。"

这声音阴沉而缓慢,竟有点像是那胡彪老四的声音。

波波忍不住问:"报什么喜?"

"赵小姐的衣服,我们已找到了。"

"在哪里?"

"就在我们这里。"

"快还给我!"波波大叫。

"赵小姐是不是要我们送进去?"

"不行!"波波叫的声音更大。

"既然不行,就只好请赵小姐出来拿了。"

他们当然知道波波是绝不敢自己出去拿的。

窗外立刻又响起一阵大笑声。

波波咬着牙,只恨不得把这些人就像臭虫般一个个捏死。

她现在只想先冲过去撕下窗帘,包起自己的身子再说。

但这时她发现窗帘忽然在动,竟像是被风吹动的。

窗子既然关着,哪里来的风?

门上也有了声音。

一柄薄而锋利的刀,慢慢的从门缝里伸了进来,轻轻一挑。

"格"的一响,门上的钩子就开了。

波波怒吼:"你们敢进来,我就杀了你们!"

"用什么杀?用你的嘴?还是用你的……"说话的声音阴沉而淫猥。

波波没法子再听下去,只有用尽平生力气大叫。

但现在她总算已知道,无论叫的声音多大,都没有用的。

她已看见门和窗子突然一起被撞开，三个人一起跳了进来。

三个人手上都有刀，其中一个正是那脸色发青的胡彪。

波波反而不叫了，也没有低下头。

她反而昂起了头，用一双大眼睛狠狠的瞪着他们。

"你们想怎么样?"

胡彪阴森森的笑着："老实说，究竟想怎么样，我们直到现在还没有拿定主意。"

他的眼睛在波波身上不停的搜索，就像是一把醮了油的刷子。

波波想吐。

浴室里的灯光太亮，毛巾又实在太小。

她的皮肤本来是一种健康的古铜色，但在这种灯光下看来，却白得耀眼。

她的腿很长，很结实，曲线丰润而柔和。

她的腰纤细。

波波一向很为自己的身材骄傲，但现在却恨不得自己是个大水桶。

胡彪眼睛里露出了满意的神色："你们看这丫头怎么样?"

"是个好丫头。"

"我们是先用用她? 还是先做了她?"

"不用是不是太可惜?"

"的确可惜。"

波波几乎已经想冲过去，一巴掌打烂这张脸。

只可惜她的手一定要抓住毛巾，一定要抓紧。

但就在这时候，胡彪已突然一个箭步窜过来，刀光闪动，向她的毛巾上挑了过去。

他的刀也许没有"拼命七郎"那么狠，那么快，但运用得却更熟练。

波波想一脚踢飞这柄刀，可是现在她的腿又怎么能踢得起来?

她毕竟还是个女孩子。

她忽然想哭。

刀锋划过去的时候，另外两个人的眼睛瞪得更大了。

突然间，"叮"的一响。

一样东西斜斜的飞过来，打在胡彪的刀上。

一把钥匙!

一把发光的黄铜钥题。

胡彪铁青的脸已扭曲，霍然转身。

窗帘还在动。

三个人的眼睛一齐瞪着窗子，钥匙的确是从窗外打进来的。

但人却从门外冲了进来。

一个皮肤很黑，衣服更黑的人，漆黑的眼睛里，带着种说不出的剽悍残酷之色。

他没有说话，甚至没有发出任何声音。

片刻奇异的沉寂后，浴室里听到的第一种声音，就是骨头断折的声音。

一个人手里的刀刚挥出，手臂已被反拧到背后，"咔嚓"一响。

另一个人想夺门而逃，但黑豹的脚已反踢出去，踢在他的腰上。

这人就像是一只皮球般，突然被踢起，踢得飞了出去，到门外才发出一声短促的惨呼。

惨呼声过后，又是一阵可怕的沉寂。

黑豹静静的站在那里，看着胡彪。

胡彪额上已冒出冷汗，在灯光下看来，像是一粒粒滚动发亮的珍珠。

波波倚在墙上，整个人都似已虚脱。

自从她看到那把钥匙时，她全身就突然软了，因为她知道她已有了依靠。

现在她看着面前这残忍而冷静的年轻人，心里只觉得有种说不出的安全感。

安全而幸福。

这种感觉就像是一个人突然从噩梦中惊醒，发现自己心爱的人还在身边一样。

胡彪的表情却像是突然落入一个永远也不会惊醒的噩梦里。

黑豹已慢慢的向他走了过去。

胡彪突然大喊："这件事跟你们'老八股'根本全无关系，你为什么又要来管闲事？"

黑豹的声音冰冷："我只恨刚才没有杀了你。"

"这小丫头难道是你的女人?"

"是的。"

简短的回答,毫无犹豫。波波听了,心里忽然又有种无法形容的奇妙感觉。她自己当然知道她并不是他的女人。

他也知道。但他却这么样说了,她听了也并没有生气。

因为她知道这正表示出他对她的那种毫无条件的保护和友情。

她听到胡彪在长长的吸着气,道:"我知道你不是肯为女人杀人的那种人。"

"我不是。"黑豹的声音更加冰冷:"但这次却例外。"

胡彪突然狞笑:"你也肯为了这女人死?"

就在这一瞬间,黑豹冷静的眼睛里竟似露出了恐惧之色,就像是一只剽悍的豹子,突然发现自己落入陷阱。也就在这一瞬间,屋顶上的天窗突然开了,柜子后的夹壁暗门也开了。

几十条带着钩子的长索,从门外,从窗口,从天窗上,从暗门里飞了出来。

黑豹喉咙里发出一声野兽般的低吼,向着胡彪扑过去。只可惜他已迟了一步。波波的惊呼声中,几十条带着钩子的长索已卷在他身上。

他一用力,钩子立刻钩入他的肉里,绳子也勒得更紧。

胡彪大笑:"原来你也有上当的时候!"笑声中,他的刀也已出手,直刺黑豹的琵琶骨。

他还不想让黑豹死得太快、太舒服。

第三回 大 亨

胡彪笑得还太早。

他的出手却太晚了!

就在这一刹那间,黑豹突然发出野兽般的怒吼。

铁钩还嵌在他身上,但绳子却已一寸寸的断了,他的人突然豹子般跃起,双腿连环踢出。

胡彪大惊,闪避。

但真正打过来的,并不是黑豹的两条腿,而是他的手。

一只钢铁般的手。

胡彪的人突然间就飞了起来,竟被这只手凭空抡起,掷出了窗户。

窗外的惨呼不绝,其中还夹杂着一个人的大喝:"这小子不是人,快退!"

然后就是一连串脚步奔跑声,断了的和没有断的长索散落满地。

黑豹没有追。

他只是静静的站在那里,看着波波。

这时他的目光已和刚才完全不同,他漆黑的眼睛里,已不再有那种冷酷之色,已充满了一种无法描述的感情。

那也不知是同情? 是友情? 还是另一种连他自己都不了解的感情。

波波明亮的眼睛里忽然有一阵泪水涌出。

"我不该留下你一个人的。"黑豹的声音也变得异常温柔。

波波含着泪,看着他。

"他们真正要杀的是你,不是我。"

"我知道。"

"但你还是要来救我。"

"我不能不来。"

同样简短的回答,同样是全无犹豫,全无考虑,也全无条件的。

这是种多么伟大的感情。

波波突然冲上去，紧紧的抱住了他。

她嗅到了他的汗臭，也嗅到了他的血腥。

汗是为了她流的，血也是为了她流的。

为什么？

波波的心在颤抖，全身都在颤抖，这种血和汗的气息，已感动到她灵魂深处。

她已忘了自己是完全赤裸的。

她已忘了一切。

屋子里和平而黑暗。

也不知过了多久，波波才感觉到他的手在她身上轻轻抚摸，也不知抚摸了多久。

他的手和罗烈同样粗糙，同样温柔。

她几乎也已忘了这究竟是谁的手。

然后她才发觉他们已回到她的房间，已躺在她的床上。

床柔软得就像是春天的草地一样。

抚摸更轻，呼吸却重了。

她没有挣扎，没有反抗——她已完全没有挣扎和反抗的力量。

他也没有说："我要你。"

可是他要了她。

他得到了她。

屋子里又恢复了和平与黑暗。

一切事都发生得那么温柔，那么自然。

波波静静的躺在黑暗中，静静的躺在他坚强有力的怀抱里。

她脑海里仿佛已变成一片空白。

过去的她不愿再想，未来的她也不愿去想，她正在享受着这和平宁静的片刻。

风在窗外轻轻的吹，曙色已渐渐染白了窗户。

这岂非正是天地间最和平宁静的时刻？

黑豹也静静的躺在那里，没有说话。

他心里在想着什么呢？

是不是在想着罗烈？

"罗烈，罗烈……"

草地上，三个孩子在追逐着，笑着……两个男孩子在追着一个女孩子。

"你们谁先追上我，我就请他吃块糖。"

他们几乎是同时追上她的。

"谁吃糖呢？"

"你吃，你比我快了一步。"这是小法官的最后宣判。

所以他吃到了那块糖。

可是在他吃糖的时候，她却拉起了罗烈的手，又偷偷的塞了块糖在他手里。

傻小子并不傻，看得出那块糖更大。

他嘴里的糖好像变成苦的，但他却还是慢慢的吃了下去。

一样东西无论是苦是甜，既然要吃，就得吃下去。

这就是他的人生。

风在窗外轻轻的吹，和故乡一样的春风。

波波忽然发现自己在轻轻啜泣。

她忽然想起了许多不该想，也不愿想的事，她忽然觉得自己对不起一个人。

一个最信任她的人。

"我一定回来的。"

"我一定等你。"

可是她却将自己给了别人。

她悄悄的流泪，尽量不让自己哭出声来，可是他已发觉。

"你后悔？"

波波摇头，用力摇头。

"你在想什么？"

"我……我什么也没有想。"

"可是你在哭。"

"我……我……"无声的轻泣，忽然变成了痛哭。

她已无法再隐藏心里的苦痛。

黑豹看着她，忽然站起来，走到窗口，面对着越来越亮的曙色。

他知道她在想什么——他当然知道，也应该知道。

天更亮了。

他痴痴的站着，没有动。外面已传来这大都市的呼吸，传来各式各样奇怪的声音。

他没有动。

波波的哭声已停止。

他还是没有动，也没有回头。

他的背宽而强壮，背上还留着铁钩的创痕——他心里的创痕是不是更深？

波波看着他，忽然想起了那块糖。

那次的确是他快一步，但她却将一块更大的糖偷偷塞给罗烈。

她忽然觉得她对他一直都不公平，很不公平。

他对她并不比罗烈对她坏，可是她却一直对罗烈比较好些。

在他们三个人当中，他永远是最孤独，最可怜的一个。

可是他永无怨言。

在这世界上，他也永远是最孤独、最可怜的一个人，他也从无怨言。

无论什么事，他都一直在默默的承受着。

现在她虽然已将自己交给了他，但心里却还是在想着罗烈。

他明明知道，却也还是默默承受，又有谁知道他心里承受着多少悲伤？多少痛苦？

波波的泪又流下。

她忽然觉得自己对不起的并不是罗烈，而是这孤独而倔强的傻小子。

"你……你在想什么？"

"我什么都没有想。"黑豹终于回答。

他还是没有回头，但波波却已悄悄的下了床，从背后拥抱着他，轻吻着他背上的创伤。

"傻小子，你真是个傻小子，我知道你在想什么，可是你想错了。"

她喃喃轻语，扳过他的身子，"现在我除了想你，还会想什么？"

黑豹闭上眼睛，却已来不及了。

波波已发现了他脸上的泪光。

他已为她流了汗，流了血，现在他又为她流了泪，比血与汗更珍贵的泪。

这难道还不够！

一个女孩子对她的男人还能有什么别的奢望？

她突然用力拉他。

她自己先倒下去，让他倒在她赤裸的身子上。

这一次她不但付出了自己的身子，也付出了自己的情感。

这一次他终于完全得到了她。

没有条件，没有勉强。

可是他的确已付出了他的代价。

阳光从窗外照进来，灿烂而辉煌。

"明天"，已变成了"今天"。

波波翻了个身，背脊就碰到了那一大串钥匙。

这钥匙最少也有三四十根，又冷又硬。平时黑豹总是拿在手里，睡觉时就放在枕头下。

现在钥匙却从枕头下滑了出来，戳得波波有点痛。

她反过手，刚摸着这串钥匙，想拿出来，另一只手立刻伸过来抢了过去。

黑豹也醒了。

他好像很不愿意别人动他的这串钥匙，连波波都不例外。

波波撅起了嘴："你为什么总是要带着这么一大把钥匙？"

"我喜欢。"黑豹的回答总是很简单。

但波波却不喜欢太简单的回答，所以她还要问："为什么？"

黑豹的眼睛看着天花板，过了很久，才缓缓道："你记不记得钱老头子？"

"当然记得。"

钱老头子也是他们乡里的大户，黑豹从小就是替他做事的。

"他手里好像也总是带着一大把钥匙。"波波忽然想了起来。

黑豹点点头。

"你学他?"波波问。

"不是学他。"黑豹沉思着:"只不过我总觉得钥匙可以给人一种优越感!"

"为什么?"

"因为我觉得钥匙的本身，就象征着权威、地位和财富。"黑豹笑了笑:"你几时看见过穷光蛋手里拿着一大把钥匙的?"

波波也笑了:"只可惜你这些钥匙并没有箱子可开，都是没有用的。"

"没有用?"黑豹轻抚着她:"莫忘记它救过你两次。"

"救我的是你，不是它。"

"但钥匙有时也是种很好的暗器，至少你可以将它拿在手里，绝不会引起别人的注意。"

"我还是不喜欢它。"波波是个很难改变主意的女孩子。

"那么你以后就最好不要碰它。"黑豹的口气好像忽然变得很冷。

波波的眼睛也在看着天花板。

她心里在想，假如是罗烈，也许就会为她放弃这些钥匙了。

她不愿再想下去。

女孩子是种很奇怪的动物，就算她以前对你并没有真的感情，但她若已被你得到，她就是你的。

那就像是狼一样。

母狼对于第一次跟它交配的公狼，总是忠实而顺从的。

"起来。"黑豹忽然道:"我带你到我那里去，那里安全得多。"

"只要有你在身旁，无论在什么地方，岂非都一样安全。"波波的声音很温柔。

"只可惜我不能常常陪着你。"

"为什么。"

黑豹的回答只有三个字。

"金二爷。"

这就是黑豹的惟一的理由，但这理由已足够。

金二爷永远比一切人都重要。

为了金二爷，任何人都得随时准备离开他的父母、兄弟、妻子和情人。

金二爷斜倚在天鹅绒的沙发上，啜着刚从云南带来的普洱茶。

现在刚七点，他却已起来了很久，而且已用过了他的早点。

他一向起来得很早。

他的早点是一大碗油豆腐线粉，十个荷包蛋，和四根回过锅的老油条，用臭豆腐乳蘸着吃。

这是他多年的习惯。

他是个很不喜欢改变自己的人，无论是他的主意，还是他的习惯，都很难改变。

甚至可以说绝不可能改变。

他意志坚强，精明果断，而且精力十分充沛。

从外表看来，他也是个非常有威仪的人。

这种人正是天生的首领，现在他更久已习惯指挥别人，所以虽然是随随便便的坐在那里，还是有种令人不敢轻犯的威严。

他旁边另一张沙发上，有个非常美丽，非常年轻的女人。

她就像是只波斯猫一样，蜷曲在沙发上，美丽、温驯、可爱。

她的身子微微上翘，更显得可爱，大而美丽的眼睛里，总带着种天真无邪的神色，但神态间却又有种说不出的魅力。

她正是那种男人一见了就会心动的女人。

现在她好像还没有睡醒，连眼睛都睁不开。

可是金二爷既然已起来了，她就得起来。

因为她是金二爷的女人。

一个垂着长辫子的小丫头，轻轻的从波斯地毯上走过来。

"什么事？"金二爷说话的声音也同样是非常有威仪的。

"黑少爷回来了。"

"叫他进来。"

沙发上的女人眼睛立刻张开，身子动了动，像是想站起来。

"你坐下来，用不着回避他。"

"可是……"

"我叫你坐下来，你就坐下来。"金二爷沉着脸，道："他对我比你对我还要忠实得多，你怕什么？"

波斯猫般的女人不再争辩，她本来就是个很温顺的女人。

她又坐下。

紫红色的旗袍下摆，从她膝盖上滑下来，露出了她的腿。

她的腿均匀修长，线条柔和，雪白的皮肤衬着紫红的旗袍，更显得有种说不出的诱惑。

"盖好你的腿。"

金二爷点起根雪茄，黑豹就从外面走了进来。

他走路时很少发出声音，但却走得并不慢。

沙发上的女人本来是任何男人都忍不住要多看两眼的。

但他的眼睛却始终笔笔直直的看着前面，就好像屋子里根本没有这么一个女人存在。

对这点金二爷好像觉得很满意。

他喷出口又香又浓的烟，看着黑豹："昨天晚上你没有回来。"

"我没有。"

"那当然一定有原因。"

"我遇见了一个人。"

"是你的朋友。"金二爷又吸了口他上好的哈瓦那雪茄。

"我没有朋友。"

对这点金二爷显然也觉得很满意。

"不是朋友是什么人？"

"是个女人。"

金二爷笑了，用眼角瞟了沙发上的女人一眼，微笑着，道："像你这样的年纪，当然应该去找女人。"

黑豹听着。

"但女人就是女人，"金二爷又喷出口烟："你千万不能对她们动感情，否则说不定你就要毁在她们手里。"

黑豹的脸上完全没有表情："我从来没有把她们当做人。"

金二爷大笑："好，很好。"他的笑声突又停顿："你昨天晚上表现得也很好，但却得罪了一个人。"

"冯老六?"

"那青胡子算不了什么,你就算杀了他也没关系。"金二爷的声音渐渐又变得低沉严肃:"但是你总该知道,他是张三爷的亲信。"

"我知道。"

"你得罪了他,他当然会在张三爷面前说你的坏话。"金二爷喷出口烟雾,仿佛要掩盖起自己脸上的表情:"那位张大帅的火爆脾气,你想必也总该知道的。"

"我知道。"黑豹听人说话的时候,远比他自己说话的时候多。

"所以你最近最好小心些。"金二爷显得很关心:"张三爷知道你是我的人,当然不会明着对付你,可是在暗地里……"

他没有说下去,因为他知道不说下去比说下去更有效。

黑豹脸上还是一点表情也没有,他想杀人时,脸上也总是没有表情的。

金二爷眼睛里却似露出了得意之色,忽然又问道:"最近在法租界里,又开了家很大的赌场,你听说过没有?"

"听过。"

"赌场的老板,听说是个法国律师,只不过……真正的老板,恐怕还另有其人。"

黑豹没有表示意见。

金二爷道:"你不妨到那边去看看。"他又喷出口烟:"既然那赌场是用法国人名义开的,跟我们就连一点关系都没有……"

他忽然打住了这句话,改口道:"我的意思你懂不懂?"

"我懂。"

黑豹当然懂。在他们的社会里,不是朋友,就是仇敌。

那赌场老板既然不是他们的朋友,他还有什么事不能做的。

于是金二爷端起了他的茶。

黑豹就转身走了出去。

沙发上的女人,一直垂着头,坐在那里,直到此时,才忍不住偷偷瞟了他一眼。

金二爷好像没有看见似的,却忽然又道:"你等一等。"

黑豹立刻转回身。

金二爷看着他:"你受了伤?"

“伤不重。”

“是谁伤了你的?”

“喜鹊。”

金二爷皱起了眉:“那些喜鹊们已恨你入骨,第一个要杀的人,就是你!”

黑豹冷笑。

“你当然不怕他们,我只不过提醒你,现在你的仇人已经够多了。”

“是。”

“而且我最近听说,张三爷又特地请来了四个外国保镖,两个是日本人,是柔道专家。”

金二爷笑了笑:“柔道并不可怕,但其中还有一个,据说是德国的神枪手。”

黑豹还是在听着。

“枪就比柔道可怕得多了。”

黑豹忽然道:“枪也不可怕。”

“哦。”

“假如根本不让子弹射出来,无论什么样的枪,都只不过是块废铁。”

金二爷的眼睛里闪着光:“你能够不让子弹射出来么?”

“我还活着。”

金二爷又笑了:“我希望你活着,所以才再三提醒你。”

他又端起了茶:“我已关照大通银行的陈经理,替你开了个户头,你要用钱的时候,可以随时去拿。”

遇着这样的老板,你还有什么可埋怨的?

黑豹目中露出感激之色:“我会活着去拿的。”

黑豹已走了。

金二爷微笑着,看着他走出去,眼睛里又露出得意之色。

那种眼色就像是主人在看着他最优秀的纯种猎犬一样。

“像他这种人,只要多磨练磨练,再过十年,这里说不定就是他的天下了。”

这句话他也不知道是对谁说的。

沙发上的那女人垂着头,也不知道听见了没有。

"你没有听见我说的话?"金二爷忽然转过脸,对着她。

"我听见了。"

"你们是老朋友了,看见他有出息,你应该替他高兴才对。"

她的头却垂得更低:"现在我已不认得他。"

"可是你刚才还在偷偷的看他。"金二爷的声音还是很平静。

沙发上的女人脸却已吓白了。

"我没有。"

"你没有?"金二爷突然冷笑,手里的一碗茶,已全都泼在她身上。

茶还是烫的。

但是她坐在那里,却连动都不敢动。

金二爷沉着脸:"我最讨厌在我面前说谎的人,你总该知道的。"

"……"

"其实你就算看了他一眼,也没什么关系,你又何必说谎。"

沙发上的女人眨着眼,好像受了天大的委屈,随时都要哭出来的样子。

她当然不会真的哭出来。

她做出这样子,只不过因为她自己知道自己这种样子很可爱。

金二爷看着她,从她的脸,看到她的腿,目光渐渐柔和:"去换件衣裳,今天我带你到八爷家里去喝她三姨太的寿酒。"

沙发上的女人立刻笑了,就像是个孩子般跳起来,跑到后面去。

还没有跑到门口,忽然又转过身,抱住了金二爷,在他已有了皱纹的脸上,轻轻的吻了一下,又溜走。

金二爷看着她扭动的腰肢,突然按铃叫进刚才那小丫头。

"关照刘司机去找施大夫,再去配几副他那种大补的药来。"

从水晶灯饰间照射出来的灯光,总像是特别明亮辉煌。

现在辉煌的灯光正照着梅子夫人脸上最美丽的一部分。

她的确是个非常美丽的女人,一种东方和西方混合的美。

她的眼睛是浅蓝色的,正和她身上戴的一套蓝宝石首饰的颜色配合,她的皮肤晶莹雪白,在她身上,几乎已完全看不出黄种人的痕迹。

她自己也从来不愿承认自己是黄种人,她憎恶自己血统中那另一半黄种人的血。

她从不愿提起她的母亲———一位温柔贤惠的日本人。

只可惜这事实是谁也无法改变的，所以她憎恶所有的东方人。

所以在东方人面前，她总是要表现得特别高贵，特别骄傲。

她总是想不断的提醒别人，现在她已经是法国名律师梅礼斯的妻子，已经完全脱离了东方人的社会，已经是个高高在上的西方上流人。

她也不断的在提醒自己，现在她已经是这豪华赌场的老板娘，已不再是那个在酒吧中出卖自己的低贱女人了。

她女儿就站在她身旁，穿着雪白的曳地长裙。

她一心想将她女儿训练成一个真正的西方上流人，从小就请了很多教师，教她女儿各种西方上流社会必须懂得的技能和礼节。

所以露丝从小就学会了骑马、游水、网球、高尔夫，也学会了在晚餐前应该喝什么酒，用什么酒来配鱼，什么酒来配牛腰肉。

无论什么牌子的香槟，她只要看一眼，就能辨别出它出产的年份。

现在她已长得比母亲还高了，身材发育得成熟而健康。

她们母女站在一起时，就像是一双美丽的姐妹花。

这也是梅子夫人最引为自傲的，多年来仔细的保护，饮食的节制，使她的身材仍保持着十五年前一样苗条动人。

再加上专程从法国运来的华贵化妆品，几乎已没有人能猜得出她的年纪。

墙壁上挂着的瑞士自鸣钟，短针正指在"9"字上面。

现在正是赌场里最热闹的时候。

梅子夫人一向喜欢这种奢华的热闹，喜欢穿着各式夜礼服的西方高贵男女们，在她的面前含笑为礼。

她几乎已经完全忘记了自己贫贱的出身，忘记了那肮脏下流的东京贫民区，忘记了她那另一半黄种人的血统。

只可惜黄种人的钱还是和白种人同样好，所以这地方还是不能不让黄种人进来。

何况她也知道，这地方真正的后台老板，也是黄种人。

黑豹正是个标准的黄种人。

他额角开阔，颧骨高耸，漆黑的眼睛长而上挑，具备了所有大蒙古民族的特征。

他身上穿着件深色的纺绸长衫，手里的钥匙叮当作响。

他进来的时候，正是九点十三分。

梅子夫人看见他走进来的，她两条经过仔细修饰的柳眉，立刻微微皱了起来。

多年来的经验，使得她往往一眼就能辨别出人的身份。

她看得出进来的这个人绝不是个上流人。

世上若是还有什么能令她觉得比黄种人更讨厌的，那就是一个黄种的下流人。

她看不起这个人，甚至连看都不愿意看，但她却也不能不承认，这个黄种的下流人远比很多西方上流人更有男人的吸引力。

她只希望她的女儿不要注意这个人，只希望这个人不是来闯祸的。

只可惜她两点希望都落空了。

露丝正在用眼角偷偷的瞟着这个人，这个人的确是来闯祸的。

要想在赌场里惹事生非，法子有很多种。

黑豹选择了最直接的一种。

他总认为最直接的法子，通常也最有效。

九点十六分。

梅子夫人拉起她女儿的手，正准备将她女儿带到一个看不见这年轻人的角落去。

可是她忽然发现这个人竟笔直的向她走了过来，一双漆黑的眼睛，也正在直视着她。

这人好大的胆子。

梅子夫人当然不能在这种人面前示弱，她已摆出了她最高贵，最傲慢的姿态。

无论这个人是为什么来的，她都准备狠狠的给他个教训。

赌场中的二十个保镖，现在正有八个在她附近，其中还有一个身上带着枪。

在那时候的黑社会中，手枪还不是种普通的武器。

就算你有天大的本事，也挨不了两枪的。

梅子夫人已开始在想怎么样来侮辱这个年轻人的法子。

就在这时候，黑豹已来到她面前，一双漆黑发亮的眼睛，还是盯在她脸上。

梅子夫人昂起了头，故意装作没有看见，就好像世上根本没有这么样一个人存在。

黑豹忽然笑了。

他笑的时候，露出一排雪白的牙齿，就像是野兽一样。

"你就是梅子夫人？"黑豹忽然问。

梅子夫人用眼角瞟了他一下，尽量表现她的冷淡和轻视。

"你找我？"

黑豹点点头。

梅子夫人冷笑："你若有事，为什么不去找那边的印度阿三？"

"我这件事只能找你。"

黑豹又露出了那野兽般的牙齿，微笑着："因为我要你跟你女儿一起陪我上床睡觉。"

梅子夫人的脸一下子变得苍白了，就像是突然挨了一鞭子。

她女儿的脸却火烧般红了起来。

黑豹还在微笑着："你虽然已太老了些，但看来在床上也许还不错……"

他的话没有说完。

梅子夫人已用尽全身力气，一个耳光掴在他脸上。

黑豹连动都没有动，仍然在微笑："我只希望你在床上时和打人一样够劲。"

他说的声音并不大，但已足够让很多人听见。

梅子夫人全身都已开始发抖，她的保镖们已开始围过来。

但黑豹的手更快。

他突然出手，拉住了梅子夫人的衣襟，并且用力扯下……

一件薄纱的晚礼服，立刻被扯得粉碎。

大厅里发出一阵骚动，梅子夫人那常引以为傲的胴体，已像是个剥了壳的鸡蛋般，呈现在每个人的眼前。

她反而怔住了。

她的女儿已尖叫着，掩起了脸。

黑豹微笑道："你果然没有让我失望……"

这句话也没有说完。

三个穿着对襟短褂的大汉，已猛虎般扑了过来。

他们的行动敏捷而矫健，奔跑时下盘仍极稳。

黑豹知道张三爷门下有一批练过南派"六合八法"的打手，这三人显然都是的。

他突然挥拳，去打第一个冲过来的人。

但突然间，这只拳头已到了第二个人的鼻梁上。

也就在这同一瞬间，他的脚已踢上第一个人的咽喉。

鼻梁碎裂，鲜血飞溅。

被踢中咽喉的人连声音都未发出，就像是只空麻袋般飞起，跌下。

第三个人的脸突然扭曲，失声而呼！

"黑豹！"

这两个字刚出口，他满嘴的牙齿已全都被打碎，裤裆间也挨了一膝盖。

他倒在地上，像虾米般蜷曲着，眼泪、鼻涕、血汗、大小便一起流了出来。

安静高尚的大厅，已乱成一团。

惊呼、尖叫、奔走、晕厥……原来上流人在惊慌时，远比下流人还要可笑。

已有十来条大汉四面八方的奔过来，围住了黑豹，手上已露出了武器。

黑豹并没有注意他们。他只注意着圆柱旁的另一个人。

这人并没有奔过来，但眼睛却一直盯着黑豹的胸膛，一只手已伸入了衣襟。

这只手伸出来的时候，手里已多了一把枪。

就算有天大本事的人，也挨不了两枪。

黑豹也是人，也不例外。

但他却有法子不让枪里的子弹射出来。

突然间，光芒一闪。

那只刚掏出枪的手，骨头已完全碎裂。枪落下。

黑豹突然冲过去，两个人刚想迎面痛击，但黑豹的拳头和手肘已撞断了他们七根肋骨。

他凌空一个翻身，就像是豹子一样，一脚踢翻了那个正捧着手流泪的人。

接着，他已拾起了地上的枪。突然间，所有扑过来的人动作全都停顿，每个人脸上都露出恐惧之色。他们不是怕黑豹，他们怕枪。

黑豹将手里的枪掂了掂，又露出了那排野兽般的牙齿，微笑着："这就是手枪？"

他好像从来也没有见过手枪："听说这东西可以杀人的，对不对？"

没有人回答他的话，没有人还能说得出话来。

他们只看见黑豹的手突然握紧，那柄德国造的手枪，就渐渐扭曲变形。

变成了一团废铁。

黑豹又笑了。现在他手里已没有枪，可是他面前的人还是没有一个敢冲上来。他的手比枪更可怕。

他微笑着，向他们慢慢的走过来，手里的钥匙又开始"叮叮当当"的响。

然后他突然听见一个人冰冷的声音：

"这东西的确可以杀人的，你毁了它不但可惜，而且愚蠢。"

黑豹的脚步停顿。他回过头，就看见一只漆黑的枪管正对准了他的双眉之间。

枪在一只稳定的手里。非常稳定。撞针已扳开，食指正扣着扳机。

这人的声音也同样稳定，冷酷而稳定。

"只要你再动一动，我保证你脸上立刻就要多出一只眼睛。"

第四回 手枪、枪手

枪也许并不可怕，可怕的是这只握枪的手，这个握枪的人。

他就坐在那张铺着绿绒的赌桌后，穿着纯黑的夜礼服，雪白的丝衬衫，配上黑色的蝴蝶结，钻石领针在灯下闪闪的发着光。

他的装束和别的豪客完全没什么两样，正是个典型的花花公子。

他的脸色苍白，眼睛深陷下去，显然也是因为太多的酒，太多的女人，太多的夜生活。

可是他的一双眼睛却冷得像冰。

他看着你时，无论看多久，都绝不会眨一眨眼睛。

还有他的手。

苍白的手，指甲修剪得很短，很整齐，手指长而瘦削。

黑豹从未看见过一双如此稳定的手。

就因为这双手，这双眼睛，黑豹对他说出来的每个字都绝不怀疑。

"只要你动一动，我保证你脸上立刻就要多出一只眼睛。"

这种人说出来的话，绝不是吓人的。

黑豹没有动。

他甚至已可感觉到，自己双眉之间已开始在冒冷汗。

这人盯着他的脸："你就是黑豹?"

"是。"

"我在柏林的时候已听见过你的名字，你的出手确实很快。"

"……"

"但我也可以向你保证，世上最快的，还是从手枪里射出的子弹。"

"我相信。"

"你最大的好处，就是能相信别人的话。"这人嘴角露出一丝冷酷的笑容："否则你现在已带着你的第三只眼睛下了地狱。"

"我也听说过你。"黑豹忽然道："你叫高登，是个在德国长大的中国人。"

"你的消息也很灵通。"

"只有消息灵通的人，才能活得长些。"

高登嘴角又露出那种冷酷的笑意："你猜你还能活多久？"

黑豹看着他的手。

他的手还是同样干燥，同样稳定。

黑豹忽然笑了："无论活多久都没关系，像你我这种人，本就活不长的。"

"我们这种人？"

"你跟我岂非本就是同一类的人？"黑豹的声音也很平静："我们为别人拼命，为别人杀人，迟早也有一天，要为别人死。"

高登的脸上还是完全没有表情，但深沉的眼睛里却似已露出痛苦之色。

梅子夫人已经披上了别人为她送来的大衣，忽然大声呼喊："你为什么还不杀了他？你还在等什么？"

"我高兴等多久就等多久。"高登的脸色已沉了下去："我无论做什么事的时候，都不喜欢别人多嘴。"

"你知道我是什么人？"梅子夫人的气焰又高了起来。

"我当然知道，"高登冷笑："你是个婊子，杂种的婊子。"

梅子夫人的脸一下子又变成苍白，全身又开始在发抖。

那种高贵傲慢的态度，现在在她身上已连一点都看不见了。

"我总有一天要你后悔的。"梅子夫人咬着牙："总有一天。"

高登冷冷道："我现在就可以要你后悔。"

他突然放下了他的枪，放在桌上。

就在这一瞬间，黑豹的人已像豹子般跃起。

他并没有向高登扑过去，高登的手，距离他的枪只不过才三寸。

他向露丝扑了过去，一出手，就抓住了这少女的手臂。

露丝尖叫，梅子夫人也在尖叫。

黑豹冷冷道："你们若想这婊子的女儿活着，就让开一条路，让我走。"

打手们还在迟疑，梅子夫人已大叫："照他说的话做，快让路。"

黑豹用一只手挟起露丝，挡在自己面前，倒退着走出去。

"我们放你走,你为什么还不放开我女儿?"

梅子夫人又在叫。"六个小时之内,我一定放她回来。"黑豹冷冷道:"所以在这六个小时里,你们最好乖乖的什么事也不要做。"

"请等一等,"高登忽然道:"我还有句话要你听着。"

"我在听。"

"我先杀了她,还是可以杀你。"高登冷笑着:"我并不在乎多杀一个婊子的女儿。"

"我明白。"

黑豹已退出门,突然翻身,一眨眼就看不见他的人了。

大厅里突然变得坟墓般静寂。梅子夫人怔在那里,这贵妇现在看起来就像是条母狗。打手们一个个垂头丧气,已退到角落里的赌客们,都在后悔今天不该来的。

然后他们又听见高登冰冷的声音:"这里的人既然还没有死光,为什么不赌下去?我还没有赢够哩。"

田八爷家里也在赌,赌牌九。

推庄的人是金二爷,他已输了十万,嘴里衔着的雪茄烟灰虽已有一寸多长,却还是连一点都没有掉下来。

无论谁都知道,金二爷是个最沉得住气的人,尤其是在赌的时候,无论输赢有多大,他都绝不会动声色。

田八爷是大赢家,当然也很冷静。

张大帅就不同了。

他也陪着输了五万,已开始暴跳如雷,多种骂人的话已一齐出笼。

"我入他娘的皮活儿。"张大帅把手里的牌往桌上一拍:"又是他奶奶的炮十。"

除了"老八股"硕果仅存的这三位大亨外,还能在旁边陪着押一押的,就只有三个人。

一位心宽体胖,手上戴着一枚十克拉大钻戒的,是大通银行的董事长兼总经理,"活财神"朱百万。

一位面黄肌瘦但却长着个大鹰钩鼻子的老人,是前清的一位遗老,曾经做过江苏道台的范鄂公。他是湖北的才子，是晚清的名士，现在却是金二爷的清客和智囊。

这两人坐在一起，正是个最鲜明的对照。

还有位穿着极考究，风度极好的外国绅士，正是法国名律师梅礼斯。他在中国近四十年，中国话说得甚至比有些中国人还好。

除了他们外，其余的人，只不过在旁边凑趣而已。

"他奶奶的熊，这一注老子总算押对了吧。"张大帅又把手里的两张牌往桌上一拍。

一张天牌，一张人牌。

天帛。

张大帅脸上发出了光，无论怎么说，天帛都不能算小牌了。

金二爷不慌不忙的也亮出了他的牌。

一张丁三，一张二六。

至尊宝猴王，统吃。

张大帅跳起来，"吧"的一拍桌子，几乎连桌子都翻了。

他什么话也不说，拉起旁边一个十四五岁的小姑娘，就往内房走。

金二爷弹了弹烟灰，微笑着道："老三还是老毛病不改，一输多了，就要弄个清倌人开采，冲冲喜。"

"二哥以前难道又是什么好人？"田八爷笑着道："但自从有了春姑娘后，二哥倒改了不少，简直变成了个道学君子了。"

金二爷大笑。

站在他身后，那波斯猫一样的美丽女人，也红着脸笑了。

她笑起来的时候，玫瑰般的面颊上，一边露出一个深深的酒涡。

这时候大厅外走进一个穿着白制服的仆役来，在梅礼斯耳朵旁悄悄说了两句话。

这位名律师告过罪后，就跟着他走了出来。

等到再进来的时候，这位在法庭上一向以冷静著称的律师，竟像是变了另一个人。

他没有在赌桌旁停留，就立刻冲入了后面专门为客人准备的内房。

金二爷看在眼里，脸上不禁露出得意的微笑。

他知道黑豹的任务一定已成功了。

英国名牌的劳斯洛埃斯汽车，在驶得最快的时候，车上的人惟一能听到的声音，也只有时钟的"嘀嗒"声——这是汽车飞驰的豪语，也是事实。

露丝蜷曲在车厢的一角，身子虽然还在发抖，脸上的泪却已干了。

汽车是她父亲的，车上的司机却已换了个陌生人。

就算在这最繁华的大都市里，这种名牌汽车也只有两部。

事实上，这种汽车全世界都没有几辆。

这本是她常常觉得自傲的，但现在她却希望这是辆老爷车，希望别人能追上来。

黑豹斜倚在车厢另一边，冷冷的看着她。

只看，不说话。

他本就是个不喜欢多说话的人。

露丝正咬着嘴唇，所以她苹果般的面颊上，也露出了两个深深的酒涡。

黑豹正在看着她的酒涡。

"你……你究竟准备要把我怎么样？"露丝终于忍不住问。

她说的中国话也和她父母同样标准，但黑豹却好像听不懂。

过了很久，他才慢慢的回答："我要带你到一个安全而秘密的地方去。"

"然后呢？"露丝可以听见自己的心在跳。

黑豹还是在看着她的酒涡，一个字一个字慢慢的回答："然后我就要强奸你！"

一位像露丝这样的千金小姐，听到"强奸"这样两个字，就算不吓得立刻晕倒过去，也要大叫起来。

但露丝的反应却很奇怪。

她连一点反应都没有，只是静静的坐在那里，看着黑豹。

车厢里很暗。

在暗影中看来，黑豹就像是一个用大理石雕刻出的人像。

他脸上的轮廓鲜明而突出。

"你用不着强奸我。"露丝忽然说。

黑豹的脸上虽然仍不动声色，可是显然也觉得很奇怪。

"我并不是你想像中的那种千金小姐，十五岁的时候，我已有过男人。"

她看着黑豹脸上的表情，忽然笑了，笑得很甜，脸上的酒涡更深："所以你根本用不着强奸我，因为我本来就喜欢你，只要你叫前面的司机下车，在车上我就可以跟你……"

她忽然停住了嘴。

因为她发觉黑豹的反应也很奇怪。

别的男人听了她的话，纵然不觉得受宠若惊，也一定会很愉快的。

但黑豹脸上却突然露出种近于疯狂般的愤怒表情，眼睛里也像是有火焰燃烧了起来。

"原来你也是个婊子，是条母狗，随便跟哪个男人你都肯上床？"

他的声音低沉而嘶哑，就像是野兽从喉咙里发出的愤怒吼声。

露丝看着他，浅蓝色的眼睛已露出惊讶恐惧之色。

她一向对男人很有把握。

但是她实在弄不懂这个男人，也不懂他为什么会突然变得如此愤怒。

她尽量控制着自己，勉强露出笑容："我当然要选男人，可是，像你这种男人，每个女人都喜欢的。"

"你喜欢我？"

"嗯。"

"你肯不肯永远跟着我？"

"当然肯。"露丝连想都不想，就立刻回答，现在她只希望能好好脱身。

谁知黑豹却疯狂般跳起来，重重一个耳光往她脸上有酒涡的地方捆了过去。

"你说谎，你这条只会说谎的母狗，我要杀了你，叫你再也不能骗人。"

他怒骂、狂殴，拳头雨点般落下，这冷静的人竟似已变得完全疯狂。

露丝惊呼、尖叫、挣扎，到后来却已连呻吟都发不出来。

她美丽的脸被打得扭曲变形，鲜血不停流下来。

昏迷中，她感觉到自己的衣襟被撕开，感觉到冷风从车窗外吹上她赤裸的乳房……

露丝醒来时，发现自己已来到一个阴暗的货仓里，身子几乎是完全赤裸的。

黑豹就坐在她对面，坐在一只木箱上。

他动也不动的坐着，脸上又变得全无表情，似已完全麻木。

可是他那双漆黑深沉的眼睛里，却充满了一种无法描叙的痛苦之色。

他侮辱殴打了别人。

但他的痛苦，却似比被他侮辱殴打的人更深。

牌九还在继续着。

金二爷已由大输家变成了大赢家。

就在他第三次统吃的时候，张大帅突然从里面冲出来，推开了坐在天门上的朱百万，两只大手撑着桌子，瞪着金二爷大吼："你知不知道你的人做了什么事？"

"你说的是谁？"金二爷还是不动声色。

"黑豹！那狗养的黑豹。"

"他做了什么事？"金二爷在皱眉。

"他砸了我的赌场！杀了我五个人！"张大帅大吼，"还绑走了梅律师的女儿。"

"砸了你的赌场？"金二爷摇摇头，不以为然："你的赌场，就是我们的赌场，我相信他绝没有这胆子走动的。"

"他砸的是我在法租界新开的那一家！"张大帅的脾气一发，就什么都不管了。

金二爷却露出很吃惊的表情："那是你的赌场？我们怎么会不知道？"

张大帅怔住了。

金二爷又在叹息："连我们都不知道，他当然更不会知道，所以你也用不着生太大的气，我叫他去跟你赔礼就是。"

"赔礼？"张大帅握紧拳头，重重一拳打在桌子上："我要他赔个鸟礼，我要他的狗命，他若跑得了，我就不姓张。"

他冲出去，又转回头："这件事你最好不要管，免得伤了我们兄弟的和气。"

金二爷还是在叹息。

梅礼斯看了看他，想说什么，又忍住，终于也跟着冲了出去。

客人们和女人都知趣的离开了。

大厅里只剩下四个人。

金二爷坐在那里，猛抽雪茄。

田八爷背负着双手，在前面踱方步。

朱百万掏出块雪白的手帕，在不停的擦汗。

范鄂公半闭着眼睛，跷着脚，仿佛正在推敲着他新诗的下一句。

墙上的自鸣钟突然响起，敲了十一下。

十一点整。

"这件事你究竟想管？还是不想管？"田八爷忽然停下脚步，站在金二爷面前。

"你看呢？"金二爷反问。

田八爷沉吟着："我实在想不到老三竟会勾结外国人，偷偷的去做生意。"

"他的开销大。"金二爷淡淡的说，面前迷漫着雪茄的烟雾。

"他的开销大？谁的开销小了？"田八爷显得有点激动："何况我们总算是磕过头的兄弟，'有福同享，有祸同当'，这句话他难道忘了？"

"听说那家赌场的生意不错，梅律师那辆名牌车也是新买的，"金二爷笑了笑，又叹了口气："那种车连我都坐不起。"

田八爷冷笑，不停的冷笑。

范鄂公眯着眼睛，忽然曼声低吟：

"害人之心不可有，防人之心不可无，先下手的为强，后下手的遭殃。"

金二爷立刻摇头："老三的脾气虽然坏，但我想他总不至于拿我们开刀的。"

范鄂公端起杯白兰地浅浅的啜了一口，悠然道："李世民若也像你这么想，他非但做不了皇帝，只怕早已死在他兄弟手里。"

这位湖北才子，对历史和考据都相当有研究的。

金二爷不说话了。

田八爷又停下脚步："我认为鄂老的话，绝不是没有道理的。"

"你的意思怎么样？"金二爷自己好像连一点主张都没有。

田八爷也不说话了，这件事的关系实在太大，他也不愿挑起这副担子。

范鄂公却很明白金二爷的意思，一个人要做大亨们的清客上宾，并不是件容易事。

他又慢慢的啜了口白兰地："射人先射马，打蛇就要打在七寸上。"

"张老三的七寸在哪里？"金二爷忽然问。

范鄂公笑了笑，笑得就像是条老狐狸。

"他的人现在在哪里？"

"想必是去追黑豹了。"金二爷道。

"他会不会一个人去？"

"当然不会。"

谁都知道黑豹是个很不容易对付的人，要想取他的命，就得动员很大的力量。

"现在他既然已尽出精锐，去追黑豹，他自己的根本重地必已空虚。"

金二爷看着田八爷，两个人眼睛里都发出了光。

"率众轻出，已犯了兵家大忌，这一战他已必败无疑。"

范鄂公将剩下的小半杯白兰地一饮而尽，倏然笑道："老朽既不能追随两位上阵破敌，只有在这里静候两位的捷报了。"

十一点十分。

赌场里依旧灯火辉煌。

但是这本来衣香鬓影，贵客云集的地方，现在却已只剩下一个人在赌。

高登。

他的夜礼服还是笔挺的，衬衫上连一点灰尘都找不到。

他脸上也还是完全没有表情，一双手还是同样稳定而干燥，右手距离他的枪，还是只有三寸。

现在他已换了张赌桌，正在押单双。

梅子夫人坐在角落里一张十九世纪的法国靠椅上，手里捧着杯咖啡，在发怔。

她那双浅蓝色的，美丽而灵活的眼睛，现在仿佛已变成了一双死鱼的眼睛，既没有生气，也没有表情。

只有她那双纤秀美丽，指甲上染着玫瑰色蔻丹的手，还在不停的发抖，抖得杯子里的咖啡，都几乎要溅出来。

没有人开口，连呼吸声都很轻。

大厅里只能够听得见偶尔响起摇骰子的声音，还有庄家那呆板而单调的吆喝声："十一点，大，单……"

高登面前的筹码似已比刚才高了些。

十一点十三分。

张大帅突然旋风般冲了进来。

除了梅礼斯，他身后还跟着六个人。

紧贴在他身后的两个日本人，浓眉细眼，身材很矮，肩膀却很宽，整个人看起来就像是方的。

但他们的行动却很敏捷，很矫健，身上穿着宽大的和服，腰上系着黑带。

梅子夫人看到她的丈夫，立刻起来，倒在他怀里，哭得像是个泪人儿。

她丈夫就轻抚着她的柔发，用各种话安慰她，法国人本就是最温柔最多情的。

张大帅不是法国人，而这一辈子从来也不懂得怜香惜玉。

他的浓眉已打了个结，终于忍不住破口大骂："他奶奶的熊，哭个什么鸟？咱们是来办正事的，不是来看你女人撒娇的。"

梅子夫人的哭声果然立刻就停住，她也发现现在不是撒娇的时候，而且她对这个蛮不讲理的黄种人，也觉得有点畏惧。

直到现在，她才真正领教过黄种人的威风。

梅礼斯这才开始问，黑豹是怎么来的？怎么走的？往哪条路走的。

梅子夫人断断续续的说着，还不时用白眼狠狠的去瞪高登。

高登还在赌。

除了面前的筹码外，他眼睛里好像什么都看不见。

梅礼斯的脸色却已变得铁青，忽然冲到张大帅面前，指着高登："这个人是你请来的？"

张大帅点点头。

"他不但放走黑豹，而且侮辱了我妻子。"梅律师用他在法庭中面着法官的神情说："我要求公道。"

"公道?"张大帅又皱起了眉："什么公道?"

梅礼斯的声音更响亮："我要求你惩罚他。"

张大帅沉吟着："杀了他好不好?"

梅礼斯闭着嘴，死罪虽然太重了些，可是在这种情况下，他并不反对。

"叫谁去杀他呢?"张大帅仿佛又在考虑，忽然从怀里掏出一把枪，抛给梅礼斯道："这是你的事，听说你的枪法也很准，你自己动手最好。"

梅礼斯看着手里的枪，怔住了。

他的确练过射击，在五十码以内，他随时可以击中任何靶子。

但这个人绝不是靶子。

这个人的习惯是将别人当做靶子。

现在他虽然连看都没有抬头看一眼，但他的手距离他的枪才三寸。

梅礼斯看了看这个人，又看了看手里的枪，他的手已开始发抖，手心已开始流汗。

张大帅瞪着他，冷冷道："枪就在你手里，人就在你面前，你还等什么?"

梅礼斯轻轻咳嗽了几声，把手里的枪慢慢的放在旁边桌子上。

"我是个律师，我懂得法律，"他掏出块手巾在擦汗："我不能杀人。"

"是不能? 还是不敢?"

张大帅突然大笑，大笑着走到高登面前："老弟，输赢怎么样?"

"赢得还不够。"高登总算抬头看了他一眼。

"赢了多少?"

"五万五。"

"你想赢多少?"

"十万。"

张大帅忽然卷起衣袖："老弟，咱们来赌一把怎么样?"他推开了那做庄的："一把见输赢，我输了你就赢了十万，你输了就算你活该。"

高登笑了。

其实那也不能算真的在笑，只不过嘴角露出了一丝笑意。

"好。"他连想都没有想。

"咱们来推牌九。"张大帅也跟真的张大帅一样，喜欢吃狗肉——吃狗肉的意思就是推牌九。

也许他本来就是特地在模仿那位狗肉将军。

"好。"高登还是一点考虑都没有。

立刻就有人送来一副象牙牌九。

张大帅将三十二张牌九都翻过去："你随便选两张，再选两张给我。"他大笑道："俺是个痛快人，要赌也赌得痛快。"

牌已分好。

大厅仿佛忽然又变成了坟墓，每个人都连呼吸都已停顿。

他们虽然已见惯了一掷千金无啬色的豪赌客，但五万一把的输赢实在太大。

高登随随便便的将手里两张牌看了看，就翻过来，摆在桌上。

一张丁三，一张杂八。

只有一点。

张大帅大笑："老弟，看样子你这一手只怕是输定了。"

高登还是在微笑，一双手仍然同样稳定干燥。

这个人的神经就像是钢丝。

张大帅"吧"的，将手里两张牌一拍，合起，再慢慢的推开。

他脸上的笑渐渐冻结。

"他奶奶的熊。"张大帅又重重的把手里的两张牌往桌上一拍，覆盖在桌上："又是他奶奶的臭炮十，差一点都赢了。"

高登看着他，什么话都没有说。

"老弟，这一次算你的运气好。"张大帅叹了口气："但是俺还是不服气，改天咱们再来赌，只可惜今天……"

他忽然压低声音，又道："今天不是俺怪你，你为什么要放那黑小子走呢？"

高登淡淡道："我随时都可以杀了他，我为什么要着急？"

"咱们现在就去做了他怎么样？"

"我是你请来的。"高登已慢慢的站了起来，手一动，桌上的枪已不见了。

张大帅又大笑："把高老弟赢来的钱送到他饭店房间去，咱们现在就要去打猎了。"他又挺起了胸："入你娘的皮活儿，这次我看那条黑豹子还他奶奶的能往哪里跑。"

张大帅又带着他的人，旋风般走了。

一个扫地的老头子，刚才也在旁边看着那场豪赌，他实在不相信天下有那么倒霉的事。

"三十二张，他怎么会偏偏就拿了副炮十？"

老头子实在不信，他忍不住将张大帅刚才那两张牌翻开来看了看。

一张天牌，一张梅花。

两点虽然不能算大，但赢一点已足足有余。

老头子看着这两张牌，怔了半晌，才叹了口气，喃喃自语："谁说张大帅是个大老粗，我看他简直比金二爷还精明。"他摇着头，叹息着："谁若将他当做大老粗，不栽在他手里才是怪事。"

现在正是十一点三十分。

"到哪里去找那条豹子。"

"他跑不了的。"

"为什么？"

"他不该坐那辆汽车走,那种汽车无论走到哪里,都难免要引人注意。"

张大帅的确不是大老粗，否则他今天也就当不了张大帅了。

这道理金二爷应该明白的。

黑豹也应该明白。

"问问看，有谁看见了那辆银灰色的四门英国轿车没有。"

张大帅说话的声音虽不高，但却已响彻这大都市。

十一点三十三分。

金冠夜总会门口的门童小李报告：

"那辆车子大概是一个多小时前经过的，往霞飞路那方面急驶过去。"

十一点三十六分。

霞飞路旁摆水果摊的刘跛子报告：

"我本来没有注意那辆车子，但是，忽然听见车上有女人尖叫，等我注意时，车子已转向江滨大道。"

十一点四十一分。
江滨大道码头上的老王报告：
"一个多钟头前，的确有那么辆车子经过，开得很快，车上有种很奇怪的声音发出，好像有人在打架。"

十一点四十五分。
在江滨大道十字路口上站岗的巡警报告：
"车子是往虹桥那边去的，车上有人，但我却没听见什么声音。"

十一点四十六分。
张大帅特制的大型轿车里。
"虹桥。"张大帅沉吟着："虹桥那边有什么可以躲藏的地方？"
梅礼斯不停的搓着手，眼睛里忽然发出了光。
"一定是以前在那里堆私货的货仓，自从出过一次事后，就一向空着在那里。"
张大帅用拳头重重一敲膝盖。
"直开虹桥货仓。"

十一点四十八分。
五辆漆黑轿车，往虹桥急驶而去。
车上除了张大帅、梅礼斯、高登和那两个日本柔道武士外，还有张大帅门下二十四条最能打的好汉。
其中有九个是南派"六合八法"的高手，十个善使斧头。
另外四个练的却是北派谭腿，每个人据说都能横扫三根木桩。

十一点四十八分。
波波已睡熟。
她枕头旁有黑豹替她买来的一大堆零食和小说。

第五回　火　并

昏黄的灯光，从货仓的天窗上斜斜照进来。

露丝蜷曲在货仓的角落里，想偷偷看一看她的瑞士名牌手表。

表却已停了，表停的时候是十点十分。

现在是什么时候了？

露丝想问，又不敢问。

她脸上的血虽已干了，但左眼却已肿得连张都张不开来，鼻梁似也有些歪了。

只要垂下眼，她就可以看到自己的嘴，本来的樱桃小口，现在也已肿得很高。

而且她全身都在发疼，身上每一根骨头都好像打散了。

可是她最关心的，还是自己的脸，她不知道自己的脸已被打成什么样子。

她连想都不敢想。

黑豹还是动也不动的坐在那里，黝黑阴沉的脸上，全无表情。

"他在想什么？他究竟想把我怎么样？"

露丝当然更不敢问。

她又希望她父亲和那很有力量的朋友，能找到这里，救她出去。

他们现在为什么还不来呢？

"现在一定已经快天亮了。"

在露丝的感觉中，每一分钟好像都有一个钟头那么长。

她不由自主又偷偷看了看她那早已停了的表。

"现在还不到十二点。"黑豹忽然道。

还不到十二点？时间为什么过得如此慢？

从那灯火辉煌的赌场，到这阴森潮湿的货仓，简直就好像从天堂堕入地狱一样。

露丝简直不敢相信这是真的事，只希望这不过是场噩梦。

但这场噩梦到什么时候才能醒呢？她忍不住偷偷叹了口气。

"你放心。"黑豹忽又笑了笑，笑得很奇怪："很快就会有人来救你的。"

露丝不敢相信。

"他们虽然找不到我，却能找到那辆汽车。"黑豹淡淡道："那辆汽车就停在外面。"

露丝终于忍不住问："你……你难道故意要他们找到这里来？"

黑豹冷笑。

"你难道想用我来要挟他们？"

黑豹还是在冷笑。

露丝眼睛里忽然充满希望："只要你肯放了我，无论你要多少钱，我父亲一定会付的。"

黑豹看着她，冷冷的道："你自己觉得自己能值多少？"

"我……"露丝说不出来。

世上又有谁能真正了解自己的价值。

"依我看，你只不过是条一文不值的母狗，"黑豹冷笑，道："我若是你老子，我连一毛钱都不会付。"

"我自己也有钱，我可以带你去拿，可以全部给了你。"

"你有多少？"

"有一万多，都是我的私蓄。"

"不是别人嫖你时给你的？"

露丝实在忍不住了，大声道："我若不高兴，别人就算付我十万，也休想动我一根手指。"

黑豹突然大笑，笑得几乎已接近疯狂。

露丝吃惊的看着他，她已发现这男人一定受过很大的刺激。

这种男人是什么事都做得出来的——就跟那些受过很深刺激的女人一样。

他们往往连自己都无法控制自己。

露丝的身子不由自主又在往后缩。

黑豹的笑声突然停顿，突然跳起来，一把揪住她的头发，厉声问："外面是什么人？"

其实外面并没有什么声音。

汽车马达很远就熄了火。每个人走过来时的脚步都很轻。

他们已看见了那辆停在暗巷里的车子，所以都特别小心。

但黑豹却似有种野兽般的第六感，他们还没有走到门外，就已被发觉。

"这小子好长的耳朵。"张大帅冷笑："但只要他的人在里面，无论他有多长的耳朵，我都要割下来，连他的脑袋一起割下来。"

"这可能是个圈套，"旁边有人在说话："说不定金二爷已经在里面埋伏了人。"

他的话还没有说完，张大帅就一口痰唾了过去，道："入你娘的皮活儿，你他奶奶的以为老子真是个大老粗。"

"大帅早已调查过了，金二爷得力的人都在原来的地方没有动，就算有几个小喽啰在这里，也济不了事的。"又有人在解释。

"但黑豹却是金二爷的亲信，大帅若真的干了他，金二爷难免要生气的。"

这人叫张勤，不但是张大帅的亲戚，而且从"老八股党"的时候，就跟着张大帅。

他脸上被唾了一口痰，连擦都不擦，还是忍不住要将心里的话说出来。

只要有张大帅的一句话，就算要他割下脑袋，他也不会皱一皱眉头。

这种人在"上流社会"中虽少见，但在江湖中却有不少。

"我入你娘，你老子怕过谁？"张大帅嘴上虽在骂，心里却对这个人喜欢得很。

他骂得越凶的人，往往就是他越喜欢的人。

"大帅其实早就想动金二爷了，现在这正是个好机会。"旁边又有人在悄悄解释："只要黑豹一死，金二爷就等于断了一条膀子，他若能忍住这口气倒还罢了，若是忍不住，嘿嘿——大帅只怕马上就要他的好看。"

张勤不再说话，他终于明白了。

他本来就在奇怪，张大帅怎么会为了梅律师的女儿动这么大的火气。

现在他才明白，张大帅这只不过是在借题发挥，先投个石子问问路。

张勤忍不住在心里叹了口气，江湖中这些勾心斗角的勾当，他实在不太懂。

他已下了决心，只要张大帅这件事一办妥，他就回家去啃老米饭。

"黑豹，你听着，只要你放我女儿出来，我们什么事都好谈。"梅礼斯父女连心，终于忍不住大声呼喊了起来。

过了半分钟，货仓中就传出了黑豹的声音："先谈条件，再放人。"

"什么条件？"

"这条件一定要张三爷自己来谈，他可以带两个人进来，只准带两个人，不准多。"

"我入你娘，老子几时跟别人谈过条件。"张大帅又开口骂了。

"不谈条件，我就先杀了她！"黑豹的声音又冷又硬。

梅礼斯连眼睛都红了，拉起张大帅的手："我只有这么样一个女儿，我一向是你的朋友，你救了她，以后我什么事都可以替你做。"

张大帅终于跺了跺脚："好，我就听你的，高老弟，你跟我进去。"

梅礼斯抢着道："还有我。"

"你没用，"高登冷冷道："你进去反而成了累赘。"

梅礼斯想瞪眼，却垂下了头。

一个人在求人的时候，无论受什么样的气，都只好认了。

那两个日本人忽然同时抢前一步，拍了拍自己的胸膛。

他们虽然听得懂一点中国话，却不会讲。

这两人一个叫野村，一个叫荒木。

张大帅选了荒木。

高登却又摇了摇头。

"他也不行？"张大帅忍不住问。

"他虽然是柔道高手，到时候却未必肯真的替你卖命。"

"你选谁？"

高登转过头，去看张勤："这些人里面只有他对你最忠实。"

张勤目中不禁露出了感激之色，右手已撤下了插在腰带上的斧头。

张大帅突然大笑，拍着高登的肩："想不到你非但枪法准，看人也很准。"

货仓的大门并没有上闩。

张勤轻轻一推，门就"呀"的一声开了。

门里阴森而黝暗，只能够看见一堆堆零乱的空木箱。

张勤右手紧握着斧头，左手拿着根手电筒。

可是他并没有让电筒亮起来，他怕电筒一亮，黑豹更不肯现身了。

无论如何，他总算也是个老江湖。

"黑豹。"张大帅的火气又将发作："你连面都不敢露，还跟老子谈什么鸟条件。"

这句话刚刚说完，黑暗中就响起黑豹那冷冰冰的声音。

"我一直在这里，你为什么不抬起头来看看！"

声音是从上面传下来的。

张大帅一抬头，果然立刻就看见了黑豹站在一堆木箱上。

手电筒的光也亮了起来。

光柱并没有照着黑豹，却照在一个赤裸裸的女人身上。

她曲线玲珑的躯体，在灯光下看来，更令人心跳。

张勤的心在跳，不由自主将电筒熄了。

他毕竟是个老实人。

"滚下来。"张大帅怒吼："老子不喜欢别人站在老子头上跟老子谈条件。"

"我要说的话，就在这里说。"黑豹冷冷道："你可以不听。"

"你有话快说，有屁就快放。"张大帅居然忍住了气。

"你上当了。"黑豹在冷笑。

"上当，上什么当？"

"你以为这件事真是我自己干的？"

"不是？"

"金二爷叫我诱你到这里来，而且算准了你一定会来。"

张大帅这次居然没有插嘴，让他说下去。

"你既然亲自出马，就一定会将你手下的好手全都带来。"黑豹的声音很冷静："金二爷就可以一下去捣破你的老窝，先让你无家可归，再让你无路可走。"

张大帅的浓眉又打了个结："我入你娘，你他奶奶的是不是想挑拨老子兄弟。"

黑豹冷笑。

"这些话你本来不必告诉老子的。"张大帅忍不住又道。

"我告诉你,只因为我也上了当。"

"你上了什么鸟当?"

"他本来答应支援我的,但现在我却一个人被困在这里。"

他的脸在阴影中,根本看不见他脸上的表情,可是他那双发亮的眼睛里,的确带着种被骗了的痛苦和愤怒之色。

张大帅盯着他,显然还是不太相信。

"我坐那辆车子,就是要引诱你们追到这里来。"

"这也是金二爷的主意?"

黑豹点点头:"我既然知道你们要来,为什么还要在这里等?"

"这个人虽然有点愚蠢,却绝不是呆子。"高登忽然道。

"这世上并没有真的呆子。"黑豹冷笑着说:"我在这里等,只是因为我相信金二爷绝不会出卖我。"

"那老小子有时连他的祖宗都会出卖。"张大帅好像忽然变得在帮黑豹说话了。

"你在为别人卖命的,却被那个人出卖了,这种滋味实在不好受。"

黑豹说的这句话,张大帅并没有听。

他在张勤耳边吩咐:"叫荒木带十八个人赶回去。"

"这里呢?"张勤问。

"这里有高登一个,已可抵得上十个。"

黑豹还在继续往下说:"不管他姓金也好,不姓金也好,只要他骗了我,就得付出代价。"

张大帅这才问道:"你想报复?"

"只要你给我机会,让我走!"

张大帅沉吟着:"我不但可以给你机会,还可以给你五万块。"

在谈这种事的时候,他那些骂人的话,忽然全都听不见了,神情也变得非常严肃:"只要你真的肯替我去做了金老二,你要求的条件,我全都可以答应。"

"你肯先放我走?"

"当然。"张大帅道:"但你也得放了这女人。"

"你还得给我辆车子。"

"行。"

黑豹的眼睛更亮了："一言为定?"

"闲话一句。"

"好,你退后三步,我就下来。"黑豹的人已开始动,手里的钥匙立刻响了起来。

张大帅立刻退后了三步,却乘机在高登耳边轻轻说了八个字:"先杀女人,再杀黑豹!"

十二点一分。

在霞飞路后面的高级住宅区,有一栋面积很大的三层楼花园洋房。

壁上的大钟刚敲过十二响,忽然有六辆轿车,急驶而来,停在门外。

下车按铃的是金二爷的司机老刘。

老刘的脸是张公馆每个人都认得的。

本来门禁森严的张公馆,铁栅大门立刻开了。

金二爷背负着双手,慢慢的下了车:"你们的三爷呢?"

"三爷不是跟二爷一起在田八爷家里喝酒么?"应门的陈大麻子觉得很奇怪。

陈大麻子也是张大帅手下的老人了,一柄斧头也曾劈死过不少跟"老八股党"作对的人,若不是因为好酒贪杯,也不会屈为门房。

若不是因为他虽然好酒,却很忠诚可靠,张大帅也不会要他做自己老窝的门房。

金二爷吸了口雪茄,慢慢的喷出来:"我跟他早就分手了,他怎么还没回来?"

陈大麻子当然也不知道。

他正想开口,忽然一阵刺痛。

刘司机手里刚抽出来的一柄刀,已刺入了他左胸旁第三根肋骨和第四根肋骨之间。

那里正是距离心脏最近的地方。

陈大麻子连一声惨呼都没有发出来,就倒了下去,倒下去后,嘴角才开始沁出鲜血。

他的眼睛并没有闭起来,一双凸出的眼珠子,还在瞪着金二爷。

金二爷却再也没看他一眼，喷出了一口雪茄烟，挥手道："先搜三楼上二姨太卧房里的保险箱，若有人挡路的……"

他没有说下去，只做了个手式。

这手式的意思就是："格杀勿论!"

"先杀女人，再杀黑豹!"

高登的手已经滑入晚礼服的衣襟，指尖已触及了枪柄。

他的手指比枪还冷。

直到现在，他才真正看清了张大帅这个人。

他不愿为这种人做任何事，可是他们之间的"合约"却必须遵守。

枪手也有枪手的规矩。

黑豹已挟着露丝从木箱上跳下来。

露丝已晕了过去，所以她死的时候并没有痛苦。

"砰"的，枪声一响，子弹已贯穿了她的眉心，射入她大脑。

高登的枪是绝不会落空的。

张大帅眼睛里露出满意的表情，他的钱花得并不冤枉。

他已看出黑豹绝对没法子用一个死人来作盾牌，高登的枪再一响，黑豹就得倒下去。

但是枪声并没有再响。

就在第一响枪声过后的那一刹那间，只听"叮"的一声，一柄钥匙已经插入了高登的枪管，子弹已射不出来。

几乎也就在这同一刹那间，黑豹的人突然豹子般冲起，一窜三丈，扑向张大帅。

张大帅的江山也是用血汗拼出来的。

他并不是个反应迟钝的人，多年来养尊处优的生活，显然已使得他肌肉渐渐松弛。

但他的动作还是很快。

黑豹的身子一冲起，他已翻身冲出去，一面伸手拔枪。

但他的枪已在赌场中交给了梅礼斯，现在还摆在赌场的那张桌子上。

他的手掏空，掌心已捏起一把冷汗。

就在这时，他只能感觉到黑豹身子扑过来时，所带起的风声。

他忽然发觉自己的行动已远不及昔日迅速，忍不住失声大呼："野村——"

外面果然有个人拼命冲了进来，但却不是野村。

锋利的斧头寒光一闪，直劈黑豹，来拼命的果然还是张勤。

他的斧头已剁向黑豹的膝盖。

黑豹忽然凌空大喝，身子突然一翻。

喝声中，张勤只看见黑豹的腿突然向后踢出，一双拳头却已像铁锤般击在他鼻梁上。

他甚至可以感觉到他的鼻梁碎裂时的那种痛苦和酸楚，可以感觉到眼泪随着鲜血一起流出来。

但他再也不能感觉到别的事了。

黑豹的身子落下时，脚已踢在他咽喉上。

他倒下去的时候，手里还是紧紧的握着他的斧头。

晕眩中，他仿佛已回到了他的老家，正和他少年时已娶回家的妻子，坐在他们那老屋的门口，啜着杯苦茶，眺望着西天艳丽的晚霞……

他本该早些回去的。

也许他这种人根本就不该到这种大都市。

高登看着手里的枪，似乎在发怔。

枪管上竟已有了裂痕，这一把钥匙的力量好大！

黑豹一脚踢飞张勤，忽然转过脸，露出雪白的牙齿向他一笑，道："我欠你一次情，现在已经还给你。"

高登冷冷的看着他。

"我只有一件事想告诉你。"他的脸上还是完全没有表情："一个真正的枪手，身上绝不会只带着一柄枪的。"

他的左手里忽然又多出一柄枪。

黑豹仿佛一怔，但他的人已扑了出去。

外面的情况已完全改变。

张大帅冲出来时，已发觉情况改变。

加上司机，他本来还有十三个人留在外面。

这十三个人全都是经历过无数次血战的打手，都曾经替他卖过命。

他带在身旁的，本就是他部属中最忠实，最精锐的一批人。

虽然他大部分契约、股票和秘密文件全都在他三楼上那个德国制的保险箱里，但他的命毕竟还是比较重要些。

可是他出来的时候，外面这块空地上，竟多出了二十个人。

二十多个穿着黑色短褂，用黑巾蒙着脸的人。

他们手上都拿着刀。

不是这地方黑社会中常用的小刀，而是那种西北边防军使用的鬼头大刀。

刀柄上还带着血红的刀衣。

张大帅又惊讶，又愤怒。

这二十几柄大刀已将他的人包围住。

"你们是什么人？干什么来的？"他的惊讶显然还不及恐惧深，所以他的声音已有些发抖。

没有人回答他的话。

他的话现在已不值得重视，何况这句话根本就不值得答复。

然后他就听见黑豹在身后冷笑："现在你是不是还想跟我谈谈条件？"

张大帅霍然转身，盯着他："他们是你的人？还是金老二派来的？"

"这一点你根本不必知道。"黑豹的背贴着墙，他还是不想在背上挨一枪。

"无论他们是谁的人，都一样可以杀你！"

张大帅长长吸进一口气，冷笑道："要杀我只怕还不容易。"

"你想试试？"黑豹的声音冷酷而充满自信。

"你要什么条件才肯让我走？"张大帅很迅速的就下了决定。

他本来就是个很有决断的人。

"只有一个条件。"

"你说。"

"跪在我面前磕三个头。"

张大帅的脸色变了，突然大喝："野村。"

那日本人虽然也有点恐惧，但日本武士道的精神已在他心里根深蒂固。

他立刻向黑豹扑了过来。

黑豹笑了。

他雪白的牙齿在黑暗中看来更像是个噬人的野兽，他招了招手，踏上三步。

"来罢，我早就想领教领教你们这些日本人究竟有多大的本事。"

他刚出手，这日本人突然间已搭住了他的手腕，他的人忽然间已被抡了出去。

高登站在黑暗的阴影中。

他看着梅礼斯奔进来，抱着他女儿的尸体，无声的流着泪。

法国人也是人。

血，毕竟是比水浓的。

高登又转过脸，去看外面的情况，他恰巧看见黑豹被抡了出去。

黑豹的头眼看已快撞上货仓屋顶的角。

那日本人看着他，脸上已不禁露出了得意的微笑。

谁知黑豹的脚突然在屋角上一蹬，身子已凌空翻了过来。

没有人能形容出他这种动作的矫健和速度。

野村脸上的笑容突然冻结，几乎不能相信自己的眼睛。

可是他也不能不信。

忽然间，黑豹的人已像豹子般向他扑了起来，左肘曲起，右拳半扣。

野村虽然吃惊，但一个像他这样的柔道高段，养气养静的功夫绝不是白练的。

他还是一眼就看出对方用的正是他们从"唐手"中变化出的"空手道"。

他在日本时，就已跟"空手道"的高段交过无数次手。

空手道的招式他并不陌生。

他已准备好对付的法子。

谁知黑豹一出手，招式竟然变了。

他的拳和肘都没有使出来，竟突然蹲下去，扫出一腿。

张大帅手下的那两个练谭腿的高手，都已认出他使出的这一着正是正宗北派谭腿。

谭腿的招式本来是和空手道完全相反。

这变化实在太大，实在太快。

但野村的反应也不慢，大吼一声，他的人也凭空跳了起来。

谁知黑豹这一腿还有变化。

他的右腿刚扫出，弯曲的左腿突又弹起。

他的拳头突然已打在野村鼻梁上。

野村竟没有鼻梁。

这鼻子竟是软的，就像是一团软肉——他的鼻梁早已动手术拿掉了。

黑豹打碎过无数人的鼻子，却从来也没有打过这样的鼻子。

他一怔，手腕已又被野村捉住。

这次野村不再上当，并没有将他抢出去，踏步进身，将他的手臂在肋下一挟一撞，竟想生生的将这条手臂挟断！

黑豹的身子已被摔转，另一只手已无法使出。

张大帅的眼睛里又发出了光。

只听一声狂吼，一个人飞了出去，重重的撞上后面的墙。

他倒下来的时候，鲜血已从他眼睛、鼻子、耳朵和嘴里同时流了出来。

这个人并不是黑豹，是野村。

他忘了黑豹还有一双脚，更想不到黑豹在那种情况下还有力量踢出这一脚。

他本来已扣住了这个人的关节和筋脉，黑豹全身的力量本已该完全被制住。

谁知道这个人竟是个野村永远无法想像的超人。

他竟能在最不可思议的时候，发挥出他最可怕的力量！

看着野村已软瘫了的尸体，每个人眼睛里都不禁露出了恐惧之色。

这个人本来就像是铁打的，但倒在地上时，却像是只倒空了的麻袋。

黑豹却还是像标枪般站在那里，冷冷道："听说这里还有南派'六合八法'，和北派'谭腿'的高手，还有谁想来试一试？"

没有人敢动。

黑豹忽然发现每个人的眼睛都在看着货仓大门，张大帅的眼睛里忽又充满了希望。

他身子立刻凌空跃起，忽然间已落在张大帅身旁，闪电般扣住了张大帅的臂。

他已发现这里只有张大帅才能挡得住高登的枪。

高登手里并没有枪。

他正从货仓里慢慢的走了出来，身上的晚礼服看来还是笔挺的，衬衫也还是同样洁白。

看他的神态，仿佛正在走进一家乐声悠扬，美女如云的夜总会。

他好像根本不知道这里已成为战场，好像根本不知道这里有几十个久经训练的职业打手，随时都在准备着拼命。

黑豹又笑了。

他欣赏这个人，更欣赏这个人的冷静和镇定。

这点他并不想掩饰。

高登已慢慢的走到他身旁，声音也同样镇定："现在我是不是可以走？"

黑豹微笑着："前面的路上有泥，我只希望你小心些走，莫要弄脏了你的新鞋子。"

高登的嘴角仿佛也露出一丝笑意："我走路一向很小心的。"

"那最好。"

"以后我还会去看你。"

"随时欢迎。"

"但现在我还想带一个人走。"

黑豹的笑容似已有些僵硬，眼睛盯着高登的手，过了很久，才慢慢的问出一个字："谁？"

"你应该知道是谁。"高登看着张大帅，张大帅已紧张得开始流汗的脸，立刻又有了生气。

黑豹沉吟着："你是来杀人的，还是来救人的？"

"我要杀的人本来是你。"

"哦。"

"但现在你还活着，所以……"

"所以怎么样？"黑豹追问。

"所以你欠我的，我却欠他的。"

黑豹的目光也转到张大帅身上道："所以你要带他走？"

"是。"

高登的回答也同样简单。

黑豹突又露出他野兽般的牙齿笑了："可是我想他绝不会跟你走。"

"为什么？"

"因为这里还有他的兄弟，他怎么肯甩下他们一个人走？"

高登突然也笑了。

他好像觉得黑豹这句话说得好妙，笑容中甚至已露出欣赏之意。

他欣赏黑豹正如黑豹欣赏他一样。

这一点他也从不想掩饰。

他忽然转向张大帅："你现在想不想走？"

每个人的眼睛都在看着张大帅，张大帅却没有看他的这些弟兄，连一眼都没有看。

"他奶奶的熊。"张大帅又戴上了他那副面具："这里既没有女人，也没有牌九，老子为什么不想走？"

黑豹突然大笑。

他已经发现那些人的眼睛里露出的那种悲愤失望之色。

"好！"他大笑着道："张大帅果然是条够义气、够朋友的好汉！"

"你现在才明白？"高登也在微笑着。

"我早已明白，只不过现在才证实了而已。"黑豹仍在大笑。

"就凭这一点，我就该让你带他走。"

因为他已发觉，张大帅纵然还能活着，但在他兄弟们心里却已死了。

永远死了。

就凭这一点已足够。

这一点张大帅自己也并不是不明白，但是他也有他自己的想法。现在情势之强弱，他也看得很清楚。

留得青山在，不怕没柴烧。

他甚至已想到以后向别人解释的话："我那次走，只因为我必须忍辱负重，必须要报复。"

在这些话当中，他当然还要加上几句"他奶奶的熊"。

大老粗说的话，是绝不会有人怀疑的。

现在黑豹已放开了他的臂。

现在不走，更待何时。

张大帅拍了拍衣襟，踏着八字脚走过来，眼睛还是不敢往他的兄弟们那边看。

但他却在大笑着："现在时候还早，咱们还可以去再赌一场。"

高登冷冷道："只要你还是肯故意输给我，我总是随时奉陪。"

张大帅咯咯的干笑着，笑得实在并不好看。

就在这个时候，他突然听见有个人在呼喊："等一等！"

一个人从黑暗中走出来，却是那位法国大律师梅礼斯。

张大帅皱起了眉。

难道这法国人也想跟着一起走？黑豹会不会再多放走一个人？

不管怎么样，张大帅现在却不想有人再来多事了，他已经准备不理这个曾经跟他合伙过的法国朋友。

法国人的眼睛却在盯着他，眼睛里好像已布满了血丝。

"我只有一句话想问你。"

只问一句话，总不会有太多麻烦的。

张大帅总算停下脚步，皱着眉道："什么话？"

梅礼斯的脸色苍白，怒声道："你为什么要他杀死我女儿？"

"你他奶奶个熊。"张大帅又开口骂了："这里又不是他奶奶的法庭，你问个鸟！"

梅礼斯瞪着他，眼睛更红。

张大帅已扭过头准备走了。

突又听见梅礼斯又在大喝："我还有一句话要告诉你。"

张大帅回过头，正准备大骂，但却没有骂出来，因为他已看见梅礼斯手里的枪。

那正是刚才交给这法国人的枪。

梅礼斯本已将这柄枪放在桌上，临走时却又偷偷带在身上。

"我要告诉你，"梅礼斯的声音突然也变得非常镇定。

"我的枪法的确也很准，现在就要把你打出两个屁眼来，第二个屁眼就在你脸上。"

张大帅的脸已扭曲。

他已看见他自己的手枪里冒出了火光，也听见了枪声一响。

"他奶奶的……"

这句话他还没有完全骂出口，他的人已倒了下去，脸上多出的那个屁眼里，鲜血已箭一般标了出来。

梅礼斯看着他倒下去，突然疯狂般大笑起来。

他大笑着，将手枪插入自己嘴里。

接着，又是枪声一响。

他的笑声立刻停顿。

这一枪也就是这地方最后的一响枪声。

现在正是十二点三十九分。

第六回　溅血、暗斗

十二点四十三分。

张大帅枪口里的血已停止往外流。

每个人都在看着他，冷冷的看着他。

不管他生前是个大老粗也好，是条老狐狸也好，现在他已只不过是个死人。

死人全都是一样的。

黑豹的神情仿佛已显得很疲倦，忽然挥了挥手。

"走吧，大家全走吧。"

张大帅带来的人全都怔住，他们正准备拼最后一次命。

这次不是为张大帅拼命了，这次他们准备为自己拼一次命。

他们谁也想不到黑豹居然会放他们走。

"我并不想杀你们，从来也不想。"黑豹的声音也仿佛很疲倦。

"你们全部都跟我一样，是被别人利用的，我只希望下次你们能选个比张大帅够义气一点的人，再为他拼命。"

突然有人在大叫："我们兄弟跟着你行不行？"

黑豹笑了笑，笑得也同样疲倦："先回去洗个热水澡，好好的睡一觉，到明天起来时，你们的主意若是还没有改变，再来找我。"

于是大家只好散了。

那些用黑巾蒙面，提着大刀的人，也忽然全都消失在黑暗里。

他们走得和来的时候同样神秘。

黑豹看着地上张大帅和梅礼斯的尸体，看着他们扭曲可怕的脸，喃喃道："他奶奶个熊，愁眉苦脸的干什么，地狱里的赌鬼多得很，你们不会到那里再去开赌场吗？"

"你放心，等你到了那里时，他们一定早已开好赌场在那里等你。"

高登居然还没有走，正在冷冷的看着他。

黑豹突又大笑："等我去干什么？去捣乱？"

高登还是冷冷的看着他，过了很久，才慢慢说道："我现在才看出来，你好像也跟张大帅一样，脸上也戴副面具。"

"现在太晚了，你也许还看不清楚。"黑豹还在笑："我劝你也先回去洗个澡，睡一觉，明天你若还想看，我一定让你看个仔细。"

"明天早上？"

"早上你能起得来？"

"也许我今天晚上根本就睡不着。"

"睡不着可以找个女人陪你。"黑豹淡淡的说："这地方什么都贵，就是女人便宜。"

高登看了看地上的尸体，又过了很久，忽然笑了笑，笑得仿佛有些凄凉。

"这地方的人命岂非也很便宜？"

霞飞路上那三层楼的洋房里，枪声也突然停止。

所有的声音全都停止。

鲜血却还沿着楼梯慢慢的往下流。

金二爷踏着血泊，慢慢的走上三楼，推开了一面窗子。

外面群星灿烂，新月如钩。

春天的晚上总是美丽的。

金二爷吸了口雪茄，竟没有发现他嘴里衔着的雪茄早已熄了。

"今年的春天来得真早……"他心里仿佛有很多感慨。

田八爷站在他身旁，感慨也好像并不比他少。

他们似乎已完全忘了自己是踏着别人的血泊走上来的。

"明天我们应该到郊外走走去。"金二爷忽然间又说。

田八爷立刻同意。

"龙华的桃花，现在想必已开了。"

其实他们又何必去看桃花？

他们脚底上的鲜血，那颜色岂非也正和桃花完全一样？

突然间，楼下又有枪声一响。

金二爷皱了皱眉，向楼下呼喝："什么事？"

"是青胡子老六，他还没有断气，我又补了他一枪。"楼下有人在回答，青胡子老六是张大帅留在这里看家的。

金二爷点点头，脸上露出满意的表情。

他知道这一枪已是这地方最后的一枪。

他们自己人的损失虽然也不小，可是张大帅刚才派回来支援的那十八个人，现在已没有一个再活着的了。

那个日本人荒木虽然还活着，却已投靠了他——武士道的精神，有时也同样比不上金钱的诱惑力大。

金二爷微笑着说："这地方以后我们也可以开个赌场。"

田八爷打着了他刚从英国带回来的打火机，为他燃着了雪茄，也在微笑着："贵宾室一定要在三楼上，我相信一定有很多人喜欢在楼上看月亮。"

新月如钩。

这一场惨烈的火并，似已完全结束。

现在正是十二点五十七分。

两点零三分。

波波突然从噩梦中醒来。

窗外夜凉如水，她的枕头却已被冷汗湿透。

她刚梦见罗烈，梦见罗烈手里拿着把刀，问她为什么要对不起他。

她又梦见她的父亲，眼睛里流着泪，说她不该到这里来的，说着说着，他眼里的泪变成了血。

然后她忽然看见黑豹。

这已不是噩梦。

黑豹不知道在什么时候已回来了，正站在床头，凝视着她。

他看来仿佛很疲倦，但一双眼睛却比平时更亮。

"我睡得一定很熟，连你回来了我都不知道。"波波笑得有点勉强。

她还没有忘记刚才的噩梦。

"你睡得并不熟。"黑豹盯着她的眼睛："你好像在做梦？"

波波不能不承认。

"我梦见了我爸爸……"她忽然问:"你打听到他的消息没有?"

黑豹摇摇头。

波波叹口气:"我刚才也跟人打听过,他们也都没听说过赵大爷这个人。"

黑豹忽然沉下了脸:"我说过,你最好还是不要出去。"

"我没有出去,只不过在门口走了走,买了两份报,随便问了问那个卖报的老头子。"

黑豹没有再说什么。

他已开始在脱衣服,露出了那一身钢铁般的肌肉,身上铁钩的伤痕似已快好了。

这个人就像是野兽一样,本身就有种治疗自己伤痛的奇异力量。

波波看着他,忍不住又问:"你今天到哪里去了,出去了一整天,也不回来看我一趟,害得我一直都在担心。"

"我的事你以后最好都不要过问,也用不着替我担心。"

他看见波波的脸色有点变了,声音忽又变得很温柔:"因为你若问了,就一定会更担心,我做的本就不是什么光明正大的事。"

波波眨着眼:"我不管你做的是什么事,只要你对我好,就够了。"

黑豹凝视着他,忽然笑了笑:"明天我有样东西送你。"

"什么东西?"波波眼睛里发出了光。

"当然是你喜欢的东西,到明天你就会看到了。"

他掀起了薄薄的被,在她身旁躺下。

波波的心突然跳了起来。

也不知道为了什么,她忽然发觉自己竟一直在期待着。

期待着他回来,期待着他那又温柔,又粗暴的抚摸和拥抱。

但黑豹却只淡淡的说了句:"睡吧,明天还有很多事要做。"

然后他竟似已真的睡着。

波波咬着嘴唇,看着他,心里忽又觉得有种说不出的滋味,她心里从来也没有过这种滋味。

那不仅是失望。

"他为什么不理我?难道他今天在外面已有过别的女人?"

然后她又替自己解释。

"他若喜欢别的女人,又何必回来?"

这解释连她自己都不满意，她的心越想越乱，恨不得把他叫起来，问清楚。

可是她忽然又想起了"明天"，想起了明天的那份礼物。

她心里立刻又充满了温暖和希望。

世界上又有哪个女人不喜欢自己情人送给她的礼物呢?

就算只不过是一朵花也好，那也已足够表现出他的情意。

何况黑豹送的并不是一朵花。

他送的是一辆汽车。

一辆银灰的汽车，美丽得就像是朦胧春夜里的月亮一样。

"明天"已变成了今天。

今天的阳光也好像分外灿烂辉煌。

银灰色的汽车，在初升的太阳下闪着光。

在波波眼睛里看来，它简直比天上所有的星星和月亮加起来都美丽得多。

她跳了起来，搂住了黑豹的脖子。

虽然还早，街上已有不少人，不少双眼睛。

可是她不管。

她喜欢做一件事的时候，就要去做，从来也不管别人心里是什么感觉。

现在她心底里不但充满了愉快和幸福，也充满了感激。

她一定要表现出来。

现在罗烈的影子距离她似已越来越遥远了。

她觉得她并没有做错。

黑豹也没有错。

一个年轻健康的女人，一个年轻健康的男人，两个人在一起的时候，本来就是任何事都可能发生的。

那其中只要没有买卖和勉强，就不是罪恶。

阳光也同样照在黑豹脸上，黑豹的脸，也跟着那辆银灰色的汽车一样，显得充满了光彩，显得生气勃勃。

波波看着他。

他的确是个真正的男人，有他独特的性格，也有很多可爱的地方。

波波下定决心，从今天起，要全心全意的爱他。

过去的事已过去，慢慢总会忘记的。

罗烈既然是他们的好朋友，就应该原谅他们，为他们的未来祝福。

波波情不自禁拉起黑豹的手，柔声道："你今天好像很开心。"

"只要你开心，我就开心了。"黑豹的声音也仿佛特别温柔。

看来他今天心情的确很好。

"我们开车到郊外去玩玩好不好?"波波眼睛里闪着光："听说龙华的桃花开得最美。"

她又想起了那个系着黄丝巾的女孩子，现在她的梦已快要变成真的了。

黑豹却摇摇头："今天不行。"

"为什么?"波波撅起了嘴："今天你又要去看金二爷?"

黑豹点点头，目中露出了歉意。

"我一定要看看他，究竟是个怎么样的人。"波波显得有点儿不开心，她不喜欢黑豹将别人看得比她还重要。

对金二爷她甚至有点嫉妒。

黑豹忽然笑了笑说："你迟早总会有一天会看见他的……"

从楼上看下来，停在路旁的那辆银灰色汽车，光彩显得更迷人。

波波伏在窗口，又下定决心，一定要学会开车，而且还要买一条鲜艳的黄丝巾。

金二爷开始点燃他今天的第一支雪茄。

黑豹就站在他的面前，好像显得有点心不在焉。

金二爷很不喜欢他的手下在他面前表现出这种样子来。

他喷出口烟雾："昨天晚上你又没有回来。"

黑豹在听着。

"我虽然知道你一定得手，但你也应该回来把经过情形说给我听听。"金二爷显得有点不满意："你本来不是这样散漫的人。"

黑豹闭着嘴。

"你不回来当然也有你的原因，我想知道是为了什么？"金二爷还是不放松。

黑豹忽然道："我很累。"

"很累？"金二爷皱起了眉："我不懂你这是什么意思。"

"我……我想回家去，安安静静的住一段时候。"黑豹的表情很冷淡："目前这里反正已没什么要我做的事了。"

金二爷好像突然怔住，过了很久，才将吸进去的一口烟喷出来。

他脸色立刻显得好看多了，声音也立刻变得柔和得多。

"你以为我是在责备你，所以不开心？"

"我不是这意思。"黑豹的表情还是很冷淡："我只不过真的觉得很累。"

"现在大功已告成，这地方已经是我们的天下。"金二爷忽然从沙发上站了起来，走过去轻拍着黑豹的肩："你是我的大功臣，也是我的兄弟，我的事业，将来说不定全都是你的，我怎么能让你回去啃老米饭？"

"过一阵子，我说不定还会再回来。"黑豹的意思似已有些活动了。

"但现在我就有件大事非你不可。"金二爷的神色很慎重。

黑豹忍不住问："什么事？"

"张三爷一走，挡我们路的就只剩下一个人了。"

"田八爷？"

金二爷笑了笑："老八是个很随和的人，我从来不担心他。"

"你是说喜鹊？"黑豹终于明白。

"不错，喜鹊！"

说到"喜鹊"两个字，金二爷眼睛里突然露出了杀机："我不想再看到这只'喜鹊'在我面前飞来飞去。"

"可是我们一直找不到他。"

这只喜鹊的行踪实在太神秘，几乎从来没有露过面。

有一次金二爷活捉到他一个兄弟，拷问了七个小时，才问出他是个长着满脸大麻子的江北人，平常总是喜欢戴着副黑眼镜。

但这个人究竟姓什么？叫什么？是什么来历？有什么本事？就连他自己的兄弟都不知道。

"这只喜鹊的确不好找。"金二爷恨恨道："但我们现在却有个好机会。"

"什么机会?"

"这张条子,是田老八昨天晚上回家去之后才发现的。"

金二爷从身上掏出一张已揉得很绉了的纸。

纸上很简单写着:"你等着,二十四个小时内,喜鹊就会有好消息告诉你。"

黑豹皱了皱眉:"这是什么意思?"

"老八回家的时候,这张条子就已在那里,他的三姨太却不见了。"

"喜鹊绑走了田八爷的三姨太?"

金二爷叹了口气:"喜鹊想必也知道这位三姨太是老八最喜欢的人,所以想借此来要挟他,我想老八昨天晚上一定是睡不着的。"

他叹息着,好像很同情,但是他的眼睛里却在发着光。

"所以喜鹊今天一定会跟田八爷联络。"黑豹的眼睛似也亮了。

"我已关照老八,无论喜鹊提出什么条件来,都不妨答应。"

"我们当然也有条件。"黑豹试探着。

"只有一个条件。"金二爷的眼睛又露出杀机:"无论什么事,都得要喜鹊本人亲自出来跟我们谈,因为我们只相信他。"

"他肯?"

"不由得他不肯。"金二爷冷笑:"他这样做,当然一定有事来找我们,莫忘记这地方到底还是我们的天下。"

黑豹承认。

"何况我们所提出来的条件并不算苛刻,并没有要他吃亏。"金二爷又说道:"见面的地方由他选,时间也随他挑,我自己亲自出面跟他谈,每边都只能去三个人。"

"三个人?"

"其中一个人当然是你。"金二爷又在拍着他的肩,微笑着。

"还有一个是谁?"

"荒木。"

"张三爷请来的那个日本人?"黑豹又皱了皱眉。

"我也知道他不是个好东西,但他却是柔道的高段,比野村还要高两段。"

"他能出卖张三爷,也能出卖你。"黑豹对这日本人的印象显然不好。

"所以我一定要你跟着我。"金二爷微笑着:"何况,荒木也不是不知道,他当然明白我能出的价钱一定比喜鹊高。"

黑豹不再开口。

"不管怎么样,你今天都千万不能走远,随时都说不定会有消息。"

黑豹点点头,忽然道:"梅律师那辆汽车,我已经送了人。"

"那本来就该算是你的,"金二爷微笑着坐回沙发上:"你若果喜欢张老三那栋房子,也随时都可以搬进去。"

这句话无异已告诉黑豹,他在帮里已取代了张三爷的地位。

就连黑豹的脸上都不禁露出了感动的表情,但在嘴里并没有说什么,微微一躬身,就转身走了出去。

金二爷吸了口雪茄,忽然又笑道:"那女孩子是个什么样的人?究竟有什么魔力能叫你一连陪着她两个晚上?"

黑豹没有回头,只淡淡的说了句:"她当然也是个婊子,只有婊子才跟我这种人在一起。"

门外是条很长的走廊。

走廊上几条穿短打的魁梧大汉,看见黑豹都含笑鞠躬为礼。

黑豹脸上连一点表情也没有。

他慢慢的走出去,忽然发现有个人在前面挡住了他的路。

一个日本人,四四方方的身材,四四方方的脸。

但他的眼睛却是三角形的,正狠狠的瞪着黑豹。

黑豹只看了他一眼,冷冷道:"我不喜欢别人挡我的路。"

荒木的拳头已握紧,还是在狠狠的瞪着他,眼睛里闪着凶光。

但他还是让开了路。

"你的朋友野村是我杀的。"黑豹从他面前走过去,冷笑着道:"你若不服气,随时都可以来找我。"

他头也不回的走下了楼梯。

这时,范鄂公正从楼梯口走上来,这次让路的是黑豹。

他对这位湖北才子一向很尊敬。

他一向尊敬动笔的人,不是动刀的。

"这小子,竟想用走来要挟我。"金二爷在烟缸里重重的按熄了他的雪茄烟，正在对范鄂公发牢骚：“梅律师那辆汽车我本来是想送给你的，但他却送给了个婊子。”

范鄂公正从茶几上的金烟匣里取出了一只茄力克，开始点着。

“我刚从烂泥里把他提拔上来，他居然就想上天了。”

金二爷的火气还是大得很：“照这样下去，将来他岂非要骑到我头上来。”

“不错，这小子可恶。”范鄂公闭着眼吸了口烟：“不但可恶，而且该杀。”

金二爷冷笑：“说不定迟早总有一天……”

“要杀，就应该快杀。”范鄂公悠然道：“也好让别的人知道，在金二爷面前做事，是一点也马虎不得，否则脑袋就得搬家。”

金二爷看着他：“你是说……”

“这就叫杀鸡儆猴，让每个人心里都有个警戒。”范鄂公神情很悠闲：“以前梁山上的大头领王伦做法就是这样子的。”

金二爷忽然明白了他的意思。

金二爷虽然不懂得历史考据，但水浒传的故事总是知道的。

他当然也知道王伦最后的结果，是被林冲一刀砍掉了脑袋。

范鄂公已开始在闭目养神，这问题他似已不愿再讨论下去。

金二爷沉思着，忽然站起来，走出门外。

“黑豹呢？”

“到奎元馆去吃早点了。”

“他回来时立刻请他进来。”金二爷道：“他昨天晚上立下大功一件，我有样东西刚才忘记送给他。”

现在他已明白要让别人知道，替金二爷做事的人，总是有好处的。

“再派人送五十支茄力克，半打白兰地到范老先生府上去。”金二爷又吩咐：“要选最好的陈年白兰地，范老先生是最懂得品酒的人。”

范鄂公闭着眼睛，好像并没有注意听他的话，但嘴角却已露出了微笑。

黑豹坐在奎元馆最角落里的一个位置上，面对着大门。

他总是希望能在别人看到他之前，先看到这个人。

现在他正开始吃他第二笼蟹黄包子，他已经吃完了一大碗鸡火干丝，一大碗虾爆鳝面。

他喜欢丰盛的早点，这往往能使他一天都保持精力充沛。

何况，这杭州奎元馆的分馆里，包子和面都是久享盛名的。

就在这时候，他看见了高登。

八点三十九分。

高登刚从外面耀眼的阳光下走进这光线阴暗的老式面馆。

他眼睛显然还有点不习惯这种光线，但还是很快就看见了黑豹。

他立刻直接走了过来。

黑豹看着他："昨天晚上你没有找女人？"

"我找不到。"

"我认得你住的那层楼的茶房小赵，找女人她是专家。"

高登淡淡的笑了笑："我要找的是女人，但是他却给我找来了条俄国母猪。"

"你错过机会了。"黑豹也在笑，道："那女人说不定是位俄国贵族，甚至说不定就是沙皇的公主，你至少应该对她客气些。"

"我不是个慈善家。"高登搬开椅子坐下："我是个嫖客。"

"是不是个吃客？"

"不是。"高登一点也不想隐瞒："我是特地来找你的。"

"你知道我在这里？"

"每一天早上八点半到九点半之间，你通常都在这里。"

黑豹又笑了："原来你的消息也很灵通。"

"只有消息灵通的人，才能活得比较长些。"高登很快的就将这句话还给了他。

"你还知道些什么？"黑豹问。

"你是个孤儿，是在石头乡长大的，以前别人叫你小黑，后来又有人叫你傻小子，因为你曾经用脑袋去撞过石头。"

黑豹笑得已有些勉强，"你知道的事确实不少。"

"我只想让你知道一件事。"

"什么事？"

"你知不知道我为什么总是对你特别客气？"高登反问。

"我只知道你昨天晚上若杀了我，你自己也休想活着走出去。"

"我若能杀了你，你手下那些人在我眼中看来，只不过是一排枪靶子而已。"高登冷笑着："何况那地方还有张大帅的人。"

黑豹不说话了。

当时的情况，他当然也了解得很清楚。

高登虽然未必能杀得了他，但也不能不承认高登并没有真的想杀他。

至少高登连试都没有试。

高登已冷冷的接着说了下去："你现在还活着，也许只因为你有个好朋友。"

"谁?"黑豹立刻追问。

"法官!"

"罗烈?"

高登点点头。

"你认得他?"黑豹好像几乎忍不住要从椅子上跳起来。

"他也是我的好朋友。"

"他在哪里?"

"在汉堡，德国的汉堡。"

"在干什么?"黑豹显然很关心。

高登迟疑着，终于一个字一个字的说道："在汉堡的监牢里。"

黑豹怔住，过了很久，忽又摇头。

"不会的，他跟我们不一样，他不是一个会犯法的人。"

"就因为他不愿犯法，所以才会在监牢里。"

"为什么?"

"他杀了一个人，一个早就该杀了的人。"

"他为什么要杀这个人。"黑豹又问道。

"因为这个人要杀他。"

"这是自卫，不算犯法。"

"这当然不算犯法，只可惜他是在德国，杀的又是德国人。"

黑豹用力握紧拳头："他杀了这个人后，难道没有机会逃走?"

"他当然有机会，可是他却去自首了，他认为别人也会跟他一样正直公平。"

黑豹又怔了很久，才叹息着，苦笑说道："他的确从小就是这种脾气，所以别人才会叫他做小法官。"

"只可惜法官也并不是每个都很公平的。同样的，法律，也可以有很多种不同的解释。"高登也在叹息着："在德国，一个中国人杀了德国人，无论在什么情况下都不能算自卫。"

"难道他已被判罪？"

高登点点头："十年。"

黑豹又沉默了很久，才慢慢的问："有没有法子救他？"

"只有一种法子。"

"什么法子？"

"去跟那德国法官说，请他对德国的法律作另外一种解释，让他明白中国人杀德国人有时一样也是为了自卫。"

"要怎么去跟他说？"

高登淡淡道："世界上只有一种话是在每个国家都说得通的，那就是钱说话。"

黑豹的眼睛亮了。

"中国的银洋，有时也跟德国的马克同样有用，"高登继续说道："我到这里来，为的就是这件事。"

"你想要多少才有用？"

"当然越多越好。"高登笑了笑："张大帅付给我的酬劳是五万，我又赢了十万，我算算本来已经够了，只可惜……"

"只可惜怎么样？"

高登笑容中带着种凄凉的讥讽之意："只可惜应该付我钱的人已经死了。"

黑豹恍然："你昨天晚上要带张大帅走，并不是为了救他，而是为了救罗烈？"

高登用沉默回答了这句话。

这种回答的方式，通常就是默认。

"你赢的十万应该是付现的。"

"他们付的是即期支票，但张大帅一死，这张支票就变成了废纸。"高登淡淡道："我已打听出来，金二爷已经叫银行冻结了他的存款，他开出的所有支票都不能兑现。"

黑豹也不禁叹了口气："十万，这数目的确不能算小。"

"在你说来不算小?"

黑豹苦笑,他当然已明白高登来找他的意思:"罗烈是我最好的朋友,我比你更想救他,可是现在……"他握紧双拳:"现在我身上的钱连一条俄国母猪都嫖不起。"

"你不能去借?"高登还在作最后努力:"昨天你立下的功劳并不算小。"

"你也许还不了解金二爷这个人,他虽然不会让你饿死,但也绝不会让你吃得太饱。"

高登已了解。

他什么都没有再说,慢慢的站了起来,凝视着黑豹。

然后他嘴角又露出了那种讥讽的微笑:"也许我昨天晚上应该杀了你的。"

"但你也用不着后悔。"

黑豹的眼睛里又发出了光:"也许我现在就可以替你找到一个能赚十万块的机会。"

"这机会当然并不坏,只看你愿不愿意去做。"黑豹在观察着他脸上的表情。

高登的脸上却连一点表情也没有,却说:"只要能赚得到十万块,我甚至可以去认那条俄国母猪作干妈。"

金公馆客厅里的大钟刚敲过一响,九点半。

黑豹带着高登走进了铁栅大门。

然后他就吩咐站在楼梯口的打手老宋:"去找荒木下来,我有件很机密的事要告诉他。"

九点三十四分。

荒木走下楼,走到院子,站在阳光下。他一看见黑豹,那双三角眼里就立刻露出了刀锋般杀机。

黑豹却在微笑着。

"听说你有机密要告诉我。"

荒木用很生硬的中国话问黑豹,原来他并不是真的完全不会说中国话。

他只不过觉得装作不会说中国话，非但可以避免很多麻烦，而且可以占不少便宜。

"我的确有样很大的秘密要告诉你。"黑豹缓缓道："却不知你能不能完全听懂。"

"我懂。"

黑豹还是在微笑着，雪白的牙齿在太阳下闪着光："你父亲是个杂种，你八十个父亲每个都是杂种，你母亲却是个婊子，为了二毛钱，她甚至可以陪一条公狗上床睡觉。"

黑豹笑得更愉快："所以你说不定就是狗养的，这秘密你自己一定不会知道。"

第七回 喜 鹊

太阳刚刚升高，温度也渐渐升高。

但荒木却好像在冷得发抖，那张四四方方的脸，除了鼻尖上一点汗珠外，似已完全干瘪。

他整个人看来就像是条刚从冷水里捞出来的拳狮狗。

站在旁边看的人，有的已忍不住偷偷的在笑，而且并不怕被荒木听到。

这日本人实在并不是个受欢迎的人物。

黑豹微笑道："现在我已说出了你的秘密，你完全听懂了么？"

荒木忽然狂吼一声，扑了过去。

拳狮狗似已突然变成疯狗。

但疯狗咬起人却是很可怕的，何况一个柔道高段，就算在真的疯狂时，也同样很难对付。

黑豹静静的站在那里，等着他，目中充满了自信。

柔道的真义本来是以柔克刚，以静制动，现在荒木已犯了个致命的错误。

他主动采取攻击，一双手鹰爪般去抓黑豹的臂和肩。

他的出手当然很快，却还不够快。

黑豹一翻身，右腿反踢他的下腹，荒木狞笑，正想去抓黑豹的足踝。

谁知黑豹的身子突又溜溜一转，一个肘拳，重重的打在他肋骨上。

他立刻听到自己肋骨折断的声音，他的人也被打得飞了出去。

黑豹的双足已连环踢出，踢他的咽喉。

他乘胜追击，绝不容对方有半分钟喘息的机会。

但这次他却也犯了个错误。

他低估了荒木。

荒木的身子本来已被打得踉跄倒退，好像再也站不稳的样子。

可是突然间他已站稳，他的手突然间已抓住了黑豹的脚。

对一个像荒木这样的柔道高段来说，无论什么东西只要被他搭上一点，就好像已被条疯狗一口咬牢。

他反手一拧。

黑豹立刻就身不由主在空中翻了个身，接着，就"叭"的被摔在地上。

他似已被摔得发晕，连站都站不起来。

荒木狞笑着，一脚踏上他背脊，似乎想将他的脊椎骨踩断。

谁知就在这时，黑豹突又翻身出手，闪电般拧住了他的足踝。

就像他刚才对付黑豹的法子一样。

黑豹的手将他足踝向左一摔，他整个人就跟着向左边翻了过去。

但黑豹并没有将他摔在地上。

黑豹自己还躺在地上，突然一脚踢出，就在他身子翻转的那一瞬间，踢中了他的阴囊。

荒木狂吼，身子突然缩成一团，全身上下所有能够流出来的东西，立刻全都流了出来。

高登皱了皱眉，后退了两步，用口袋里斜插着的丝巾掩住鼻子。

除了荒木自己外，每个人都嗅到了他的排泄物的臭气。

黑豹刚放开了他的足踝，他就已倒下去，像虾米般蜷曲在地上，不停的抽搐疼挛。

忽然间，他蜷曲着的身子又一缩一伸，然后就完全不动了。

黑豹的那一脚不但是迅速准确，而且力量也大得可怕。

在旁边看着的打手们目中都不禁露出恐惧之色。

他们打过人，也挨过打。

但他们谁也没有看见过如此狠毒的手脚，心里都不禁在暗中庆幸，自己没有遇见过黑豹这样的对手。

黑豹已慢慢的从地上站了起来，拍了拍衣服上的尘土："这日本人的确有两下子。"

高登叹了一口气："我刚才真怕你一下子就被他摔死。"

"你知道我最大的本事是什么?"黑豹笑了笑："我最大的本事不是打人，是挨打!"

"挨打?"

"我在没有学会打人之前，就已学会挨打。"

"你学的时候那种滋味一定不太好受。"高登也笑了。

"不肯学挨打的人，就最好也不要去学打人。"黑豹淡淡道："你想打人，就得准备挨打。"

这道理本来很简单，只可惜越简单的道理，有很多人反而越不能明白。

高登的笑容又露出那种残酷的讥讽之意："我从来不打人的，我只杀人!"

想杀人的人，是不是也应该随时准备被杀呢？

九点五十分。

黑豹带着高登走入了金二爷私人用的小客厅。

范鄂公还靠在沙发上养神。

"听说你有样秘密告诉荒木。"这小客厅的隔音设备很好，楼下的动静，楼上并没有听到。

"是什么秘密？"金二爷又问。

黑豹淡淡的回答："我告诉他，他父亲是个杂种，他母亲是个婊子。"

金二爷皱起了眉："他怎么说？"

"他什么都没有说，"黑豹的声音更冷淡："死人是不会说话的。"

金二爷似也怔住，沉默了很久，才慢慢的吸了口雪茄，再慢慢的喷出一口烟。

他的脸又隐藏在烟雾里。

"你就算要杀他，也应该等到明天。"

"哦。"

"你应该知道今天他还有用。"

"他早已没有用。"

"为什么？"

"因为我已找到了个更有用的人。"

"是他？"金二爷好像直到现在才看见站在黑豹身后的高登。

高登穿着套薄花呢的双排扣西装，显然是最上等手工剪裁的。

他用的领带和手帕也全都是纯丝的，脚上穿着意大利皮匠做的小牛皮鞋子。

金二爷看着他冷笑："就是这个花花公子？"

"不错，"高登抢着替自己回答："就是我这个花花公子。"

"我要找的是个懂得怎么样杀人的人，不是个夜总会领班。"

"夜总会领班有时也会杀人的。"

"你能杀得了谁？"

"只要是人，我就能杀。"高登的声音也同样的冷漠。

"譬如说……"

"譬如说你，"高登打断了他的话："现在我随时都能杀了你。"

他的手一抬，手里已多了柄枪。

金二爷的脸色似已有些变了，但神态却还是很镇定："你为什么不往后面看看？"

门口已出现了两个人，两个人手里都有枪，枪口都对着高登。

"他们就算杀了我，我临死前还是一样可以杀你。"高登的声音还是很冷淡："想杀你这种人，当然要付出点代价的。"

他的话还没有说完，突然转身。

只听枪声两响，门口两个人手里的枪已跌了下去，高登这两枪正打在他们的枪管上。

金二爷突然大笑："好，好得很，神枪高登果然名不虚传。"他忽然站起来，就像对黑豹一样，拍着高登的肩："其实你一进门，我就已知道你是谁了。"

"但你却不该冒险的。"

"冒险？"

"你本不该让我这种人带着枪走到你面前来。"

"但你是黑豹的朋友。"金二爷的态度和平而诚恳："他的朋友随便身上带着些什么，都随时可以来找我的。"

"我并不是他的朋友。"

"你不是？"金二爷皱起眉。

"我没有朋友，我从来也不信任任何人。"高登说的话就像是他手枪里射出来的子弹："这世界上我只信任一件事。"

"你信任什么？"这句话金二爷其实根本就不必问的。

"钱。"高登的回答直接而扼要:"无论是金币,是银币,还是印刷在纸上的钞票,我都同样信任。"

金二爷笑了。

他微笑着吸了口雪茄,再喷出来,忽然问道:"你要多少?"

这句话也同样问得直接而扼要。

"十万。"

高登拿出了那张支票:"这本是我应该拿到的,我并没有多要。"

"你的确没有多要。"金二爷连想都没有想:"只要事成,这张支票随时都可以兑现。"

高登不再说话。

他很小心的折起了这张支票,放进他左上方插丝巾的衣袋里。

金二爷已转过身,面对黑豹,微笑道:"我说过我有样礼物送给你。"

黑豹也笑了笑:"我刚听说。"

"你现在想不想看看?"

黑豹点点头。

金二爷微笑着拍了拍手,左面的门后面,立刻就有个人被推了出来。

一个穿着白缎子低胸晚礼服的欧亚混血种女人,有一双浅蓝色的美丽眼睛。

只不过现在她眼角已因悲愤、恐惧和疲倦而露出了皱纹。

梅子夫人。

"她并没有准备等着去参加她女儿和丈夫的葬礼,天还没有亮,就已想带着梅律师的全部家当走了。"金二爷笑得很得意。

"她的动作的确已够快,不幸我比她还快了一步,我知道你对她有兴趣。"

黑豹冷冷的看着这个女人,脸上连一点儿表情都没有。

金二爷却在看着他,已皱起了眉:"也许我想错了,你若对她并没有兴趣,我就只好叫她到棺材里去陪她的女儿和丈夫。"

梅子夫人抬起头,乞怜的看着黑豹,好像恨不得能跪下来,求黑豹要了她。

现在,她的白种人优越感已完全不见了,现在她才明白中国人并不是她想像中那种懦弱无能的民族。

只可惜现在已经太迟了。

"她本来的确不能算是个难看的女人，只可惜现在已太老。"黑豹的声音和他的眼睛同样冷酷："现在我对她惟一的兴趣，就是在她小肚子踢一脚。"

梅子夫人整个人都软了，好像真的被人在小肚子上踢了一脚。

"但是我对她还有别的兴趣。"高登忽然道。

"你?"黑豹在皱眉。

"只要你不反对，这份礼物我可以替你接受。"

黑豹忽又笑了："我知道这两天你很需要女人，老女人也总比没有女人好。"

"我可以带她走?"

"随时都可以带走。"

高登立刻走过去，拉住梅子夫人的臂。

"我现在就带她回旅馆，你们一有消息，我立刻就会赶来。"

他好像觉得时间很宝贵，这句话没说完，已拉着梅子夫人走了出去。

他走出去的时候，田八爷恰巧上楼。

田八爷的脸色苍白，一双手不停的微微发抖，连香烟都拿不稳。

"喜鹊已派人来跟我联络过，他也正想跟我们当面谈条件。"

"好极了。"金二爷的眼睛里又发出光，"你们是不是已约好了时间和地方?"

田八爷点点头："时间就在今天晚上七点，地方是元帅路的那家罗宋饭店。"

"他准备请我们吃饭?"金二爷在微笑着，问田八爷："难道他还不知道元帅路那边是你的地盘?"

"他知道，所以他一定要等到我把那一带的兄弟全撤走之后，才肯露面。"田八爷眼睛里又露出那种狐狸般的笑："但他却不知道，那间罗宋饭店碰巧也是我开的。"

金二爷突然大笑，弯下腰去大笑，笑得连眼泪都几乎快要流了出来。

"喜鹊是吉鸟，杀之不祥。"范鄂公忽然张开眼睛，微笑着道："所以你们在杀了他之后，千万莫要忘记洗洗手。"

"只要洗洗手就够了!"金二爷笑得更愉快。

"除非你们是用脚踢死他的。"范鄂公悠然道:"那就得洗脚了。"

金二爷又大笑。

他很少笑得这么样开心过。

十二点五分。

黑豹仰面躺在床上,看着天花板。

天花板上有一条壁虎,突然掉下来,掉在他身上,很快的爬过他赤裸的胸膛。

他连动都没有动。

壁虎沿着他的臂往下爬,他还是静静的看着。

直等到壁虎爬上他的手掌,他的手才突然握紧——他一向是个很能等待的人。

若不是十拿九稳的事,他是绝不会去做的。

现在他已等了一个小时。

波波不知在什么时候出去的,到现在还没有回来。

直到他将这条死壁虎掷出窗外时,波波才推开门,看见了他。

她立刻笑了:"你在等我?"

黑豹没有开心。

"你生气了,你一定等了很久。"

波波关上门跑回来,坐在他床边,拉起了他的手,甜蜜的笑容中带着歉意。

她脖子上已围起了一条鲜艳的黄丝巾——只要她想做的事,她就一定要做到。

"我知道你要我最好不要出去,可是我实在闷得要命。"波波在逗黑豹开口:"你看我这条围巾漂不漂亮?"

"不漂亮。"

波波怔住了,好像已有点笑不出来。

黑豹却又慢慢的接着说了下去:"我看什么东西都没有你的人漂亮。"

波波又笑了,眸子里闪起了春光般明媚,阳光灿烂的光。

她的人已伏在黑豹胸膛上,她的手正在轻抚着黑豹赤裸的胸膛。

那种感觉就好像壁虎爬过他胸膛时一样。

黑豹看着她，也没有动。

"你好像已经有点不喜欢我了。"波波燕子般呢喃着，道："从昨天晚上到现在，你连碰都没有碰我。"

她的确是个很敏感的女孩子。

"今天晚上七点钟之前，我实在不敢碰你。"黑豹仿佛也觉得很遗憾。

"为什么？"

"七点钟我有事。"

"又是那位金二爷的事？"

"嗯。"

"究竟是什么了不起的大事？"波波的小嘴又撅起来。

"也没什么了不起。"黑豹淡淡道："只不过我今天晚上很可能回不来了。"

"回不来了？"波波跳了起来："难道有人想杀你吗？"

"以前也曾经有很多人想杀过我，现在那些人有很多都已进了棺材。"

"这次呢？"

黑豹笑了笑："这次进棺材的人，很可能是我。"

波波眼睛里充满了忧虑："这次究竟是什么人想杀你？"

"不是他想杀我，是我一定要杀他。"黑豹的表情又变得很冷酷："但是，我却未必能够杀得了他。"

"他究竟是谁？"

"喜鹊。"黑豹目光遥望着窗外一朵白云："今天晚上我跟喜鹊有约会。"

"喜鹊！"波波显得更加忧虑："他真的有那么可怕？"

黑豹叹了口气："也许比我们想像的还要可怕。"

"你不能不去会他？"

"不能。"

"为什么？又为了那金二爷。"波波咬着嘴唇："我真想问问他，为什么总是喜欢叫人去杀人？为什么总是喜欢叫别人去替他拼命。"

黑豹淡淡道："说不定你以后会有机会的。"

黑豹已睡着。

波波不敢惊动他，她知道他要保存体力。

屋子里静得很。

她坐在那里发着怔，忽然间，她已懂得忧愁和烦恼是怎么回事了。

她的情人今天晚上就很可能会死。

她的父亲还是没有一点消息。

汽车虽然就停在楼下，黄丝巾虽然已围在她的脖子上。

可是她现在已全都不想要。

现在她只求能过一种平静快乐的生活，只求她的生活中不要再有危险和不幸。

现在她终于明白这才是人生中最珍贵的，远比一万辆汽车加起来还要珍贵得多。

她好像忽然已长大了很多。

但现在距离她第一步踏上这大都市时，还不到四十个小时。

十二点十分。

梅子夫人垂着头，坐在高登的套房里，脸上显得连一点血色都没有。

高登已出去了很久，一带她回到这里来，立刻就出去了。

他根本也连碰都没有碰她。

她不懂这男人是什么意思，更不知道自己以后该怎么办。

她并不是完全没有为她的女儿和丈夫悲痛，只不过她从小就是个很现实的女人，对已经过去的事她从来不愿想得太多。

因为她不能不现实。

现在她心里只在想着这间套房的主人——也就是她的主人。

她的命运已被握在这男人手里。

但这男人昨天晚上也曾当面羞侮过她，他要她来，是不是为了要继续羞侮她？

她不敢想下去，也不能再想下去。

因为这时高登已推开门走了进来，将手里拿着的一个很厚的信封，抛在她面前的桌子上。

"信封里是你的护照、船票、和旅费。"高登的声音还是很冷淡："护照虽然是假的，但却绝不会有人看得出来，旅费虽然不多，但却足够让你到得了汉堡。”

梅子夫人已怔住。

她看着这个男人，眼睛里充满了怀疑和不安：“你……你真的肯放我走?”

高登并没有回答这句话：“你当然并不一定要到汉堡去，但汉堡我有很多朋友，他们都可以照顾你，信封里也有他们的姓名和地址。”

梅子夫人看着他，实在不相信世界上竟有他这么样的人。

她对男人本来早已失去信心。

“船四点半就要开了，所以你最好现在就走。”高登接着说道：“你若到了汉堡，我只希望你替我做一件事。”

梅子夫人在听着。

“到汉堡监狱去看看我一个叫罗烈的朋友，告诉他叫他放心，就说我的计划已接近成功，而且还替他找到那个傻小子了。”

“傻小子?”梅子夫人眨着眼。

“不错，傻小子。”高登嘴角有了笑意：“你告诉他，他就会明白的。”

“我一定会去告诉他，可是你……你对我……”梅子夫人垂着头，欲语还休。

“我并不想要你陪我上床。”高登的声音又变得很冷淡：“现在金二爷也正好没有心思注意别的事，所以你最好还是快走。”

梅子夫人眼睛忽然充满了泪水。

那是感激的眼泪。

她从来也没有这么样感激过一个男人。

以前虽然也有很多男人对她不错，但那些男人都是有目的，有野心的。

她忽然站起来，轻轻的吻了吻这个奇特的男人，她眼睛里的泪水就流到了他苍白的脸上……

高登洗了个热水澡，倒在床上，心里充满了平静和安慰。

有力量能帮助一些苦难中的人，的确是种非常奇妙而令人愉快的事。

他希望能安安静静的睡一觉。

现在还不到一点，距离他们约会的时候还有整整六个小时。

六点二十分。

黑豹和高登都已到了金二爷私人用的那小客厅。

高登已换了件比较深色的哔叽西装，雪白的衬衫配着鲜红的领带，皮鞋漆亮。

他的确是个很讲究衣着的人。

无论什么时候看起来，他都像是个正准备赴宴的花花公子。

黑豹还是穿着一身黑短裤。

薄薄的衣衫贴在他坚实健壮的肌肉上，他全身都好像充满了一种野兽般矫健剽悍的力量。

高登看着他，目中带着笑意："你的确不必花钱在衣服上。"

"为什么?"

"像你这种身材的人，最好的装束就是把身上的衣服全都脱光。"

黑豹也笑了。

金二爷看着他们，脸上也露出很愉快的表情。

他希望他们密切合作。

假如他们能永远在他身旁保护他，他也许能活到一百二十岁的。

"时候快到了吧。"田八爷一直在不停的踱着方步，现在却忽然停了下来，神情显得焦躁而且不安。

金二爷却还在微笑着，对这件事，他几乎已有十成把握。

"我们六点三刻走，六点五十五分就可以到那里，我们不必去得太早。"

田八爷只好点点头，又燃起了一根香烟。

"你能不能把那边已布置好的人再说一次。"金二爷希望他的神经能松弛些。

"饭馆里四个厨子，六个茶房，都是我们的人。"田八爷道："外面街角上的黄包车夫，摆香烟摊的，卖花的，也全都是，连十字路口上那个法国巡捕房的巡警，也已被我买通了。"

"里里外外一共有多少人?"

"大概有三十个左右。"

"真能打的有多少?"金二爷再问。

"个个都能打。"田八爷回答："但为了小心起见，他们身上大多都没有带家伙。"

"那不要紧，"田八爷道："我这么样做只不过防备他们那边的人混进来，到时候真正动手的，还是高登和黑豹。"

他声音里充满自信，因为他对这两个人手底下的功夫极有信心。

这大都市里，绝对找不出比他们功夫更强的人。

"你想喜鹊会带哪两个人去？"田八爷还是显得有点不放心。

"想必是胡彪胡老四，和他们的红旗老幺。"

"听说这红旗老幺练过好几种功夫，是他们帮里的第一把好手。"田八爷转向黑豹："你以前跟他交过手没有？"

"没有，"黑豹淡淡的笑了笑："所以他现在还活着。"

田八爷不再说什么，就在这时，他们已听到了敲门声，有人报告：

"外面有人送了样东西来。"

"是什么？"

"好像是一只喜鹊。"

喜鹊在笼子里。

漆黑的鸟，漆黑的笼子。

鸟爪上却系着卷白纸，纸上写着：

"不醉无归小酒家，准七点见面。"

田八爷重重的一跺脚："这怎么办？他怎么会忽然又改变了约会的地方？"

金二爷还是在凝视着手里的纸条子，就好像还看不懂这两句话的意思，看了一遍，又看一遍。

"要不要我先把罗宋饭店那边的人调过去。"田八爷道："两个地方的距离并不远。"

"不行，"金二爷立刻摇头："那边的人绝对不能动。"

"为什么？"

"他突然改变地方，也许就是要我们这么样做，来探听我们的虚实。"金二爷沉思着，慢慢的接下去："何况这只鸟的确狡猾得很，事情也许还有变化，我们千万不能轻举妄动。"

"那么你的意思是……"

金二爷冷冷的笑了笑："不醉无归小酒家那边，难道就不是我们的地盘？我们又何必怕他？"

"但那地方以前是老三的。"

"老三的人，现在就是我的人，那里的黄包车夫领班王阿四，从三年前就开始拿我的钱了。"金二爷冷笑着，忽然转头吩咐站在门口的打手头目金克："你先带几个平常比较少露面的兄弟，扮成从外地来的客人，到不醉无归的小酒家去喝酒，衣裳要穿得光鲜点。"

"是。"

"还有，"金二爷又吩咐："再去问问王阿四，附近地面上有没有什么行迹可疑的人。"

"是。"金克立刻就匆匆赶了出去。

他也姓金，对金二爷一向忠心耿耿，金二爷交待他的事，他从没有出过漏子。

金二爷又喷出口烟："我们还是照原来计划，六点三刻动身，老八你就留守在这里，等我们的好消息。"

六点五十五分。

不醉无归小酒家和平时一样，又卖了个满堂，只有一张桌子是空着的。

"我们已调查过所有在附近闲逛的人，绝没有一个是喜鹊那边的。"王阿四在金二爷的汽车窗口报告。

"里面的十一桌客人，除金克带来的两桌外，也都是老客人，他们的来历我都知道。"不醉无归小酒家的茶房领班小无锡，人头一向最熟，他也是跟金二爷碰过头的。

于是金二爷就衔着他的雪茄，带着高登和黑豹下了汽车。

七点整。

不醉无归小酒家里那张空桌子上，忽然出现了一支鸟笼子。漆黑的鸟笼，漆黑的鸟。

满屋子客人突然全都闭上了嘴，看着金二爷大步走了进来。

本来乱糟糟的地方突然沉寂了下来，只剩下笼子里的喜鹊"刮刮刮"的叫声，好像在向人报告。

喜鹊的脚爪上，也系着张纸条子。

上面写着："还是老地方，七点十分。"

金二爷冷笑，看着笼子里的喜鹊："不管你有多滑头，现在你反正已在笼子里，看你还能往哪里呢？"

七点十二分。

本来生意也很好的罗宋饭店，现在店里却只有三个客人。

因为门口早已贴上了"休业一天"的大红纸条，今天来的客人们全都吃了闭门羹。

但店里的八个侍役还是全都到齐了，都穿着雪白的号衣，屏着呼吸，站在墙角等。

金二爷也在等。

他已到了四分钟，喜鹊还是连人影都不见。

金二爷还是纹风不动的坐着，嘴里的雪茄烟灰又积了一寸长。

高登看着他，目中早已露出敬佩之色，就凭他这份镇定功夫，已无怪他能做这大都市里的第一号大享。

那喜鹊又是个怎么样的人呢？

七点十四分。

罗宋饭店的门突然开了，两个人闪身走了进来，果然是胡彪胡老四和他们的红旗老幺。

胡彪的脸色看来还青里发白，白里发青，一看见黑豹，就立刻瞪起了眼睛。

红旗老幺却比较镇定得多。

他也是很精壮，很结实的小伙子，剃着平头，穿着短褂，一双手又粗又短，指甲发秃，一看就知道是练过铁沙掌这一类功夫的。

他一双发亮的大眼睛，正在的溜溜的四下打转。

只看他这双眼睛，就可以发现他不但功夫好，而且还是个很精明的人。

胡彪的眼睛却还是在盯着黑豹，突然冷笑："我就知道今天你会来。"

黑豹冷冷道："想不到你的伤倒好得很快。"

胡彪冷笑道："那只不过因为你的手太软。"

"现在不是斗嘴的时候，"金二爷皱着眉，打断了他们的话："喜鹊呢？"

　　"你先叫这些茶房退下去。"红旗老幺做事显然也很仔细。

　　"他们都是这饭店里的人。"金二爷淡淡道："我又不是这饭店的老板。"

　　红旗老幺道："他们不走，我们就没有生意谈。"

　　金二爷还没有开口，侍役们已全都知趣的走开了，走得很快，好像谁都不愿意惹上这场是非。

　　红旗老幺这才觉得满意了，立刻从怀里掏出一块红巾，向门外扬了扬。

　　三分钟之后，门外就有个穿着黑衣衫，戴着黑墨镜的彪形大汉，一闪身就走了进来。他看来比别人至少要高一个头，但行动还是很敏捷，很矫健。

　　他的年纪并不大，脸上果然长满了大麻子，再配上一张特别大的嘴，使得他这张嘴看来好像总是带着种威严和杀气。

　　喜鹊终于出现了。

第八回　报　复

七点十七分。

喜鹊已经和金二爷面对面的坐了下来。

他坐着的时候,还是比金二爷高了一个头,这好像使金二爷觉得有点不安。

金二爷一向不喜欢仰着脸跟别人说话。

喜鹊当然也在盯着他,忽然道:"你是不是要我放了田八爷的三姨太?"

金二爷笑了:"你真的认为我会为了一个女人冒险到这里跟你谈条件?"

"你还要什么?"

"是你约我来的,"金二爷又点燃一根雪茄:"你要什么?"

"这地方你已霸占了很久,钱你也捞够了。"

"你的意思是说我已经应该退休?"

"不错,"喜鹊挺起了胸:"只要你肯答应,我非但可以把我们之间的那笔账一笔勾销,还可以让你把家当都带走,那已经足够你抽一辈子雪茄,玩一辈子女人了。"

金二爷看着他忽然发现这个人说的话非但粗俗无味,而且幼稚得可笑。

这个人简直和他以前想像中那个阴沉、机智、残酷的喜鹊完全是两回事。

这简直连一点做首领的气质和才能都没有。

金二爷实在想不通像胡彪和红旗老幺这种人,怎么会服从他的。

喜鹊居然完全看不出金二爷脸上露出的轻蔑之色,还在洋洋得意:"你可以慢慢考虑考虑,这条件已经很不错,你应该答应的。"

金二爷又笑了:"这条件实在不错,我实在很感激,只不过我还有句话要问你。"

"你可以问。"

金二爷微笑着,看着他:"我实在看不出你究竟是个人,还是个猪?"

喜鹊的脸色变了。

金二爷淡淡道:"你难道从未想到过,这地方是我的地盘,我手下的人至少比你多五倍,我为什么要让你? 何况,现在我就可以杀了你。"

喜鹊的神情反而变得镇定了下来,冷笑道:"你既然可以杀我,为什么还不动手?"

金二爷沉下了脸,忽然在烟缸里揿灭了他手上那根刚点燃的雪茄。

这是他们早已约定了的暗号。

一看到这暗号,黑豹和高登本就该立刻动手的。

但现在他们却一点反应也没有。

金二爷已开始发现有点不对了,忍不住回过头,去看黑豹。

黑豹动也不动的站着,脸上带着很奇怪的表情,就跟他眼看着壁虎爬入他的手心时的表情一样。

金二爷忽然觉得手脚冰冷。

他看着黑豹黝黑的脸,漆黑的眸子,深黑的衣裳。

喜鹊岂非也是黑的?

金二爷忽然明白了这是怎么回事,他的脸立刻因恐惧而扭曲变形。

"你……你才是真的喜鹊!"

黑豹既没有承认,也没有否认。

金二爷忽然伸手入怀,想掏他的枪。

但他立刻发现已有一根冰冷的枪管贴在他后脑上。

他全身都已冰冷僵硬,冷汗已从他宽阔的前额上流了下来。

金二爷咬了咬牙:"你们就算杀我,你们自己也逃不了的。"

"哦?"

"这地方里里外外都是我的人。"

黑豹忽然也笑了。

他轻轻拍了拍手,小无锡立刻带着那八个穿白号衣的茶房走出来,脸上也全都带着微笑。

"从今天起,你就是这地方的老板!"黑豹看着小无锡:"我说过的话一定算数。"

小无锡弯腰鞠躬。

他身后的八个人也跟着弯腰鞠躬。

"去告诉外面的王阿四,他已经可以带他的兄弟去喝酒了。"黑豹又吩咐:"今天这里已不会有事。"

"是。"小无锡鞠躬而退,从头到尾,再也没有看金二爷一眼。

对面的三个人全都笑了,现在他们已经可以放心大胆的笑。

这不可一世的首号大亨,在他们眼中,竟似已变成了个死人。

金二爷身上的冷汗已湿透衣服。

"现在我也有句话想问问你,"那穿着黑衫的大汉眯起眼睛看着他,道:"你究竟是个人? 还是个猪?"

七点二十二分。

金二爷流血流汗,苦干了三十年,赤手空拳打出的天下,已在这十五分钟内完全崩溃!

他的人也倒了下去。

黑豹突然一掌切下,正劈在他左颈的大动脉上。

七点三十四分。

黑豹和高登已带着晕迷不醒的金二爷回到金公馆。

田八爷正在客厅里踱着方步。

黑豹一走进来,他立刻停下脚步,转过身,冷冷的凝视着黑豹。

黑豹也在冷冷的看着他。

两个人动也不动的对面站着,脸上都带着种很奇怪的表情。

然后田八爷忽然问道:"一切都很顺利?"

黑豹点点头。

"我已吩咐过所有的兄弟,你的命令,就是我的命令。"田八爷道。

"他们都很合作。"

田八爷脸上终于露出了很得意的微笑,他显然在为自己的命令能执行而骄傲。

他微笑着走过来拍黑豹的肩:"我们这次合作得也很好。"

"好极了。"

"金老二只怕连做梦都想不到你就是喜鹊,更想不到我会跟你合作。"

黑豹也开始微笑:"他一向认为你是个很随和,很容易知足的人,只要每天有好烟好酒,再找个女人来陪着,你就不会想别的事了。"

"提起酒，我的确应该敬你一杯。"田八爷大笑着："你虽然一向不喝酒，但今天总应该破例一次的。"

后面立刻有人倒了两杯酒。

田八爷拉着黑豹走过去，对面坐下来，微笑着举杯，道："现在这地方已经是我们两个人的天下了，我是大哥，你是老弟，我们什么事都可以商量。"

"什么事老弟都应该听大哥的。"

田八爷又大笑，忽又问道："小姗呢?"

小姗就是他三姨太的名字。

"我已派人去接她。"黑豹回答："现在她已经快到了。"

他并没有说错。

这句话刚说完，小姗已扭动着腰肢，媚笑着走了进来。

田八爷笑得眼睛已眯成一条线："小宝贝，快过来让你老公亲一亲。"

小姗的确走了过来，但却连看都没有看他一眼，一屁股就坐在黑豹身上，勾起了黑豹的脖子，媚笑着："你才是我的老公，这老王八蛋居然一点也不知道。"

田八爷的脸也突然僵硬了，就像突然被人抽了一鞭子。

然后他全身都开始发抖，冷汗也立刻开始不停的流下来。

他忽然发现他是完全孤立的，他的亲信都已被派到罗宋饭店去，而且他还再三吩咐他们："黑豹的命令，就是我的命令。"

直到现在，他才真正了解黑豹是个多么冷酷，多么可怖的人。

现在当然已太迟了。

"我若早知道小姗喜欢你，早就已把她送到你那里去了。"田八爷又大笑："我们兄弟当然不会为了个女人伤和气。"

黑豹冷冷的看着他，脸上连一点表情都没有。

"我是个懒人，年纪也有一大把了，早就应该呆在家里享享清福。"田八爷笑得实在很勉强："这里的大事，当然都要偏劳你来做主。"

黑豹还是冷冷的看着他，忽然推开小姗，走过去挟起了金二爷，用一杯冷水淋在他头上。

金二爷突然清醒，吃惊的看了看他，又看了看田八爷。

黑豹冷冷道："你现在是不是已明白王阿四他们怎么会听我的话了?"

金二爷咬着牙，全身都已因愤怒而发抖："原来你们早已串通好了来出卖我。"

"我不是你的兄弟,他却是的,但他却安排要你的命。"黑豹淡淡道:"你呢?……莫忘记你身上还有把枪。"

金二爷的枪已在手,眼睛里已满布红丝。

田八爷失声惊呼:"老二,你千万不能听……"

这句话还没有说完,枪声已响。

一响,两响,三响……

田八爷流着血倒了下来,金二爷突然用力抛出手里的枪,眼睛里已流下泪来……

客厅里突然变得坟墓般静寂,也许这地方本就已变成了个坟墓。

过了很久,黑豹忽然听到一阵疏落的掌声。

"精彩,精彩极了。"高登慢吞吞的拍着手:"不但精彩,而且伟大。"

他忽又叹了口气:"现在我只奇怪,怎么会有你傻小子的。"

黑豹淡淡的一笑:"那也许只因为我很会装傻。"

"现在我应该叫你什么?"高登也笑了笑:"是傻小子? 是黑豹? 还是喜鹊?"

"随便你叫什么都可以。"黑豹微笑着:"但别人现在已该叫我黑大爷了。"

高登凝视着他,又过了很久,才缓缓道:"黑大爷,现在你能不能先把那十万块给我?"

"你现在就要走?"

"只要一有船开,我就回汉堡。"高登的声音很淡漠:"我既不想做你的老弟,更不敢做你的大哥。"

"现在银行已关门,"黑豹沉吟着:"那十万块明天一早我就送到你那里去。"

"你能办得到?"

"我很了解朱百万,他是个很懂得见风转舵的人,现在他已应该知道谁是他的后台老板了。"

高登一句话都没有再说,立刻转身走了出去,头也不回的走了出去。

八点五分。

一个敢用自己脑袋去撞石头的乡下傻小子,终于一头撞出了他自己的天下。

从现在起,这都市里的第一号大亨也不再是别人,是黑豹!

但是他报复的行动却刚开始。

他很快的发出了两道命令:

"到六福公寓的酒楼去,把住在六号房的那女人接来,就说我在这里等她。"

"再送一百支茄力克,一打白兰地到范鄂公那里去,就说我已吩咐过,除了他每月的顾问费仍旧照常外,我每个月另外再送五百块大洋作他老人家的车马费。"

他知道要做一个真正的大亨,像范鄂公这样的清客是少不了的。

然后他才慢慢的转过身子来,面对着金二爷:"你是不是很想看看这两天晚上迷住了我的那个婊子?"

金二爷倒在沙发上,似已连抬头的力气都没有。

黑豹冷笑道:"你是不是也想把她从我手里抢走? 就像你以前抢走沈春雪一样!"

沈春雪就是那个像波斯猫一样的女人。

一提起这个名字,黑豹眼睛里就立刻充满了愤怒和仇恨。

金二爷的脸又开始扭曲,道:"你这样对我? 难道只不过因为我抢走了她? 难道只不过因为一个女人?"

他实在不能了解这种事,因为他永远不能了解那时黑豹对沈春雪的感情。

在黑豹心目中,她并不仅仅是"一个女人"。

她是他第一个恋人,也是他的妻子。

他对她绝对忠实,随时随地都准备为她牺牲一切,因为他爱她甚于自己的生命。

这种刻骨铭心,永恒不变的爱情,也正是金二爷这种人永远无法了解的。

直到现在,一想起这件事,黑豹心里还是像有把刀在割着一样。

"你虽然能抢走沈春雪,但现在我这个女人,却是你永远也不能带上床的。"黑豹嘴角忽然露出一种恶毒而残酷的笑意,一个字一个字的接下去道:"因为她就是你的亲生女儿!"

金二爷霍然抬起头,脸上的表情甚至比听到黑豹就是喜鹊时更痛苦,更吃惊。

"她本是到这里来找你的,只可惜她并不知道赵大爷来到这里后,就变成了金二爷。"

金二爷突然大吼道:"你随便对我怎么样报复都没关系,但是她跟你并没有仇恨,你为什么要害她?"

"我并没有害她,是她自己要跟我的,"黑豹笑得更残酷:"因为我是她的救命恩人,我从喜鹊的兄弟们手里救出了她。"

金二爷握紧双拳,突然向他扑了过来,好像想亲自用双手来活生生的扼断这个人的脖子。

可是黑豹的手已先捆在他脸上。

他倒下去的时候,他的女儿正躺在床上为黑豹担心,担心得连眼泪都快流了出来。

沈春雪蜷曲在沙发上,身子不停的在发抖。

她那张美丽爱娇的脸,已苍白得全无血色,那双会说话的眼睛,也已因恐惧和悔恨变得像白痴一样麻木呆滞。

她的确很后悔,后悔自己不该为了虚荣而出卖自己的丈夫,后悔自己为什么一直都看不出黑豹这种可怕的勇气和决心。

只可惜现在她后悔也已太迟。

黑豹就坐在对面,却连看都没有看她一眼,就好像世上已根本不再有她这么样一个人存在。

他在等,等着更残酷的报复。

但世上也许已没有任何事能完全消除他心里的愤怒和仇恨。

左面的门上,排着很密的竹帘子,是刚刚才挂上去的。

门后一片漆黑。

金二爷就坐在门后面,坐在黑暗里,外面的人看不见他,他却可以看见外面的人。

他可以看,可以听,却已不能动,不能发出一点声音。

他的手脚都已被紧紧绑住,他的嘴也被塞紧。

外面立刻就要发生的事,他非但不敢去看,甚至连想都不敢想。

现在他只想死。

只可惜现在对他说来,"死"也已跟"活"同样不容易。

八点三十五分。

波波已走下了黑豹派去接她的汽车,眼睛里充满了兴奋而愉快的表情。

这是她第一次坐汽车。

这也是她第一次走进如此堂皇富丽的房子。

最重要的是,现在黑豹还活着,而且正在等她。

波波觉得开心极了,她这一生从来也没有像现在这样开心过。

等她看见了客厅里那些华贵的家具,钻石般的发着光的玻璃吊灯,她更忍不住悄悄的伸了伸舌头,悄悄的问那个带她来的年轻人:"这里究竟是谁的家?"

"本来是金二爷的。"这年轻人垂着头,好像连看都不敢看她一眼。

现在每个人都已明白,对黑豹不忠实是件多么危险的事。

现在已绝对没有人敢再冒险。

"本来是金二爷的家,现在难道已不是了?"波波却还在追问。

"现在这地方已经是黑大哥的。"

"是他的?"波波几乎兴奋得叫了起来:"是金二爷送给他的?"

"不是,"这年轻人冷笑着:"金二爷一向只拿别人的东西,从不会送东西给别人。"

他也知道自己这句话说得并不公平,但却不能不这么样说。

他生在这种地方,长在这种地方,十二岁的时候,就已学会了很多,现在他已二十。

"既然金二爷并没有送给他,这地方怎么会变成了他的?"波波是个打破砂锅问到底的人。

"我也不太清楚,赵小姐最好还是……"

这年轻人正在犹豫着,突然听见楼上有人在喊他的名字。

"小白,"喊他的这个人在微笑,但是微笑时也带着种很残酷的表情:"你是准备请赵小姐上楼来? 还是准备在楼下陪她聊天?"

小白的脸上突然变得全无血色,眼睛里也立刻充满惊慌和恐惧。

波波甚至可以感觉到他的手已开始发抖。

那个笑得残酷的人已转身走上了三楼,波波忍不住问:"这个人是谁?"

小白摇摇头。

"你怕他?"

"我……"小白连嘴唇都仿佛在发抖。

"你只要没有做错事,就不必怕别人,"波波昂起了头:"我从来也没有怕过任何人。"

小白忍不住看了她一眼,又立刻垂下头:"赵小姐请上楼。"

"我为什么不能在楼下先看看再上去?"波波说话的声音很大,好像故意要让楼上的人听见:"我为什么不能先跟你聊聊?"

小白的脸色更苍白,悄悄道:"赵小姐假如还想让我多活两年,就请快上楼。"

"为什么?"波波觉得很惊奇。

小白迟疑着:"黑大哥已在上面等了很久,他……他……"

"他怎么样?"波波笑了:"你在楼下陪我聊聊天,他难道就会打死你?你难道把他看成了个杀人不眨眼的凶神恶霸?"

她觉得这年轻人的胆子实在太小,她一向觉得黑豹并没有什么可怕的。这是她现在的感觉。

十分钟之后,她的感觉也许就完全不同了。

八点四十五分。

沈春雪的腿已被她自己压得发麻,刚想改变一下坐的姿势,就看见一个年纪很轻的女孩子走了进来。

这女孩子的眼睛很亮,脸上连一点粉都没有擦,柔软的头发又黑又直,显然从来也没有烫过。

沈春雪的心突然发疼。

这女孩子几乎就和她五年前刚见到黑豹的时候完全一样。

一样活泼,一样纯真,一样对人生充满了希望和信心。

但现在她却已像是一朵枯萎了的花——刚刚开放,就立刻枯萎了。

这五年的改变实在太大。

波波当然也在看她,看着她鬈曲的头发,看着她涂着口红的小巧的嘴,看着她大而疲倦的眼睛,成熟而诱人的身材。

"这女人简直就像是个小妖精!"波波心里想,她不知道这小妖精是不是准备来迷黑豹的。

她相信自己长得绝不比这小妖精难看,身材也绝不比她差。

"可是这小妖精一定比我会迷人,我一看她样子就知道。"波波心这么想的时候,脸上的笑容就立刻变得有些僵硬了。

黑豹正在注意着她脸上的表情,终于慢慢的走过来:"你来迟了。"

"这里反正有人在陪你。"波波撅起了嘴:"我来迟一点又有什么关系。"

她不想掩饰她的醋意,也不想掩饰她跟黑豹的亲密关系。

黑豹笑了,微笑着搂住了她,嘴唇已吻在她小巧玲珑的脖子上,说:"我想不到你原来是个醋坛子。"

"正经点好不好,"波波虽然在推,但嘴角已露出了得意的微笑,她觉得自己还是占上风的,所以就不如索性做得大方点。

"你还没有跟我介绍这位小姐是谁。"

"她姓沈。"黑豹淡淡的说:"是我的未婚妻。"

波波的脸色变了,就好像突然被人重重的掴了一耳光。

黑豹看着她脸上的表情,慢慢的接着道:"她本来是我的未婚妻。"

波波立刻追问:"现在呢?"

黑豹的眼睛又变得刀锋般冷酷:"现在她是金二爷最得宠的姨太太?"

波波松了口气,却又不免觉得很惊讶,忍不住问道:"你的未婚妻,怎么会变成了金二爷的姨太太。"

"因为金二爷是个又有钱,又有势的男人,沈小姐却恰巧是个又喜欢钱,又喜欢势的女人。"黑豹的声音也像是刀锋,仿佛想将沈春雪的心割碎。

波波忍不住轻轻叹息了一声,叹息声中包括了她对这女人的轻蔑,和对黑豹的同情。

但她还是忍不住要问:"你以前是不是很爱她?"

黑豹点点头:"那时我还不了解她,那时我根本还不了解女人。"

"女人并不完全是这样子的。"波波立刻抗议。

"你当然不是。"黑豹又搂住了她。

这次波波已不再推,就像只驯良的小鸽子,依偎在他怀里,轻抚着他轮廓突出的脸:"告诉我,这件事是怎么发生的?"

"金二爷要看看我的未婚妻,我就带她来了。"

"然后呢?"

"过了两天之后,金二爷就要我到外地去为他做一件事。"

"一件要你去拼命的事?"

黑豹又点点头,目中露出讥诮的冷笑:"只可惜那次我居然没有死。"

"你回来的时候,她已变成了金二爷的姨太太?"波波声音里充满同情。

黑豹握紧双拳,黯然道:"也许那次我根本就不该回来的。"

"那是多久以前的事?"

"四年,还差十三天就是整整四年。"黑豹慢慢的说:"自从那次我走了之后,再见到她时,她好像已完全不认得我。"

"你……你也就这样子忍受了下来?"

"我不能不忍受,我只不过是个穷小子,又没有钱,又没有势。"

沈春雪悄悄的流着泪,默默的听着,一直到现在才开口:"我知道你恨我,我看得出,可是你知不知道,我每次看见你的时候,却恨不得跪到你面前去,向你忏悔,求你原谅我。"

波波忍不住冷冷的说道:"你大概并没有真的这样做吧。"

"我没有。"沈春雪的眼泪如泉水般流下:"因为金二爷警告过我,我若再跟黑豹说一句话,他就要我死,也要黑豹死!"

"金二爷,这个金二爷究竟是个人,还是个畜生?"波波的声音里也充满了愤怒和仇恨:"你在为他去拼命的时候,他怎么忍心这么样对你?"

黑豹眼睛里又露出那种残酷的讥诮之意:"因为他的确不是个人。"

波波恨恨道:"我若是你,我一定会不择一切手段来报复的。"

黑豹看着她道:"我应该不择一切手段来对他采取报复?"

"当然应该,"波波毫不考虑:"对这种不是人的人,无论用什么手段都是应该的。"

"我若有机会报复时,你肯做我的帮手?"

"当然肯。"波波的眼里忽然发出了光:"你现在是不是已经有了机会?"

"你怎么知道?"

波波的眼睛更亮:"我听说他这地方已经变成了你的。"

黑豹突然笑了。

波波拭探着问道:"你是不是已经杀了他?"

"现在还没有。"黑豹微笑着:"因为我知道你一定想看看他的。"

波波也笑了:"我不但想看看他,简直恨不得踢他两脚。"

金二爷的胃在收缩,就好像真的被人在肚子上重重的踢了两脚。

他亲眼看见他女儿走进来,亲眼看见他女儿倒在仇人的怀里。

他亲耳听见他自己亲生的女儿在他仇人面前辱骂他,每个字都听得清清楚楚。

他想呕吐，嘴却已被塞住。

他不想让别人看见他流泪，却已忍不住泪流满面。

他在后悔。

并不是为了自己做错事而后悔，而是在后悔自己以前为什么没有杀了黑豹。

只可惜现在无论为了什么后悔，都已太迟了。

他情愿永远不要再见自己的女儿，也不愿让波波知道那个"不是人的人"就是她自己的父亲。

可是黑豹却已在大声吩咐："带金二爷出来。"

九点整。

楼下的自鸣钟敲到第六响的时候，波波终于见到了她的父亲。

金二爷也终于已面对他的女儿。

没有人能形容他们父女在这一瞬间的感觉，也没有人能了解，没有人能体会。

因为一亿个人中，也没有一个人会真的经历到这种事。

波波整个人似已突然变成空的，仿佛一个人好不容易总算已爬上了万丈高楼，突然又一脚踏空。

现在她的人虽然能站着，但她的心却已沉落了下去，沉落到脚底。

她用力咬着嘴唇，拼命不让自己的眼泪流下来。

可是她已看见她父亲面上的泪痕。

在这一刻之前，她从来也想不到她父亲也有流泪的时候。

他本是她心目中的偶像，她心目中的神。

黑豹就站在她身旁，冷冷的看着他们父女。

也没有人能形容他此刻的表情。

猎人们看着已落入自己陷阱的野兽时，脸上并不是这种表情。

野兽看着自己爪下的猎物时，也不是这种表情。

他的目光虽然残忍冷酷，却仿佛又有一种说不出的空虚和惆怅。

金二爷忽然转过头，面对着他，冷冷道："现在你已让她看见了我。"

黑豹点点头。

"这还不够?"金二爷脸上几乎连一点表情都没有,泪也干了。

无论谁能爬到他以前爬到过的地位,都一定得要有像牛筋般强韧的神经,还得有一颗像刚从冷冻房里拿出来的心。

黑豹看了看他,又看了看他的女儿,忽然问道:"你们没有说话?"

"无论什么话,现在都已不必再说。"金二爷嘴角露出一丝又苦又涩的笑容:"她本来虽然要踢我两脚,现在当然也无法踢了。"

"你呢?"黑豹忽然问波波:"你也没有话说?"

波波的嘴唇在发抖,却昂起了头,大声道:"我想说的话,还是不要说出来的好。"

黑豹冷笑:"你是想痛骂我一顿,还是想替你父亲求我?"

"求你有没有用?"波波终于忍不住问。

黑豹沉吟着:"我问过你,是不是应该不惜一切手段报复他的。"

"你的确问过。"

"现在我已照你说的话做了。"

"你也的确做得很彻底。"波波咬紧了牙。

"现在你是不是还认为我应该这么样做?"黑豹问出来的话就像是刀锋。

波波挨了这一刀,她现在已完全无法抵抗,更无法还手。

黑豹突然大笑,大笑着转过身,面对着沈春雪。

沈春雪面上的惊讶之色已胜过恐惧,她也从未想到这少女竟是金二爷的女儿。

"你是不是说过一切事都是他逼你做的?"黑豹的笑声突然停顿。

沈春雪茫然点了点头。

"现在你为什么不报复?"黑豹的声音又冷得像刀锋。

"我……"

"你可以去撕他的皮,咬他的肉,甚至可以杀了他,你为什么不动手。"

沈春雪终于站起来,慢慢的走到金二爷面前,看着他,忽然笑了笑,笑得又酸又苦:"我本来的确恨过你,我总是在想,总有一天你会遭到报应的,到那时我就算看到你的死尸被人丢在阴沟里,我也不会掉一滴眼泪的。"

金二爷静静的听着。

"可是现在我已发现我想错了。"沈春雪的声音突然变得很平静,像是已下了很大的决心:"现在我才知道,你虽然很可恨,但有些人做的事却比你更可恨,更残酷。"

她说的那些人,自然就是在说黑豹。

"他要报复你,无论谁都没有话说。"沈春雪慢慢的接下去:"可是你的女儿并没有错,他不该这样子伤她的心。"

金二爷看着她,目中突然露出了一丝安慰之色,自从他倒了下来之后,这是他第一次听到有人在为了他说话。

为他说话的这个人,却是他曾经伤害过的。

"我对不起你。"金二爷突然说道:"我也连累了你。"

"你没有。"沈春雪的声音更平静:"一开始虽然是你勉强我的,但后来你对我并不坏,何况,若不是我自己喜欢享受,我也不会依了你。"

金二爷苦笑。

"我本来可以死的,"沈春雪又道:"黑豹恨我,就因为我没有为他死。"

黑豹握紧了双拳,脸色已苍白如纸。

沈春雪突然转身,看着他:"可是我现在已准备死了,随便你想要我怎么死都没关系。"

"我不想要你死。"黑豹忽然又露出他雪白的牙齿微笑:"我还要你们活下去,舒舒服服的活下去。"

沈春雪仿佛吃了一惊:"你……你还想怎么样折磨我们?"

黑豹没有回答这句话,冷笑着道:"我要你们好好的活着,好好的去想想以前的那些事,也许你们会越想越痛苦,但那却已和我无关了。"

沈春雪的身子突然发抖,金二爷也突然变得面如死灰。

因为他们心里都明白,活着有时远比死还要痛苦得多。

"你为什么不痛痛快快的杀了我?"金二爷突然大吼。

"我怎么能杀你?"黑豹笑得更残酷:"莫忘记有时我也可以算是你的女婿。"

金二爷握紧双拳,身子也已突然开始发抖。

过了很久,他又转过头,凝视着他的女儿,目中充满了痛苦之色,忽然长长叹息。

"你不该来的!"

波波咬着嘴唇,没有说话。

她生怕自己一开口就会忍不住失声痛哭起来。

她发誓绝不哭,绝不在黑豹面前哭。

她昂起了头,告诉自己:"我已经来了,而且是我自己愿意来的,所以无论发生了什么事情,我都绝不后悔。"

可是现在她终于已了解黑豹是个多么可怕的人,也已了解这大都市是个多么可怕的地方。

"这里的确是个吃人的世界。"

"黑豹就是个吃人的人。"

现在她才明白,是不是太迟了?

现在才九点十五分。

她前天晚上踏上这大都市的时候,也恰巧是九点十五分。

她到这里来,只不过才两天,整整两天。

这两天来她所遇到的事,却已比她这一生中加起来还多。

金二爷已被人夹着走了出去。

波波看着他的背影,若是换了别的女孩,一定会跑下来,跑在黑豹面前,流着泪求他饶了她的父亲。

可是波波没有这么样做。

她不是别的女孩子,波波就是波波。

她非但没有跑下来,没有流泪,反而昂起了头,用尽全身力气大喝:"不管怎么样,你还活着,不管怎么样,活着总比死好……"

第九回　针　锋

波波已坐了下来，就坐在沈春雪刚才坐的地方。

但她绝不是沈春雪那样的女人，她坐的姿势也跟沈春雪完全不一样。

沈春雪坐在这里的时候，总是低着头的。

波波绝不低头。

她好像永远都在准备着去抵抗各种压力和打击。

黑豹正坐在她对面，凝视着她，仿佛直到现在才真正看清她这个人。

他们本是从小在一起长大的，但是他忽然发现自己竟一直都不了解她。

男人又几时真正了解过女人。

"你是不是在后悔？"黑豹忽然问。

"后悔？"波波居然笑了笑道："我为了什么要后悔？"

"因为你本不该来的。"

"我已经来了。"波波道："而且我想要做的事，现在也全都已做到。"

"哦？"

"我想要辆汽车，现在我已有了辆汽车，"波波居然还在微笑："我本是来找我爸爸的，现在我已找到了他。"

"你真的不后悔？"

"后悔什么？"

"后悔看到了他那种样子，后悔知道了他是个怎么样的人。"黑豹冷冷的说。

"他是我的爸爸，他无论是个怎么样的人，我都应该知道。"波波的态度更坚强。

"你也不后悔遇见了我？"

波波突然冷笑："你是不是认为我应该后悔。"

黑豹凝视着她，忽然也笑了笑，转头吩咐："请我的弟兄们进来。"

两分钟之后，门就开了。

几个人微笑着走进来。

波波并没有看清楚他们一共有多少人,只看清了其中两个人。

胡彪胡老四,和那个用小刀的"拼命七郎"。

这两个人她永远也忘不了。

"他们都是我的好兄弟。"

黑豹微笑着:"为了我,随便什么事他们也肯做的。"

波波忽然也笑了:"他们的戏也演得很好,为什么不改行去唱戏?"

胡彪看着她,目中忍不住露出惊异之色,他实在想不通这个小丫头为什么直到现在还能笑得出。

波波也在看着他,又笑了笑:"你们的伤好得倒真快。"

胡彪也笑了笑,道:"赵小姐难道没有看过戏,唱戏的时候,连刚被打死的人也随时都会跳起来的。"

"现在你们的戏已唱完了? 你们居然还敢留在这里,我真佩服得很。"

"我们为什么不敢留在这里?"

"现在他已用不着你们再唱戏了,你们难道是猜不到他以后会怎么样对付你们?"波波淡淡的微笑着:"你们难道还看不出他是个怎么样的人?"

"我是个怎么样的人?"黑豹忽然问。

"你是个不是人的人。"波波淡淡的接下去:"你若有老子,为了爬得更高些,你连老子都会杀了的,何况兄弟?"

黑豹大笑,大笑着走过来,突然一个耳光重重的掴在波波脸上。

波波连人都已几乎被打倒,但却还是昂起了头,还在微笑着:"你打我,我一点也不生气,因为我知道你打我,只不过因为我看穿了你。"

黑豹的脸色已铁青。

"女人是个天生的贱种,贱种都喜欢做婊子的。"那笑的时候表情也很残酷的人忽然道:"大哥为什么不让她做婊子去。"

黑豹又笑了:"这倒是个好主意,只不过今天晚上我还想用她一次。"

"我既然是个婊子,谁用我都没关系。"波波忽然撕开了自己的衣襟,露出她丰满结实的乳房:"你这些兄弟既然对我有兴趣,我现在就可以免费招待他们一次。"

胡彪的喉结上下滚动着,眼睛盯着她的胸,脸上已不禁露出贪婪之色。

黑豹突然跳起来,一把揪住她的头发,把她抱到后面去。

波波已疼出了眼泪,却还是在大笑:"你为什么不让他们来? 你难道还在吃醋？……你这种畜生难道也会吃醋？"

后面就是卧房。

柔和的灯光，照在一张宽大柔软的床上。

黑豹用脚跟踢上门，将波波用力抛在这张床上，波波的人又弹起，又落下。

她还是在疯狂般大笑着，笑得连乳房都已因兴奋而坚挺。

"你那个兄弟说得不错，我本来就是个天生的婊子，我喜欢做婊子，喜欢男人来用我。"

黑豹握紧双拳，站在床头，瞪着她，冷酷的眼睛里似已有火焰在燃烧。

他突然扑过去，压在她身上。

波波喘息着："各式各样的男人我都喜欢，只有你让我恶心，恶心得要命。"

她突然用力挺起膝盖，重重的撞在他小腹下。

黑豹疼得整个人都弯了起来，然后他的手就又搁在波波的脸上。

波波的嘴角已被搁出了鲜血。

她想跳起来，冲出去。

黑豹却已抓住了她的衣服，从上面用力撕下去，她健康结实的胴体，立刻赤裸裸的暴露在灯光之下。

她已无法抵抗。

黑豹已野兽般占有了她。

她咬着牙，忍受着，既不再推拒，也不迎合。

但黑豹却是一个很强壮的人，她终于忍不住开始呻吟……

然后她的反应突然变为热烈，呻吟着轻轻呼唤："罗烈……罗烈……"

黑豹突然冷了，全身都已冰冷僵硬。

波波的反应更热烈，但是他却已无能为力。

他突然用力推开她，站起来，就这样赤裸裸的走了出去，头也不回的走了出去。

"砰"的，门又关起。

波波看着他走出去，嘴角忽然露出了一种奇怪的微笑。

就在她开始笑的时候，眼泪也慢慢的流下来……

"不管怎么样,活着总比死好。"

这是她自己说的话,她随时都在提醒自己。

她在心里发誓:"我一定要活下去。"

"我就算是要死,也一定要看着黑豹先死在我的面前。"

活下去也得要有勇气。

有希望就有勇气。

波波心还有希望,她相信罗烈一定会来找她,正如她相信这漫漫的长夜总有尽时,天一定会亮的。

她已擦干了脸上的血和泪,准备来迎接这光辉的一刻。

天当然会亮的。

但罗烈是不是会来? 是不是能来呢?

天亮了。

天地间一片宁静,没有小贩的叫卖声,也没有粪车的喧哗声,甚至连鸡啼声都听不见。

这里本是个高尚而幽静的住宅区。

黑豹坐在金二爷那张柔软的丝绒沙发里,面对着窗口,看着窗外的晨曦渐渐升起。

在乡下,这时他已起来很久了,已吃过了三大碗糙米饭,准备下田去。

他记得那时候总喜欢故意多绕一点路,去走那片柔软的青草地。

他总是喜欢赤着脚,让脚心去磨擦那些上面还沾着露水的柔草。

那时在他幻想中,这片柔软的草地,就是一张华贵的地毯,这一片青葱的田园,就是他豪华的大客厅。

他幻想着自己有一天,能真的坐在一个铺着地毯的豪华客厅里——什么事也不必做,只是动也不动的坐着,看着东方的第一线阳光照射大地。

现在他的幻想已完全实现。

这客厅里的布置豪华而富丽,地上铺着的地毯,也是从波斯来的。

他现在是不是已真的满足? 是不是真的很快乐?

他赤裸裸的坐着,让自己的脚心去磨擦地上华贵的地毯。

他忽然希望:这张地毯是一片柔软的草地,忽然希望:自己还是以前那个淳朴而又充满幻想的男孩子。

人心是多么不容易满足呢?

卧房的门是关着的,他已有很久没有听见波波的声音。

"她是不是已睡着了?"

在这种时候,她还能睡得着?

她以前的确是个很贪睡的小姑娘,无论在什么地方,只要一倒下去,就立刻能呼呼大睡。

那时他和罗烈就总会笑她,是条小睡虫。

"小睡虫将来嫁了人后,若是还这么样贪睡,她丈夫一定会被她活活气死。"

那时波波就会红着脸,跳起来打他们。

"我这一辈子永远也不嫁人。"

往事就仿佛窗外的晨雾一样,那么缥缈,又那么真实。

黑豹忽然觉得自己的心在刺痛,他忽然想起了罗烈,想起了波波刚才在兴奋时呼唤的声音。

"罗烈……罗烈……"

黑豹的双手突然握紧,像是恨不得一下子就能捏碎所有的回忆。

就在这时候,门外已有人通报:"大通银行的朱董事长来了。"

黑豹没有动,也没有站起来迎接,只简短的吩咐:"叫他进来。"

朱大通夹着他那又厚又重的公事皮包,站在黑豹面前。

他显得有些不安。

面对着他的,是一个赤裸着的,年轻而强壮的男人胴体。

这对他无疑是种威胁。

他忍不住悄悄的将腹部向后收缩,希望自己看起来能显得年轻强壮些。

黑豹突然笑了。

他微笑中带着种说不出的讥刺和轻蔑,他忽然觉得站在自己面前的这个人,就像是一条猪。

你只要能让他吃得饱,睡得足,他就永远不会想冲出他的猪栏来。

但是猪也有猪的好处,猪不咬人。

"今天你起得早。"黑豹的声音虽不客气,却已很柔和。

"昨天晚上我根本就没有睡。"朱大通掏出块雪白的手帕,不停的擦着汗:"我通宵都在整理账目。"

"什么账目?"

"金老二他们三个人的存款账目。"朱大通从公事皮包中拿出了一叠文件,双手送到黑豹面前:"现在我已将他们都转入到你的名下,只要你在这些文件上签个字就算过户了。"

黑豹目中露出满意的笑:"为什么一定要我签字,你知道我是个粗人,一向懒得写字。"

"其实不签字也没关系。"朱大通赔着笑,尽力将自己的视线避过他身上突出的地方:"但他们存款的数目,还是要你看一看。"

"我不必看,我相信你,"黑豹的微笑更亲切:"我们本来就已经是老朋友。"

朱大通也笑了,这次是真的笑。

他知道自己的地位已又可保住。

"只要我以后提款也像他们以前一样方便,我们的交情一定会更好。"黑豹淡淡的提醒他。

朱大通立刻保证:"只要你吩咐,无论多大的数目,十分钟之内我就可派人送到府上来。"

黑豹满意的点了点头。

他喜欢听这种话,财富往往能使人有一种安全而温暖的感觉。

"现在我就要十五万,要现钞,你最好能在八点钟以前送来。"

七点四十分。

十五万现款已送到。

黑豹已冲了个冷水澡,穿起了衣裳,还是一套纯黑色的衣裳。

他希望自己在别人心目中的印象还是跟以前一样———条剽悍残酷的黑豹,若有人惹了他,他随时都能连皮带骨将这人吞下去。

卧房的门还是关着的,里面还是没有声音。

黑豹走过去,想推开门,突又转过身,大步走了出去。

现在他只已剩下一件事还没有解决,他自信一定可以将这件事处理得很好。

楼下的兄弟们一个个全都显得活力充沛,精神饱满,因为昨天晚上虽然是大功告成的日子,但却并没有狂欢,也没有庆功宴。

那要等到端午节时再合并举行。

他相信到了那时候,这大都市里已不会再有一个敢跟他作对的人。

外面阳光灿烂,空气新鲜。

黑豹大步走了出去,深深的吸了口气,觉得全身都充满了力量,足以对付任何人,任何事。

八点整。

黑豹已到了百乐门大饭店的四楼,正在敲高登的房间。

他右手提着个黑皮箱,里面装的是十五万现款,左手里的钥匙轻响如铃声。

听到了这种声音,高登就知道黑豹来了。

但高登并没有出来迎接,甚至没有来开门。

他正在坐在靠墙的一张沙发上,享受他欧洲大陆式的早餐。

他西装笔挺,头发和皮鞋同样亮,胡子也刮得干干净净。

你无论在什么时候看见他,他看来都新鲜得像是个刚生下来的鸡蛋。

桌子上摆着煎蛋和果汁,他的枪并没有在桌上。

他吞下最后一口煎蛋,放下刀叉,才说:"门是开着的。"

然后黑豹就忽然出现在他面前。

黑豹跟他看来永远是不同的两种人,就好像豹子和兀鹰,飞刀和子弹,性质种类虽不同,却同样残酷,而且同样足以致命。

"你很守时,"高登看着他,目中带着笑意:"而且很守信。"

黑豹的眼睛也在微笑:"因为你是高登。"

"我没有等你一起吃早点,我知道你宁愿吃奎元馆的面。"

"虾爆鳝面,"黑豹微笑着道:"我建议你临走之前,不妨去试一试。"

"这次恐怕来不及了,下午两点有班船,我已订好了舱位。"

高登用餐巾抹了抹嘴:"下次再来的时候,我一定不会错过的。"

"是不是两个舱位?"黑豹忽然问。

"两个舱位?"

"你难道不带着梅子夫人一起走?"

高登笑了:"我虽然常常做好事,却并不是个慈善家,我并不想养她的老。"

黑豹也笑了："难怪你今天早上看来精神很好，若是陪她那种狼虎之年的女人睡了一个晚上，精神绝不会这么好的。"

"你若也想试试，以后不妨到三号码头那一带的酒吧里去找她，"高登说谎的时候也是面不改色的："我保证你一定可以找得到。"

"这辈子恐怕来不及了，"黑豹笑着道："等她下辈子再投胎时，我一定不会错过的。"

高登大笑："想不到你这种人也有幽默感，我喜欢有幽默感的人。"

"我也喜欢你，"黑豹放下手里的皮箱："所以这里不是十万，是十五万。"

"十五万？"

"另外的五万，就算是我送给你的车马费。"

高登轻轻的叹了口气："我希望我也有一天能把五万块随随便便的送给别人。"

"你不是别人，你是高登。"黑豹又道："何况我还要托你带个信儿给罗烈。"

"我一定带到。"

"告诉他，我希望他能到这里来，这里的饭足够我跟他两个人吃的。"

高登笑容中仿佛带着点讽刺："我也会告诉他，他若在这里杀了人，一定不必去坐牢。"

"所以你也该回来。"

"这里的饭够不够我们三个人吃？"

黑豹又笑了："你总该知道这里不但有虾爆鳝面，也有火腿蛋。"

"你的话我一定会记住。"高登站起来，好像已准备送客。

"你走的时候，我不去送你了。"黑豹笑得很真诚："但你若再来，无论大风大雨，我也一定去接你。"

他微笑着伸出手："我们就在这里握手再见。"

高登看着他的手，忽又笑道："我总觉得跟你握手是件很危险的事。"

"为什么？"黑豹好像觉得很意外。

"因为你的手就是件武器。"高登微笑着："跟你握手，就好像伸手去拿一个随时都可能爆炸的手榴弹一样危险。"

黑豹大笑："你的确不该冒险，你的手的确比钻石还值钱，一伸手就能赚十几万的人，在这世上的确不很多。"

他已准备缩回手。

"但我还是准备冒一次险,"高登看着他:"现在你已是个了不起的大人物,我能跟大人物握手的机会也并不多。"

他终于微笑着伸出手来。

他的手修饰整洁,手指细长而敏感。

黑豹的手却是粗糙的,就像是还未磨过的花岗石,又冷又硬。

他们的手终于互相握住。

黑豹的笑容忽然变得残忍而冷酷:"你是个聪明人,你的确不该和我握手的。"

"为什么?"高登好像还不懂。

"因为我实在不想再看见你这只手上握着一把枪对着我。"

他的手突然用力。

他很了解自己这一握的力量,高登的手就算是花岗石,也会被他握碎。

高登却居然还是在微笑着,笑容中还是带着种讽刺之意。

然后黑豹就突然觉得手心一阵刺痛,就好像有根针刺入他掌心。

他手上的力量立刻消失。

高登后退时,左手里已多了一柄枪,漆黑的枪管冷冷的指着黑豹,就像是他的眼睛一样。

黑豹的掌心在流血,却还是在微笑:"想不到你的手还会咬人。"

高登淡淡道:"我的手不会咬人,但我手上的戒指却是个吸血鬼送给我的。"

他摊开了他的右手,中指上戴着的戒指,已弹出了一根尖针。

针头上还带着血。

黑豹叹了口气:"你不该用这种东西来对付一个跟你握手送行的朋友的。"

"这个朋友若不想捏碎我的手,这根针也就不会弹出来。"

高登用手指轻轻一转戒指,尖针就又弹了回去。

"看来你的确是个很小心的人。"黑豹又在叹息。

"所以你觉得很失望?"

"的确有一点。"

"你失望的,也许并不是因为我还活着。"高登在冷笑。

"你认为不是?"

高登摇摇头："因为你并不是真的想要我死,你只不过不愿我去救罗烈出来。"

"你应该知道罗烈是我的好朋友。"

高登冷笑道："以前的确是的,但是现在却已不同了。"

"有什么不同?"

"现在你已是个了不起的大人物。"高登冷冷道："但罗烈若是回来了,你的地位也许就不会像现在这么样稳固。"

"你以为我怕他?"

"你不怕?"

黑豹突又大笑："看来你好像真的很了解我。"

"因为你自己也说过,我们本是同一类的人,是杀人的人,不是被杀的人。"

"现在我是哪种人呢?"

"现在我还不能确定。"高登的声音更冷："我只希望你不要逼我杀你。"

黑豹看着他："你还希望我怎么样?"

"我希望你留在这里陪我,然后再陪我上船去,有你陪着,我才放心。"

"你也该知道我是个忙人。"

高登冷冷的看着他："死人就不会再忙了。"

他们互相凝视着,就像是两根针,针锋相对。

过了很久,黑豹才慢慢的说："你说的每句话好像都很有道理。"

"因为我说的是实话。"高登道："实话都是有道理的。"

"你难道从来没有说过谎?"

"你听见我听说谎?"

"只有一次。"

"哪一次?"

"你说你不杀我,是因为我是罗烈的朋友。"黑豹的声音也很冷。

"这是谎话?"

黑豹点点头："你不杀我,只因为你根本没有把握能杀我。"

高登又笑了,"我的确没有把握,可是我手枪里的子弹却很有把握。"

"你知不知道以前中国有很多种可怕的暗器?"黑豹忽然问。

"那些暗器每种都能杀人的,但却得看他想杀的是哪种人。"黑豹淡淡道："在我这种人面前,所有的暗器都像是废铁。"

"手枪并不是暗器。"

"手枪当然不是暗器,但手枪的性质,却还是跟袖箭那一类的暗器是同样的。"黑豹说话的姿势就像是个大学教授:"手枪比袖箭可怕,只因为手枪里射出来的子弹,速度比袖箭快得多。"

高登在听着,虽然并不十分同意他的话,又不能不承认他说的也有些道理。

"所以子弹也并不是完全不能闪避,问题只不过是你能不能有那么快的动作?"

"谁也不会有那么快的动作,谁也躲不开手枪里射出来的子弹!"高登的脸色已更为苍白。

黑豹冷笑:"你真的有把握?"

就在这一刹那间,他的人已突然豹子般跃起,向高登扑了过去。

高登的枪也已响起。

没有人能分辨是高登的枪先响? 还是黑豹先开始动作。

黑豹的动作几乎也快得像是一颗从手枪里射出去的子弹。

他的左腿上突然有鲜血飞溅,一颗子弹已射入他的腿。

但也就在这同一刹那间,他的右腿已重重的踢在高登手腕上。

高登手里的枪飞出,然后就听见自己肋骨碎裂的声音。

黑豹的拳头已击上他胸膛。

这一拳的力量,远比子弹还可怕得多。

高登整个人都被打得重重的靠在墙上,不停的咳嗽,嘴角不停的流血。

他想掏枪,但这时他的动作已远不及平时快了。

黑豹已窜过来,握住了他的右腕,用另一只手替他掏出了枪。

高登身上永远带着四柄枪,最后的一柄枪是藏在裤子里的。

现在连这柄枪都被黑豹搜出来,抛出窗外。

然后黑豹就慢慢的后退,坐到后面的沙发上,冷冷的看着他。

高登倚在墙上,掏出口袋里插着的、和领带同色的丝帕,擦干了嘴角的血迹。

黑豹突然笑了笑:"想在你能不能再从身上掏出一把枪来?"

高登居然也笑了笑:"我并不是个魔术家。"

"像你这种人,身上若是已没有手枪,会有什么感觉?"

"就好像没有穿衣服的感觉一样。"高登叹了口气,"我现在简直就觉得好像赤裸裸的站在一个陌生的大姑娘面前。"

"这譬喻用得很好。"黑豹又开始微笑:"你本该写小说的。"

"我也希望我以前选的是笔,不是枪。"高登苦笑:"只可惜用笔远比用枪难得多。"

"也安全得多。"

"的确安全得多。"高登承认:"所以聪明人选择的都是笔,不是枪。"

黑豹冷冷的看着他:"我现在还可以再让你有一次选择。"

"选择什么?"

"你可以转过头,从窗口跳出去。"黑豹的表情残酷得就像是一只食尸鹰:"你也可以用你的拳头扑过来跟我拼命?"

他拍了拍手,又道:"你看,我们的手都是空着的,我们身上都受了伤,所以这本是很公平的打斗,谁也没有占谁的便宜。"

高登又笑了:"只可惜我一向都是个君子。"

"君子?"黑豹不懂得他的意思。

"君子是动口不动手的。"

黑豹也笑了:"你只动口?"

"我只动口,枪口。"高登慢慢的将那块染了血的丝巾插回衣袋里,"我不但是个君子,而且也是个文明人。"

"文明人?"

高登淡淡的微笑着:"你几时看过一个文明人赤手空拳去跟野兽拼命的?"

"我的确没有看过,"黑豹冷笑:"我只看过文明人跳楼。"

高登叹了口气:"跳楼的文明人倒的确不少。"

他整了整领带和衣襟,苍白的脸上,居然还带着那种充满讥刺的微笑。

"你还有什么话说?"

"我只有一样事觉得很遗憾。"

"什么事?"

高登的声音仿佛忽然变得很优雅:"幕已落了,这里却没有掌声。"

他微微鞠躬,动作也优雅得像是位正在舞台前谢幕的伟大演员。

然后他就从窗口跳了下去。

他跳下去的时候,忽然听到了黑豹的掌声。

"不管是怎么样,这个人来得很漂亮,走得也很漂亮。"

幕既已落了,有没有掌声岂非都一样?

九点二十分。

黑豹回来的时候,发现波波已坐在客厅的沙发上,身上穿的是沈春雪的丝袜和旗袍,脸上擦着沈春雪留下的脂粉,甚至连头发都用夹子高高的挽了起来。

她跷着腿坐在那里,故意将修长的腿从旗袍开叉中露出来。

她已像是完全变了个人。

黑豹冷冷的看着她,突然大吼:"快去洗干净。"

"洗什么?"波波眨着眼,尽量在模仿着沈春雪的表情。

"洗洗你这张猴子屁股一样的脸。"

"为什么要洗?"波波媚笑着:"婊子岂非都是这么样打扮的?"

黑豹握紧双拳,似已愤怒得连话都说不出来。

"从今天开始,我已准备开业了。"波波用眼角瞄着他:"听说你认得的有钱人很多,能不能替我介绍几个好户头?"

黑豹突然扑过去,拧住了她的手,怒吼道:"你这个婊子,你去不去洗?"

"不错,我是个婊子,而且是你要我做婊子的。"波波咬着牙,忍住疼,还是在媚笑着:"你为什么还要发脾气?"

黑豹反手一个耳光掴在她脸上。

波波还是昂着头:"你可以打我,因为你的力气比我大,可是你最好不要打我的脸,我还要靠这张脸吃饭的。"

黑豹看着她的脸,厉声喝道:"你真的要想去做婊子?"

波波大笑道:"我本来就是个天生的贱种,天生就喜欢做婊子。"

黑豹突然放开手:"好,你现在就给我滚出去。"

"我不会滚,只会走。"

波波站起来,拉了拉旗袍,昂着头,头也不回的走了出去。

黑豹看着她扭动的腰技,冷酷的眼睛里似已露出了痛苦之色。

他咬了咬牙,突然冷笑:"我还有件事情忘了告诉你。"

"什么事?"波波停下了脚步,却没有回头:"是不是你现在就想照顾我一次。"

黑豹冷笑道:"我只希望你明白,你若想去找罗烈,你就错了。"

波波也在冷笑,可是她的笑声却已嘶哑:"你怕我去找他?"

"你永远再也找不到罗烈的,"黑豹的笑声仿佛也已嘶哑:"罗烈也永远不会再见到你。"

波波突然回过头:"我不懂你说的话。"

黑豹慢慢的坐下来,神情又就变得冷静而残酷,他是看着敌人已在他面前倒下去的时候,脸上才会有这种表情。

他显然已有把握。

波波眼睛忽然露出恐惧之色,忍不住又问:"你莫非已有了罗烈的消息!"

黑豹冷冷道:"你想听?"

波波又咬起嘴唇:"我当然想听,只要是有关他的消息,我都想听。"

黑豹脸上的肌肉似乎已扭曲,瞳孔也已收缩,过了很久,才一个字一个字的说:"罗烈已没有消息了,从今以后,谁也不会再听到他的消息。"

"为什么?"波波的声音更嘶哑,甚至已经有些发抖。

"世上只有一种人是永远不会有消息的,你应该知道是哪种人。"

波波用力摇头,似已说不出话来。

其实当然已明白黑豹的意思。

"死人! 只有死人才永远没有消息。"

她忽然觉得一阵晕眩,似已将倒下。

她没有倒下去。

她用力咬着嘴唇,头也不回的走了出去,她的头还是抬着的。

走出门的时候,她已听到黑豹的大笑声。

"你放心,你没有生意的时候,我一定会要我的兄弟去照顾你。"

波波突然也大笑,用尽全身力气大笑:"你也只管放心,我绝不会没有生意的。"

黑豹坐在那里,动也不动的坐在那里。

他腿上的伤口已不再流血。

这个人全身的肌肉都结实得像铁打的——他的心也是铁打的?

他听见波波的脚步声,很快的奔下楼。

他听见波波在楼下吃吃的笑："今天我已经开业了,还是住在老地方,欢迎各位随时去找我。"她的笑声真大："只要是黑豹的朋友,我一律半价优待。"

黑豹握紧着双手,突然将手里的钥匙,用力往腿上的枪口刺了下去。

然后他就看着鲜血流出来……

这时正是阴历三月二十日上午九点四十分,距离端午节还有三十七天。

第十回 怪 客

泪已干了,枕头却已湿透。

"一个人若已完全绝望了时,为什么还要活着?"

波波自己也无法解释。

这也许只因为她还不想死,也许因为她还没有真的完全绝望。

"罗烈绝不会就这样无声无息的死了的,他就算要死,临死前也会来告诉我。"

汽车还停在楼下的街道旁,银灰色的光泽看来还是那么灿烂华丽。

那条鲜艳的黄丝巾,就在枕旁。

但现在波波却情愿将这所有的一切,去换取罗烈的一点点消息。

已经两天了。

她就这样躺在床上,几乎连动都没有动过,也没有吃一粒米。

她苹果般的面颊已陷落了下去,发亮的眼睛也布满红丝。

"难道我就这样在这里等死?我这样死了又有谁会知道,又有谁会为我流一滴眼泪?"

黑豹当然不会。

她不愿再想黑豹,却偏偏不能不想。

恨,岂非本来就是种和爱同样深邃,同样强烈的感情!

爱和恨最大的不同,是爱能使人憧憬未来,能使人对未来充满希望。

恨却只有使人想到过去那些痛苦的往事。

"以后怎么办呢?"

波波连想都没有去想。

她要活下去,却没有想到怎么样才能活得下去,也没有想用什么方式活下去。

难道真的去出卖自己?

波波又不是那种女人,绝不是!

　　她想黑豹，想罗烈，想到她第一次被黑豹占有时的痛苦与甜蜜，想到黑豹对她的欺骗和报复，她全身都像是在洪炉中受着煎熬。

　　她想看着黑豹死在她面前，又希望以后永远不要再见到这个人。

　　但就在这时，黑豹已出现在她面前——门虽然是锁着的，她却忘了黑豹有钥匙。

　　钥匙还是在他手里"叮叮当当"的响。

　　黑豹还是以前的黑豹，骄傲、深沉、冷酷，充满了一种原始的野性。

　　波波的心跳忽然加快，却立刻昂起了头；冷笑着："想不到黑大爷还会来照顾我，只可惜今天我已太累，已不接客了，抱歉得很。"

　　黑豹静静的站在那里，看着她，脸上完全没有任何表情。

　　"我每天最多只接五个客人，你若真的要来，明天请早。"波波冷笑着，却也不知是在骗别人，还是在骗自己。

　　黑豹冷酷的眼睛里，忽然露出种很奇怪的表情，仿佛是怜悯，又偏偏仿佛是另一种更微妙的情感。

　　他慢慢的走了过来，走到床前。

　　"你快出去，我不许你碰我。"波波大叫，想抓起枕头来保护自己。

　　可是黑豹已将她从床上拉了起来，抱在怀里。

　　他并没有用力。

　　他的动作是那么温柔，他的胸膛却又是那么强壮。

　　他是个男人，是波波第一次将自己完全付出去给他的男人。

　　波波用尽全身力气，一口咬在他肩头上，却又忍不住倒在他怀里，失声痛哭了起来。

　　这究竟是爱？还是恨？

　　他自己也分不出，又有谁能分得出。

　　"你为什么要来？你难道还不肯放过我？"她痛哭着嘶喊。

　　黑豹什么都没有说，只是轻轻抚摸着她柔软的头发，她光滑的肩和背脊……

　　她整个都已软瘫，再也没有力气挣扎，再也没有力量反抗。

　　她实在已太疲倦，疲倦得就像是只在暴风雨中迷失了方向的鸽子，只要能有个安全的地方能让她歇下来，别的事她已全都不管了。

　　黑豹的嘴角忽然露出一丝得意的微笑。

　　波波恰巧看到了他的笑，立刻忍住了哭声："你是不是要我跟你回去？"

黑豹慢慢的点了点头。

"好,我跟你回去,"波波又昂起了头:"但我也要你明白一件事。"

黑豹在听着。

"我跟你回去,只为了我要报复,因为我只有跟你在一起时,才有机会报复。"

黑豹看着她,突然大笑。

他大笑着高高举起她,又放下,放在床上,解开了她的衣襟:"你惟一能报复我的法子,就是用你的法子,就是用你的两条腿挤出我的种子来。"

他大笑着占有了她。

波波闭上了眼,承受着。

她心里忽又充满了仇恨,她发誓一定要报复。

现在她要报复的,也许不是因为他以前对她做的那些事,而是因为他现在对她的讥嘲和轻蔑。

对一个女人来说,这种仇恨也许远比别的仇恨都要强烈得多。

端午。

这小客厅的隔音虽然很好,却还是可以隐隐听得到楼下的狂歌声。

真正能令男人们狂欢的事,只有两种。

酒和女人。

楼下有酒,也有女人,今天是黑豹为他的兄弟们庆功的日子。

在这大都市里,现在几乎已找不出一个敢来挡他们路的人。

最好的酒,最风骚的女人。

好酒总是能让人醉得得快些,风骚的女人总是能让人多喝几杯。

波波就在楼上听着这些男人和女人的笑声。

她没有喝酒,也没有笑。

她就静静的坐在那张沙发上,等着黑豹上来,等着黑豹喝得大醉。

今天也许就是她报复的机会。

黑豹上来的时候,果然已醉了。

是两个人扶他上来的,楼下的狂欢却还在继续着。

"让我来照顾他,"波波从他们手里接过黑豹:"你们还是下去玩你们的,今天这个机会可很难得。"

今天这机会实在难得,何况扶黑豹上来的这两个人,本身也差不多快要人扶了。

世上最想喝酒的人,也正是已经快喝醉的人。

他们立刻笑嘻嘻的对波波一鞠躬,然后就以最快的速度回到酒瓶子前面去。

波波将黑豹扶到床上,然后再回身关起了门,锁起来。

黑豹仰卧床上,嘴里还在不停的吵着要酒喝:"拿酒来,我还没醉……谁说我醉了,谁敢说我已醉了?"

一定不肯承认自己喝醉的人,就算还没有完全醉,至少也已醉了八成。

波波眼睛里发着光,柔声道:"谁也没有说你喝醉了,这里还有酒,我陪你喝。"

她果然在房里准备了一瓶陈年白兰地,送到黑豹面前。

酒瓶已开了,黑豹一把就抢了过去,张开嘴就往嘴里倒。

可是他的手已发软,似已连瓶子都拿不稳,酒倒得他一身一脸。

波波轻轻叹息,摇着头:"你看你,就像个孩子似的,让我来替你擦擦脸。"

她到浴室里拧了把手巾出来,一只脚跪到床上,去擦黑豹脸上的酒。

可是她的眼睛却在盯着黑豹的眼睛。

黑豹已醉得连眼睛都睁不开了。

波波的眼睛往下移,已盯在他咽喉上。

她拿着毛巾的手开始发抖,声音却更温柔:"乖乖的不要动,让我替你擦擦脸。"

黑豹没有动,他全身都已发软,根本没法子动。

波波咬着嘴唇,突然从毛巾里抽出一柄尖刀,一刀往黑豹的咽喉刺了下去。

她的手突然不抖了。

因为黑豹已突然握住了她的手腕,就像是在她手腕上加了道铁铐。

她的身子却开始抖了起来,全身都抖个不停。

黑豹已睁开眼睛,正冷冷的看着她,目光比她手里的刀锋还冷。

"你……你没有醉?"波波的声音也在发抖,并不是因为恐惧,而是因为失望。

黑豹眼睛的确连一点醉意都没有。

"我说过我跟你来,就是为了要报复!"波波并没有低头:"除非你杀了我,否则我总有一天会等到机会的。"

黑豹冷笑:"你以为我不敢杀你?"

"我就怕你不敢!"波波的头抬得更高。

黑豹突然夺过她手里的刀,一刀刺向她胸膛。

波波的胸膛挺起,可是这一刀并没有刺下去。

黑豹握刀的手似也在发抖,突然咬了咬牙,跳起来,一脚踢开了门,冲出去大叫;"带三个女人上来,三个最骚的女人。"

他冷笑着转过身,瞪着波波:"我也说过,你要报复只有一种法子,所以你最好学学她们是怎么样对付男人的。"

"我用不着去学,"波波也昂起头冷冷着道:"只要我高兴,我可以比她们三个人加起来还骚十倍。"

带上楼的三个女人并不是最风骚的,最风骚的已经被胡彪带走了。

胡彪选择女人,远比拼命七郎还精明得多。

他选的这个女人叫红玉。

这女人一喝过酒,眼睛里就好像要滴出水来。

胡彪当然懂得,将这种女人留在一大堆男人中间,是件多么不智的事。

等到有了第一个机会,他就把她拉了出去。

"你要拉我到哪里去?"红玉吃吃的笑着:"现在就上床岂非太早,我还要喝酒。"

"别的地方也有酒,你随便喝多少都行。"胡彪搂住了她水蛇般的腰:"我知道一个地方有七十年的陈年法国香槟。"

他不但懂得女人,也懂得酒,所以他终年看来都是睡眠不足的样子。

"法国香槟,"红玉不再挣扎,开始咬他的耳朵,"只要你真的肯让我喝一整瓶法国香槟,我保证你明天早上一定下不了床。"

胡彪的手从她腰上滑了下去:"只要有你陪着,我情愿三天不下床。"

这瓶香槟虽然没有七十年陈,但香槟总是香槟。

香槟总能令人有种奢华的优越感,尤其是开瓶时那"波"的一响,更往往能令人觉得自己是个大亨。

"我以前总认为你没出息的。"红玉用一双水淋淋的眼睛瞟着胡彪;媚笑着:"想不到你现在真的变成个大亨了。"

胡彪大笑,道:"这次你总算没有看走眼,只要你真的能让我三天下不了床,我明天就送个钻戒给你。"

"多大的钻戒?"红玉笑得更媚。

"比你的……还大。"

他并没有说清楚中间那两个字,红玉却已听清楚了,整个人都笑倒在他怀里。

她笑的时候,身上有很多地方都可以让男人看得连眼珠子都要凸出来。

但胡彪的笑声却突然停顿。

他突然看到一个人走过来,拿起了他面前的香槟,一口喝了下去。

这人的年纪并不大,风度很好,衣着也很考究,看样子就像是个很有教养的年轻绅士。

但他做的事却绝不像是个绅士。

胡彪不认得这个人,已沉下了脸,冷冷道:"这是我的酒。"

"我知道。"这人的脸色看来也是苍白的,仿佛总是带着种很有教养的微笑。

"你在喝我的酒。"胡彪瞪着他。

"我不但要喝你的酒。"这人彬彬有礼的微笑着:"我还要你旁边这个女人。"

"你说什么?"胡彪跳了起来:"你是在找麻烦,还是在找死?"

他本不是个容易被激怒的人,但现在酒已喝了不少,旁边又有个女人。

"我并不想要你死,"年轻的绅士还在微笑着:"我最多也只不过让你在床上躺三十天。"

红玉忍不住"噗哧"一声笑了,她忽然发现这人很有趣。

年轻英俊的男人,在她这种女人看来总是有趣的。

胡彪却觉得无趣极了,他只希望能赶快解决这件无趣的事,去做些有趣的事。

他的手一挥,香槟酒的瓶子已向这年轻绅士的头上砸了过去。

酒瓶并没有被砸破,甚至连瓶里的酒都没有溅出来。

年轻的绅士叹了口气,这瓶酒忽然就已被他平平稳稳的接在手里。

他轻轻的叹息着,摇着头,说道:"这么好的酒,这么好的女人,到了你这种人手里,实在都被糟塌了。"

胡彪的脸色已发青,再一挥手,手里已多了柄两尺长的短刀。

刀在他手里并没有糟塌。

他用刀的手法,纯熟得就像是屠夫在杀牛一样,他要将这年轻的绅士当做牛。

刀光一闪,已刺向这年轻人的咽喉。

只可惜这年轻人并不是牛。

他身子一闪,刀锋就往他身旁擦过去,他的拳头却已仰面打在胡彪鼻梁上。

胡彪的人立刻被打得飞了出去,撞在后面的墙上。

他并没有听见自己鼻梁碎的声音,他整个人都已晕眩,连站都已站不住。

"这一拳已足够让你躺三天,"年轻的绅士微笑着:"但我说过要让你躺三十天的。"

他慢慢的走过去,盯着胡彪:"我说过的话一向算数,除非你肯跪下来求求我饶了你。"

胡彪怒吼如雷贯耳,双拳急打在左右两边太阳穴。

这一着正是大洪拳中最毒辣的一着杀手,胡彪的拳头好像比他的刀还可怕。

但他的双拳刚击出,别人的一双手掌已重重的切在他左右双肩上。

胡彪的一双手立刻软了下去,只觉得小腹上被人重重一击。

他腰下弯的时候,眼泪已随着鲜血、鼻涕一起流了出来。

"现在你至少要躺十五天了。"年轻人微笑着,突又反手挥拳。

后面已有七八个人同时扑过来,这里现在也已是他们的地盘,他们并不怕在这里杀人。

七八个人手里都已抄出了杀人的武器,有斧头,也有刀。

这年轻人的手就是武器。

他的手粗糙坚硬,令人很难相信这双手是属于这么样一位绅士的。

他反手挥拳时,整个人突然凭空跃起,他的脚已踢在一个人的下巴上。

下巴碎裂时发出的声音,远比鼻梁被打碎时清脆得多。

但这声音也被另一个人的惨呼声掩没了,他的手掌已切在这个人的锁子骨上。

胡彪已勉强抬起头,看着他举手投足间已击倒了三个人,突然大喝:"住手!"

他说的话在这些人间也已是命令。

除了已倒下去的三个人外,别人立刻退下去。

"朋友高姓大名,是哪条路上来的?"他已看出这年轻人绝不是没有来历的人:"朋友你烧的是哪一门的香? 拜的是哪一门的佛?"

"我烧的是蚊香,"年轻人还在微笑:"但也只有在蚊子多的时候才烧。"

胡彪目光闪动:"朋友莫非和老八股的那三位当家的有什么渊源?"

"老八股我一个也不认得,洋博士倒认得几个。"

胡彪冷笑:"朋友若是想到这里来开码头的,就请留下个时间地方来,到时我们老大一定会亲自上门去拜访讨教。"

"我就住在百乐门四楼的套房。"这次他好像听懂了:"这位姑娘今天晚上也会住在那里。"他在看着红玉微笑。

胡彪铁青的脸已扭曲——红玉已躲在墙角,居然也在笑。

"我本来应该让你躺三十天的。"年轻人拍了拍衣襟:"看在这位姑娘份上,对折优待,所以你最好也不要忘了答应过送给她的钻戒。"

红玉扭动着腰肢走过来,媚笑着:"我的钻戒现在还要他送?"

年轻的绅士拉过了她:"钻戒归他送,人归我,旅馆账恐怕就得归他们的老大去付的了。"

黑豹赤裸裸的坐在沙发上,身上的每一根肌肉都似已绷紧。

胡彪就像是一滩泥般,软瘫在他对面的沙发上,还在不停的流着冷汗。

他却连看都没有看胡彪一眼,胡彪也不敢抬起头来看他。

夜已很深,楼下的大自鸣钟刚敲过三响。

黑豹动也不动的坐着,凝视着左腿上已用纱布包扎起来的枪伤,冷酷的眼睛里,居然仿佛带着种前所未见的忧郁之色。

这枪伤虽然并不妨碍他的行动,但若在剧烈打斗时,总难免还是要受到影响的。

"那是个什么样的人?"他忽然问。

其实胡彪已将那个人的样子形容过一遍，但他却还是问得更详细些。

"是个年纪很轻的人，看来最多只有二十五六。"胡彪回答："衣着穿得很考究、派头好像跟高登差不多，却比高登还绅士得多。"

黑豹突然握紧双拳，重重一拳打在沙发扶手上："我问的是他的人，不是他的衣服，也不是他的派头。"

胡彪的头垂得更低，迟疑着："他长得并不难看，脸色发白，好像已经有很久没有晒过太阳，但出手却又狠又快，而且显得经验很丰富，除了老大之外，这地方还很难见到那样的好手。"

黑豹的脸色更阴沉，更空虚，拳头握得更紧，喃喃自语："难道真的是他？……他怎么能出来的？……"

胡彪不敢答腔，他根本不知道黑豹嘴说的"他"，是个什么人。

"绝不会是他。"黑豹忽又用力摇头："他以前不是这样子的人。"

"我以前也从没有见过这个人。"胡彪附和："他说不定也跟高登一样，是从国外回来的。"

"你问过他住在哪里？"

"就住在百乐门四楼的套房。"胡彪忽然想到："好像也正是高登以前住的那间房。"

黑豹看着自己的手，瞳孔似已突然收缩。

"你想他……他会不会是替高登来复仇的？"胡彪的脸色也有些变了。

黑豹突然冷笑："不管他是为什么来的，他既然来了，我们总不能让他失望。"

他忽然大声吩咐："秦三爷若还没有醉，就请他上来！"

秦三爷叫秦松，是"喜鹊"的老三，也就是那个笑起来很阴沉、很残酷的人。

他没有醉。

他常喝酒，却从来也没有醉过，这远比从不喝酒更困难得多。

黑豹找他，就因为黑豹知道这里没有人比他更能控制自己。

两分钟后他就已上来，他上来的时候，不但衣服穿得很整齐，甚至连头发都没有乱。

黑豹目中露出满意之色："你没有睡？"

"没有，"秦松摇摇头，好像随时都在准备应变，所以无论有什么事发生，他一向都是第一个出现的人。

"以前张老三手下那批人,现在还找不找得到?"黑豹问。

"是不是他带到虹桥货仓去的那一批?"

黑豹道:"对。"

"假如是急事,我三十分钟之内就可找到他们。"

"这是急事,"黑豹断然地道:"你在天亮之前,一定要带他们到百乐门的四楼查房去,找一个人。"

他在发命令的时候,神情忽然变得十分严肃,使人完全忘了他是赤裸着的。

他在发命令的时候,秦松只听,不问。

他们以前本来虽然是很亲密的兄弟,但现在秦松已发现他们之间的距离。

秦松知道能保持这个距离才是安全的——他一向是个最能控制自己的人。

"先问清他的姓名和来意。"黑豹的命令简短而有力:"然后就做了他。"

"是。"秦松连一句话都没有问,就立刻转过身。

黑豹目中又露出满意之色,他喜欢这种只知道执行他的命令,而从不多问的人。

"等一等,"黑豹忽然又道:"他若是姓罗,就留下他一条命,抬他回来。"

说到"抬他回来"这四个字时,他语气加重,这意思就是告诉秦松,他见到这个人时,这个人最好已站不起来。

他相信秦松明白他的意思。

秦松执行他命令时,从未令他失望过一次。

红玉躺在干净的白被单里,瞬也不瞬的看着她旁边的这个男人。

从屋顶照下来的灯光,使他的脸看来更苍白。

他现在仿佛已显得没有刚才那样年轻,苍白的脸上,仿佛带着种说不出的空虚和疲倦,眼角似已现出了一条条在痛苦的经验中留下的皱纹。

可是他眼睛里的表情却完全不同。

他眼睛本来是明朗的,坦白的,现在却充满了怒意和仇恨。

红玉忽然忍不住轻轻叹息了一声:"你究竟是个怎么样的人?"她轻抚着

他坚实的胸膛:"是绅士? 是流氓? 还是个被通缉的凶手?"

他没有回答这句话,甚至好像连听都没有听见,但眼角的皱纹却更深了。

他在想什么? 是为了什么在悲痛?

是为了一个移情别恋的女人? 还是为了一个将他出卖了的朋友?

"你到这里来,好像并不是为了找酒和女人的。"红玉轻轻的说:"是为了报复!"

"报复?"他忽然转过头,瞪着她,锐利的眼神好像一直要看到她心里去。

红玉忽然觉得一阵寒冷:"我并不知道你的事,连你是谁都不知道。"

她已发现这个人心里一定隐藏着许多可怕的秘密,无论谁知道他的秘密,都是件很危险的事,所以在尽力解释。

"我只不过觉得你并不是来玩的,而且你看来好像有很多心事,很多烦恼。"

他忽然笑了:"我最大的烦恼,就是每个女人好像都有多心病。"

他的手已滑入被单下,现在他的动作已不再像是个绅士。

红玉也忍不住吃吃的笑了,不停的扭动着腰肢,也不知是在闪避,还是在迎合?

"不管怎么样,你总是个很可爱的男人,而且很够劲。"

他忽然用力紧搂住她,发出一连串呻吟般的低语:"我喜欢你……真的喜欢你……"

他也用力抱住了她,目中的痛苦之色却更深了。

然后他忽又觉得自己抱住的是另一个人,他忽然开始兴奋。

就在这时候,他听见了敲门声。

红玉的手脚立刻冰冷,全身都缩成了一团,道:"一定是胡老四的兄弟们来了,他们绝不会放过你的。"

"你用不着害怕,"他微笑着站起来:"他们并不是可怕的人。"

"他们也许并不可怕,但他们的老大黑豹……"提起这名字,红玉连嘴唇上都已失去血色:"那个人简直不是人,是个杀人的魔星,据说连他流出来的血都是冰冷的。"

他好像并没有注意听她的话,正在穿他的裤子和鞋袜。

"假如来的真是黑豹,你一定要特别小心。"

红玉拉住了他的手,她忽然发现自己对这年轻人竟有了一种真正的关心。

这年轻人微笑着,轻轻拍了拍她的脸:"我会小心的,现在我还不想死。"他的笑容中也露出种悲愤之色:"现在我还不想从楼上跳下去。"

敲门声已停了。

敲门的人显然很有耐性,并不在乎多等几分钟。

主人也并没问是谁,就把门开了,门开的时候,他的人已退到靠墙的沙发上,打量着这个站在门口的人。

"我姓秦,叫秦松。"这人笑的时候,也会令人感觉到很不舒服。

"你就是胡彪的老大?"

秦松微笑着摇摇头:"你应该听说过我们的老大是谁,至少红玉姑娘应该已告诉你。"

他说话的态度客气而有礼,但说出来的话却直接而锋利。

无论谁都会感觉到他是个很不好对付的人。

他对这个坐在对面沙发上的年轻人,好像也有同样的感觉。

"有很多人告诉我很多事。"这年轻人也和他一样,面上总是带着笑容:"我并不是一定要每句话都相信。"

秦松又微笑着点点头,忽然问:"朋友贵姓?"

"我们是朋友?"

"现在当然还不是。"秦松只有承认。

"以后恐怕也不会是。"年轻人淡淡道:"我喝了胡彪的酒,又抢了他的女人,他的兄弟当然不会把我当朋友。"

"那么你就不该冒险开门让我们进来的。"秦松笑得更阴沉。

"冒险?"

"在这里,一个人若不是朋友,就是仇敌,你开门让你的仇敌进来,岂非是件很危险的事。"

年轻人又笑了:"是你们危险,还是我?"

秦松突然大笑:"胡老四说得不错,你果然是个很难对付的人。"

他笑声突又停顿,凝视着对面的这个人:"现在我只有一件事想请教。"

"我在听。"

"你喝了胡老四的酒,又抢了他的女人,究竟是为了什么?"

"因为他的酒和女人都是最好的。"年轻人笑着说:"我恰巧又是个酒色之徒。"

"只为了这一点?"秦松冷冷的问。

"这一点就已足够。"

秦松盯着他的脸:"你常常为了酒和女人打碎别人的鼻子?"

"有时我也打别的地方,只不过我总认为鼻子这目标不错。"

"你出手的时候,并不知道他是谁?"

年轻人摇摇头:"我只知道他也很想打破我的头,要打人的人,通常就得准备挨揍。"

秦松冷笑:"你现在已准备好了么?"

他的人一直站在门口,这时忽然向后面退出了七八步,他退得很快。

就在他开始向后退的时候,门外就已有十来条大汉冲进来。这些人其中有南宗"六合八法"的门下,也有北派"谭腿"的高手。

年轻人仿佛就一眼看出他们是职业性的打手,远比刚才他打倒的那三个人要难对付得多。

但是他却还是在微笑着:"像你们这种人若是变成残废,说不定就会饿死的。"他又轻轻叹了口气:"我并不想要你们饿死,可是我出手一向很重。"

他微笑着站起来,已有两只拳头到了他面前,一条腿横扫他足踝。

他轻轻一跃,就已到了沙发上,突又从沙发上弹起,凌空翻身。他拳头向前面一个人击出时,脚后跟也踢在后面一个的肋骨上。

然后他突又反手,一掌切中了旁边一个人颈后的大动脉。

他出手干净利落,迅速准确,一看明明已击出,招式却又会突然改变。

他明明想用拳头打碎你鼻梁,但等你倒下去时,却是被他一脚踢倒的。

他明明是想打第一个人,但倒下去的却往往是第二个人。

四个人倒下后,突然有人失声惊呼:"反手道!"

这世上只有两个人会用"反手道",一个是罗烈,一个是黑豹。

难道罗烈终于来了!

第十一回　突　变

东方刚刚现出鱼肚白色,乳白的晨雾已弥漫了大地。

五点三十五分。

黑豹还是坐在那张沙发上,一直没有动。

酒色之后,他突然觉得腿上的枪伤开始发疼,他毕竟是个人,毕竟不是铁打的。

可是真正让他烦恼的,并不是这伤口,而是秦松带回来的消息。

"你带去了多少人?"黑豹问。

"十一个。"

"张三从南边请来的那批打手都去了?"

秦松点点头:"谭师傅兄弟两个人也在。"

"他们十一个人,对付他一个也对付不了?"黑豹的浓眉已皱起。

秦松叹了口气:"他们本来也许还不会那么快被打倒的,可是他们看出了他用的是'反手道'之后,好像连斗志都没有了。"

几乎每个人都知道"反手道"是种多么可怕的武功,因为黑豹用的就是反手道。

黑豹眉皱得更紧:"是谁先看出来的?"

"是谭师傅,"秦松回答:"他看过你的功夫。"

"你看呢?"

秦松苦笑:"他击倒'六合八法'门下那姓钱的时候,用的那一手几乎就跟你击倒荒木时用的招式完全一样,我看到他使出这一着时,就立刻回来了。"

黑豹没有再问下去。

他全身的肌肉已又绷紧,脸上忽然露出种很奇怪的表情,也不知是兴奋?还是恐惧?过了很久,他才慢慢的说:"会使反手道,天下只有两个人!"

秦松点点头:"我知道。"

"除了我之外还有一个就是罗烈。"

秦松又点点头,罗烈这名字他也听说过。

黑豹握紧了双拳:"但罗烈以往并不是这样的人,他绝对不会为了一个臭婊子跟人打架的,除非他……"

秦松试探着:"除非他是故意想来找麻烦的。"

黑豹又一拳重重的打在沙发上:"除非他已知道上个月在这里发生的事,已知道胡彪的老大就是我。"

"你想他会不会知道?"

"他本不该知道,"黑豹咬着牙:"他根本就不可能到这里来的。"

秦松并没有问他为什么? 秦松一向不是个多嘴的人。

但黑豹自己却接了下去:"他现在本该还留在德国的监狱里。"

秦松终于忍不住道:"像他这种人,世上只怕很少有监狱能关得住他。"

"但他是自己愿意去坐牢的,他为什么要越狱?"黑豹沉吟着:"降非他已知道这里的事。"

可是一个被关在监狱里的人,又怎么可能知道几千里外发生的事呢?

"也许那小伙子并不是他,也许他已将反手道教给了那小伙子。"秦松这推测也并不是完全没有道理的。

"也许……"黑豹缓缓道:"要知道他究竟是不是罗烈,只有一个法子。"

"你难道要亲自去见他?"

黑豹点点头。

秦松没有再说什么,只有看着他的腿。

他当然明白秦松的意思,忽又笑了笑:"你放心,他若是罗烈,见到我绝不会动手的,我没有告诉过你,我们本是老朋友。"

"他若不是罗烈呢?"

"他若不是罗烈,我就要他的命!"黑豹的笑容看来远比秦松更残酷:"这世上我若还有一个对手,就是罗烈,绝没有别人!"

秦松好像还想再说什么,但这时他已看见波波从后面冲出来,眼睛发亮,脸上也在发着光。

"罗烈。"她大声道:"我听说你们在说罗烈,他没有死,我就知道他绝不会死的。"

黑豹沉着脸,冷冷的看着她,突然点点头:"不错,他的确没有死。"

波波兴奋得已连呼吸都变得急促了起来:"他是不是已回来了?"

"是的,他已经回来了。"黑豹冷笑:"你是不是想见他?"

波波看着他脸上的表情,一颗心突然沉了下去,突又大叫:"你若不让我见他,我就死,我死了,也不会饶过你。"

"我一定会让你见到他的,就好像我已让你见到金二爷一样。"黑豹的表情更冷酷:"只不过现在还不是时候。"

波波发亮的眼睛忽然充满了恐惧:"你难道也想对付他,像对我爸爸那样对付他?"

黑豹冷笑。

"你难道忘了他以前是怎么样对你的? 难道忘了反手道是谁教给你。"波波大叫:"你若真的敢这么样做,你简直就不是人,是畜生!"

黑豹却不理她,转过头问秦松:"下面还有没有空屋子?"

"有。"

"带她下去,没有我的吩咐,谁也不准放她上来。"黑豹的声音冷得像冰:"若有人想闯下去,就先杀了她!"

下面是什么地方?

当然是地狱,人间的地狱。

妒忌有时甚至比仇恨还强烈,还可怕。

十一个人,并没有全都倒在地上。

这年轻人停住手的时候,剩下五个人也停住了手。

房间里就好像舞台上刚敲过最后一响铜锣,突然变得完全静寂。

然后这年轻人就慢慢的坐了下来,看着倒在地上的六个人。

他们脸上都带着很痛苦的表情,但却绝没有发出一声痛苦的呻吟,甚至连动都没有动。

他们曾经让很多人在他们拳头下倒下去,现在他们自己倒下去,也绝无怨言。

这本是他们的职业。

也许他们并不是懂得尊敬自己的职业,但是既然干了这一行,就得干得像个样子,纵然被打落了牙齿,也得和血吞下去。

这奇特的年轻人用一种奇特的眼光看着他们,也不知是怜悯同情? 还是一种出自善心的悲哀。

他忽然发现站在他面前的这五个人,脸上的表情几乎和他们倒在地上的同伴是完全一样的。

"我说过我出手一向很重。"他轻轻的叹了口气,闭上了眼睛:"现在就带他们去救治,他们也许还不会残废。"

他们当然明白他的意思,残废对他们做这种职业的人说来,就等于死。

没有人真的愿意死。

他们看着面前这既残酷,却又善良的年轻人,目光中忽然流露出一种无法形容的感激和尊敬。

然后还能站着的人,就悄悄的抬起了他们的伙伴,悄悄的退了出去,仿佛不敢再发出一点声音来惊动这年轻人。

他们只有用这种法子,来表示他们的感激和敬意,因为这还是第一次有人将他们当做"人"来看待,并没有将他们看做野兽,也没有将他们看做被别人在利用的工具。

他听见他们走出去,关上门,还是没有动,也没有再说一个字。

他忽然觉得很疲倦,几乎忍不住要放弃这所有的一切,放弃心里所有的爱情、仇恨、和愤怒,远远的离开这人吃人的都市。

现在他才发现自己不是属于这种生活的,因为他既不愿吃人,也不愿被人吞下去。

他发现自己对以前那种平静生活的怀念,竟远甚于一切。

那青山、那绿水、那柔软的草地,甚至连那块笨拙丑陋的大石头,忽然间都已变成了他生命中最值得珍惜的东西。

也许他根本就不该离开那地方的。

他紧紧闭着眼睛,已能感觉到眼波下的泪水。

然后他才感觉到一双温柔的手在轻抚着他的脸,手上带着那种混合了脂粉、烟、酒、和男人体臭的奇特味道。

只有一个出卖自己已久的女人,手上才会有这种味道。

但这双手的本身,却是宽大而有力的,掌心甚至还留着昔日因劳苦工作而生出来的老茧。

他忍不住轻轻握住这双手:"你以前常常做事?"

红玉点点头,对他问的这句话,显然觉得有点意外,过了很久,嘴角才露出一丝酸涩的微笑:"我不但做过事,还砍过柴,种过田。"

"你也是从乡下来的?"

"嗯。"

"你的家乡在哪里？"

"在很远很远的地方。"红玉的目光也仿佛在遥望着很远很远的地方："那地方很穷,很偏僻,我直到十一岁的时候,还没有穿过一条为我自己做的裤子。"

她的笑容更酸楚凄凉："但是那也比现在好,现在我总觉得自己就好像没有穿裤子一样,我身上就算穿着五十块一套的衣裳,别人看着我时,就像还是把我当做完全赤裸的。"

他忍不住张开眼睛,看着她,轻轻叹息："也许你也跟我一样,根本就不该来的。"

她看着他的眼睛,心里忽然也充满感激,因为这也是第一次有人将她当做一个"人"看待,而没有将她看做一种泄欲的工具。

"你为什么要来？ 为什么要做这种事？"

红玉没有回答,她只是慢慢的跪了下来,跪在他脚下,抱住了他的腿,将面颊倚在他腿上。

他立刻可以感觉到她面颊上的泪水。

"同是天涯沦落人,相逢何必曾相识。"

就在这一瞬间,他才真正体味出这两句诗中的悲哀和酸楚。

他轻抚着她的头发,忽然觉得心里有种说不出的冲动："你肯不肯跟我走,再回到乡下去种田、砍柴？"

"真的？"红玉抬起脸,泪水满盈的眼睛里,又充满了希望："你真的肯带我走？……你真的肯要我这个脏得快烂掉的女人？"

"只不过我们乡下可没有五十块一套的衣服,也没有七十年陈的香槟酒。"

红玉凝视着他,眼泪又慢慢的流了下来,这却已是欢喜的泪："我从来也不相信男人的,可是这次也不知道为了什么,我相信你。"她紧握住他的手又道："虽然我连你的名字都不知,却还是相信你。"

"我叫罗烈。"

"罗烈？ 罗烈,罗烈……"红玉闭上了眼睛,反反复复的念着他的名字,似已下定决心,要将他的名字永远记在心里。

罗烈的眼睛里却又忽然露出一种沉痛的悲哀,他仿佛觉得这是另一个人在呼唤着他——在很遥远的地方呼唤着他。

他的心忽然觉得一阵刺痛,全身都已抽紧。

红玉似已感觉到他的变化:"可是我也知道这只不过是在做梦而已。"她笑了笑,笑得很凄凉:"你当然绝不会真的带我走。"

罗烈勉强笑了笑:"为什么不会?"

"因为我看得出,你心里已有了别人,这次你说不定就是为了她而来的。"

女人好像全有种奇异的直觉,总会觉察到一些她不该知道的事。

罗烈没有回答她的话,他的心似已根本不在这里。

"但无论如何,我还是同样感激你。"红玉轻轻道:"因为你总算有过这种心意,我……"

她的语声突然停顿,眼睛里突然露出恐惧之色,连身子都已缩成一团。

她忽然听到门外响起一阵钥匙的相击声,清悦得就仿佛铃声一样。

"黑豹。"她连声音都已嘶哑:"黑豹来了!"

就在这时,突听"砰"的一响,门已被踢开,一个满身黑衣的人冷冷的站在门外,手里的钥匙还在不停的响,他的人却似石像般站在那里。

"听说这里有人要找我,是谁?"

"是我。"罗烈慢慢的站起来,凝视着他,脸上带着种很奇怪的表情。

黑豹花岗石般的脸上,突然现出同样奇怪的表情。

他忽然大叫:"法官!"

"傻小子!"

"真的是你?"

"真的是我。"

两个人面对面的互相凝视着,突然同声大笑,大笑着跳出去,紧紧的拥抱在一起。

红玉怔住,几乎已忘了自己还是接近赤裸的。

也不知过了多久,他们才慢慢的分开,又互相凝视着:"你就是那个黑豹?"

"我就是。"

"我连做梦也想不到黑豹就是你。"黑豹以前的名字叫小黑,每个人都叫他小黑,但却没有人知道他究竟是不是姓黑。

"我却已有点猜到那个来找麻烦的人就是你了。"黑豹微笑着:"除了罗烈之外,还有谁能把我那些兄弟打得狼狈而逃? 除了罗烈之外,还有谁会有这么大的本事,这么大的胆子?"

罗烈大笑:"我若知道他们是你的兄弟,我说不定也宁可挨揍了。"

黑豹微笑着看了红玉一眼,淡淡道:"为了这个女人挨揍值得?"

"当然值得。"罗烈拉起了红玉,搂在怀里:"你记不记得我们以前都很欣赏的那句话?"

"就算要喝牛奶,也不必养条牛在家里。"黑豹微笑道。

"不错,你果然还记得,"罗烈将红玉搂得更紧:"但现在我已准备将这条牛养在家里。"

黑豹看着他们,仿佛觉得很惊异:"我好像听说你已跟波波……"

"不要再提她。"罗烈目中突又露出痛苦之色:"我已不想再见她。"

"为什么?"黑豹显得更吃惊。

"因为我知道她也绝不愿再看见我了,我也已配不上她。"罗烈笑了笑,笑得很苦:"从前的法官,现在早已变了,变成了犯人。"

"犯人?"

"我已杀过人,坐过牢,直到现在为止,我还是个被通缉在案的杀人犯。"

黑豹仿佛怔住了,过了很久,才用力摇头:"我不信。"

"你应该相信的。"罗烈的神情已渐渐平静,淡淡的说道:"我以前会不会为了酒和女人跟别人打架?"

"绝不会。"

"但现在我已变了,现在我为了一个月的酒钱,就会去杀人。"

黑豹吃惊的看着他,显然还是不相信。

"每个人都是会变的。"罗烈又笑了笑:"其实你自己也就变了,以前那个用脑袋去撞石头的傻小子,现在好像已变成了个大亨。"

黑豹突然大笑:"不错,在别人眼睛里,我的确已可算是个大亨。"他用力拍罗烈的肩:"但在你面前,我却还是以前那个傻小子。"

"我们还是以前那样的好朋友?"

"当然是。"黑豹毫不考虑:"你既然已来了,从今天开始,我们有的一切就等于是你的。"

罗烈面上露出感激之色,用力握紧他的手。

"过两天我一切都会为你安排好的,你要在家里养牛,我可以替你安排一栋足够养一百条牛的房子,你要喝酒,随便你喜欢喝什么都行,只要你不怕被淹死,甚至可以用酒来洗澡。"

　　黑豹并不是个喜欢吹嘘的人，但是他觉得在老朋友面前也不必故意作得太谦逊。

　　罗烈当然明白他的意思，所以并没有推辞他的好意："你有什么，我就要什么，而且要最好的，我既已来了，就吃定了你。"

　　黑豹大笑，显然对他这种态度很满意："但那些都是以后的事，现在我们有更重要的事做。"

　　他又看了红玉一眼："你能不能暂时叫你的牛去睡一觉，让我们兄弟好好的聊聊。"

　　罗烈大笑着推开红玉，在她丰满的屁股上拍了一下："去养足精神，等着我再来修理你。"

　　黑豹看着他的动作和表情，心里觉得更满意。

　　这个人对他的威胁和压力，已不如以前那么大了。

　　这个人已不再是以前那个法官，仿佛已真的变成了个浪子。

　　最令黑豹满意的，当然还是因为他根本不知道上个月在这里发生的那些事。

　　"你几时来的？"黑豹看到红玉扭动着腰肢走进卧室，忽然又问。

　　"昨天。"罗烈回答："昨天上午刚下船。"

　　"船上没有女人？"黑豹微笑着。

　　"就因为在船上做了二十天和尚，所以昨天晚上才会那么急着找女人。"

　　黑豹大笑："胡老四就偏偏遇上了你，我早已发现他最近气色不好，一定要走霉运。"

　　他忽又改变话题，问道："你一向都在哪里？真的在监狱？"

　　罗烈点点头："而且是在一个全世界最糟糕的监狱里，在德国人眼睛里，除了德国人外，别的人都是劣等民族，他们最看不起的就是黄种人和犹太人。"

　　"你怎么进去的？"

　　"因为我给过他们一个教训，我想让他们知道中国人也和德国人同样优秀。"罗烈微笑着："我在他们拳王的鼻子上揍了一拳，谁知德国人的拳王，竟被中国人一拳就打死了。"

　　黑豹又大笑道："这种教训无论哪个人只怕很难忘记。"

　　"所以他们虽然明知我是自卫，还是判了我十年徒刑。"

　　"十年？"黑豹扬起了眉："现在好像还没有到十年。"

"连一年都没有到。"

"但你现在却已经出来了。"

"那只因为德国的监狱也和他们拳王的鼻子一样,并不是他们想像中那么结实。"罗烈淡淡的说道,并没有显出丝毫不安,越狱在他看来,好像也变得是件很平常的事。

"所以你这位法官,现在已变成了个被通缉的杀人犯?"

"不错。"

"我希望他们派人到这里来抓你。"黑豹微笑着:"我也想试试德国人的鼻子够不够硬。"

"你知不知道我为什么要到这里来? 为什么要住进这间房?"罗烈忽然问,问得很奇怪。

黑豹摇摇头,脸上也没有露出丝毫不安之色。

"汉堡是个很复杂的地方,但无论走到哪里,都可以看得到喝得烂醉的水手,和婊子们成群结队的走来走去。"

罗烈慢慢的接着道:"那里的歹徒远比好人多得多,但我却碰巧遇见了个好人。"

黑豹在听着。

"他也杀过人,可是为了朋友,他甚至会割下自己一条腿来给朋友作拐杖。"罗烈叹了口气:"当他知道只要花十万块可以保我出来的时候,就立刻准备不择一切手段来赚这十万块。"

"这种朋友我也愿意交的。"黑豹还是面不改色。

"只可惜他已死了,"罗烈叹息着:"就死在这间屋里。"

黑豹仿佛很吃惊:"他怎么死的?"

"我正是为了要查出他是怎么死的,所以才赶到这里来的。"罗烈目中露出悲愤之色,道:"报上的消息,说他是跳楼自杀的,但我不相信他是个会自杀的人,他就算跳楼,也一定因为有人在逼着他。"

黑豹沉思着,忽然道:"他是不是叫高登?"

"你认得他?"罗烈的眸子在发光。

黑豹立刻摇了摇头:"我虽然没有见过他,却也在报上看到过一个德国华侨跳楼的消息。"

他忽又拍了拍罗烈的肩:"你放心,这件事我一定替你查出来,可是现在我们却得好好的去吃一顿,我保证奎元馆的包子味道绝不比汉堡牛排差。"

"现在才六点多,这里已经有馆子开门?"

"就算还没有开门,我也可以一脚踢开它。"黑豹傲然而笑:"莫忘记在这里我已是个大亨,做大亨并不是完全没有好处的。"

现在才六点四十分。

天已经很亮了。

黑豹的心情很少像这么样愉快过,他觉得罗烈已完全落在他掌握里,也正像是那只壁虎一样,只不过他现在还不想将手掌握紧。

这也好像有很多人都像壁虎一样,虽然有一双很大的眼睛,却连眼前的危险都看不见。

黑豹手搭着罗烈的肩,微笑着长长吸了口气:"今天真是好天气。"

天气的确不错,只可惜这地方却永远是阴森而潮湿的,永远也看不出天日。

这里并不是监狱,但却比世上所有的监狱都更接近地狱。

还不到四尺宽的牢房,充满了像马尿一样令人作呕的臭气。

每间房里都只有一个比豆腐干稍大一点的气窗,除此之外,就再也没有什么别的了——甚至连床都没有。

石板地潮湿得就像是烂泥一样,但你若累了,还是只有躺下去。

波波发誓死也不肯躺下去。

她被带到这里来的时候,简直不相信在那豪华富丽的大楼房下面,竟有这么样一个地方。

这地方简直连猪狗都呆不下去。

"但姑娘你看来却只有在这里呆几天了,其实你也没有什么好抱怨的,这地方本就是令尊大人的杰作。"

秦松冷笑着说了这句话,就扬长而去,铁门立刻在外面锁上。

波波也曾用尽一切法子,想撞开这道门。

她撞不开。

然后她又用尽全身的力气大叫:"放我出去,叫黑豹来放我出去。"

没有人回应。

连那些看守的人都去得远远的,既没有人理她,也没有人惹她。

每个人都知道她跟黑豹的关系,谁也不愿意麻烦上身。

现在波波不但已声嘶力竭,也已精疲力尽。

可是她仍然昂着头,站着。

她死也不肯躺下去。

气窗并不太高,因为这屋子本就不高。

不到一尺宽的窗口上,还有三根拇指般粗的铁栅,连鸟都很难飞出去。

波波咬着牙,喘息着,忽然发觉有人在敲她后面窗上的铁栅。

一个人在轻轻呼唤:"赵姑娘,是我。"

波波回过头,就看到一张仿佛很熟悉的脸。

但她却已几乎认不出这张脸了,本来很年轻、很好看的一张脸,现在已被打得扭曲变形。

本来很挺的鼻子,现在也已被打得歪斜碎裂。

"是我,小白,就是那天带你来的小白。"

波波终于认出了他。

她的胃立刻开始收缩,几乎忍不住要呕吐:"你……你怎么会变成这样子的?"

"是秦松。"小白的脸贴在铁栅上,目中充满了悲愤和仇恨:"他狠狠的揍了我一顿。"

"为什么?"波波失声问。

"因为我本不该跟你说话的。"小白勉强笑一笑,却笑不出:"我自己也明白,所以那天你上了楼之后,我就逃了,但秦松还是不肯放过我,三天前就已把我抓了回来。"

"这个畜生。"波波咬着牙,狠狠的骂:"这里的人全都跟黑豹一样,全都是畜生。"

她看着这少年扭曲碎裂的脸,几乎已忍不住快要哭了出来。

"其实他这顿揍也算不了什么,"小白反而安慰她:"若是换了他们的老七和老八出手,现在我身上恐怕已没有一块好肉。"

他忽然笑了笑,竟真的笑得出来,道:"何况我逃亡的这三十多天日子过得虽苦,却也并不是白苦的。"

波波咬着牙,勉强忍住眼泪:"你难道还有什么收获?"

小白点点头,忽然问了句很奇怪的话:

“你是不是认得一个叫罗烈的人？”

波波又吃了一惊：“你怎么知道我认得他？”

“因为我已见过他。”小白好像很得意：“而且还跟他谈了很久的话。”

波波更吃惊：“你怎么会见过他的？”

“我躲在一个洗衣服女人的小阁楼上。”小白的脸好像是红了红，用发涩的舌头舔了舔受伤的嘴唇，才接着说下去：“我本来准备乘他们端午狂欢时逃到乡下去，但陈瞎子却带他来找我。”

“陈瞎子？”

“陈瞎子是我从小就认得的朋友，他对我比对他亲生的弟弟还好。”小白说：“他本来也是里面的人，后来被人用石灰弄瞎了眼睛，才改行到野鸡窝里面去替婊子算命。”

“罗烈又怎么会认得这个陈瞎子的？”波波还是不懂。

“他十几天之前就已到这里来了，已经在暗中打听出很多事，结交了很多里面的人。”

“里面”的意思，就是说“在组织里”的。

这意思波波倒懂得，她眼睛里立刻发出了希望的光：“他知不知道我……我在这里？”

“他来找我的时候，已经知道了很多事，我又把我知道的全都告诉了他。”

“你信任他？”

“陈瞎子也很信任他，每个人都信任他。”小白目中露出尊敬之色，接道：“我本来以为黑豹已经是最了不起的人，世上只怕已难找出第二个像他那么厉害的人来，现在我才知道，真正厉害的人是罗烈。”

波波的眼睛更亮了：“黑豹最畏惧的人，本来就是他。”

“他来了十几天，黑豹竟连一点消息都不知道。”小白的神情也很兴奋：“但他却已将黑豹所有的事全都打听得清清楚楚。”

“可是我知道黑豹现在已经去找他了。”波波又显得很忧虑。

“那一定是他自己愿意的，黑豹一定还以为他刚到这里。”小白对罗烈似已充满信心：“世界上假如还有一个人能对付黑豹，这个人一定就是罗烈。”

“黑豹会不会看出罗烈是来对付他的？”波波还在担心。

“绝不会。”小白却显得很有把握：“说不定他现在已经把黑豹捏在手心里，只等着机会一到，他就会将手掌收紧。”

他破碎的脸上又露出微笑："到那时候黑豹想逃也逃不掉了。"

波波咬着嘴唇,沉思着,眼睛里的光彩已突然消失,又变得说不出的悲痛。

小白立刻安慰她："你放心,我相信罗先生一定会找到我们,一定会来找我们的。"

波波勉强笑了笑,她只能笑笑,因为她知道这少年永远也不会了解她的痛苦。

她想见罗烈,又怕见罗烈,她不知道自己见到罗烈时,应该怎么说才好。

"罗烈,我不对起你,我自己也知道,"她突又下了决心:"但只要能再见你一面,我还是不惜牺牲一切的。"

波波抬起头,抹干了眼角的泪痕:"不管怎么样,我们一定要想法子让他见到我们,一定要想法子帮他打垮黑豹!"

小白握紧了双拳,眼睛里也发出了光:"我们一定有法子的。"

奎元馆是家很保守的老式店铺,里面一切布置和规矩,这三十年来几乎完全没有改变。

厨房里的大师傅是由以前的学徒升上去的,店里的掌柜以前本来是跑堂。

一碗面要用多少佐料,多少浇头,大师傅随手一抓就绝不会错半点,就好像是用戥子称出来的那么准确。

对他们说来,这几乎已是不可改变的规律,但今天这规矩却被破坏了一次。

规定每天早上七点才开门的奎元馆,今天竟提早了四十分钟。

因为他们有个老主顾,今天要提早带他的老朋友来吃面。

这当然并不完全因为这个人是他们的老主顾,最重要的是,他们都知道无论谁对这个人的要求拒绝,都是件很危险的事。

现在黑豹已在他那张固定的桌子旁坐下,但却把对着门的位子让给了罗烈。

现在他已不怕背对着门,但一个刚从监狱里逃出来的人,感觉就完全不同了——能在别人看到他之前,先看到从门外进来的每一个人,总比较安全些。

桌上已摆好切得很细的姜丝和醋。

"这姜丝是大师傅亲手切的,醋也是特别好的镇江陈醋。"黑豹微笑着,并不想掩饰他的得意:"这馆子最大的好处,就是他们总是会对老主顾特别优待些。"

罗烈拈起根姜丝,沾了点醋,慢慢的咀嚼着,面上也露出满意之色。

他抬起头,好像想说什么,但就在这时候,他脸上忽然露出种非常奇怪的表情。

他看见一个卖报的男孩子,正踏着大步,从外面的阳光下走进来。

这男孩子本不应一眼就看见罗烈的,外面的阳光已很强烈,他的眼睛本不能立刻就适应店里的阴暗。

可是现在这里却只有他们两个客人。

男孩子一走进来,就立刻向他们走过去:"先生要不要买份报,是好消息的……"

这句话还没有说完,他已看清了罗烈。

他那张好像永远也洗不干净的脸上,突然露出了真诚而开心的笑容。

"罗大哥,你怎么在这里?"他叫了起来,道:"陈瞎子还在惦念着你,不知道你这两天到哪里去了,才两天不见,你怎么就好像突然发财了。"

罗烈也笑了,却是种无可奈何的笑。

他知道现在除了笑之外,已没有别的话好说,没什么别的事好做了。

第十二回 杀　机

黑豹没有笑。

他的脸仿佛忽然又变成了一整块花岗石般,完全没任何表情,只是冷冷的看着罗烈。

面已端上来了,面的热气在他们之间升起,散开。

他们之间的距离仿佛忽然又变得非常遥远。

那卖报的男孩子已发现坐在罗烈对面的是黑豹,已看见了黑豹冷酷的脸。

他眼睛里忽然露出种说不出的恐惧之色,一步步慢慢的向后退,绊倒了张椅子,跌下去又爬起,头也不回的冲了出去。

罗烈还在微笑着:"这孩子是个好孩子,又聪明,又能吃苦,就像我们小的时候一样。"他微笑中带着点感慨:"我想他总有一天会爬起来的。"

黑豹没有开口,甚至好像连听都没有听。

罗烈从面碗里挑出块鳝鱼,慢慢的咀嚼着,忽又笑道:"你还记不记得那次我们到小河里去抓泥鳅和鳝鱼的时候,差点反而被鳝鱼抓了去?"

黑豹当然记得。

那天他们忽然遇见了雷雨,河水突然变急,若不是罗烈及时抓住一棵小树,他们很可能就已被急流冲走。

这种事无论谁都很难忘记的。

"我也记得那块糖。"黑豹忽然说。

"什么糖?"

"波波从家里偷出来的那块糖。"黑豹的声音冰冷:"谁赢了就归谁吃的那块糖。"

"你赢了。罗烈笑道:"我记得后来是你吃了那块糖。"

"但波波却偷偷给了你块更大的。"

罗烈目中仿佛有些歉疚的表情,慢慢的点了头,这件事他也没有忘记。

"在那时候我就有种感觉,总觉得你们并没有将我当做朋友,总觉得你们好像随时随地都在欺骗我。"黑豹的眼角已抽紧,凝视着罗烈:"直到现在,我还有这种感觉。"

罗烈叹了口气:"我并不怪你。"

"你当然不能怪我。"黑豹冷笑:"因为直到现在,你还是在欺骗我。"

罗烈苦笑。

黑豹连瞳孔都已收缩,看着他一字字的问:"你几时来的?"

"半个月之前。"

"不是昨天早上才下的船?"

"不是。"

"你为什么不说实话?"

"因为我做的事,并不想让你完全知道。"罗烈又长长的叹息了一声,才接下去:"就正如你做的事,也并不想让我完全知道一样。"

黑豹慢慢的点了点头:"我记得你说过,为别人保守秘密是一种义务,为自己保守秘密却是种权利,每个人都有权保护他自己私人的秘密,谁也不能勉强他说出来。"

他冷酷的眼睛里忽然露出一丝嘲弄之色,接着又道:"只可惜无论谁想要在我面前保守秘密,都不是件容易事。"

"哦。"

"因为他无论在这里做了什么事,我迟早总会知道的。"

罗烈笑了:"所以他不如还是自己说出来的好。"

他笑容中也带着种同样的嘲弄之色,只不过他嘲弄的对象并不是别人,而是他自己。

黑豹冷冷的看着他,在等着他说下去。

"我说过,高登是我的好朋友,我愿意为他做任何事。"

"任何事?"

"现在我虽然已没法子救他,但至少应该知道他是怎么死的。"

"这半个月来,你一直在调查他的死因?"黑豹又问。

罗烈点头。

"你已调查出来?"

"他的确是从楼上跳下去摔死的,那个犹太法医已证实了这一点。"

"这一点还不够?"

"还不够。"罗烈看着黑豹:"因为他还没有死的时候,身上已受了伤。"

"伤在什么地方?"黑豹问。

"伤在手腕上。"罗烈道:"我认为这才是他真正致命的原因。"

黑豹冷冷道:"一个人就算两只手腕都断了,也死不了的。"

"但他这种人却是例外。"罗烈的声音也同样冷:"这种人只要手上还能握着枪,就绝对不会从楼上跳下去!"

"哦?"

"平时他身上总是带着四柄枪的。"罗烈又补充着道:"但别人发现他尸体时,他身上却已连一柄枪都没有。"

"你调查得的确很清楚。"黑豹目中又露出那种嘲弄之色,忽然又问:"难道你认为他是被人逼着从楼上跳下去的?"

罗烈承认。

"我听说他是个很快的枪手,非常快。"黑豹冷冷的道:"又有谁能击落他手里的枪,逼着他跳楼?"

"这种人的确不多。"罗烈凝视着他:"也许只有一个。"

"只有一个?"

"只有一个!"

"我?"

"不是你?"

黑豹突然大笑,罗烈也笑了。

他们就好像忽然同时发现了一样非常有趣的事。

包子也已端上来,黑豹的笑声还没有停,忽然道:"蟹黄包子要趁热吃,凉了就有腥气。"

罗烈拿起筷子:"我吃一笼,你吃一笼。"

于是两个人又突然停住笑声,低着头,开始专心的吃他们的包子和面。

他们都吃得快,就好像都已饿得要命,对他们来说,这世上好像已没有比吃更重要的事。

然后罗烈才长长吐出口气,面上带着满意之色:"这包子的确不错。"

黑豹微笑道:"这也是大师傅亲手做的,只有我的朋友才能吃到。"

"却不知高登吃过没有?"

"没有。"

"他当然没有吃过。"罗烈笑了笑,笑得仿佛有点悲哀:"他不是你的朋友?"

"我只有一个朋友。"

"只有一个?"

"只有一个!"

"我?"

黑豹也笑了笑,笑得也同样悲哀:"我没有家,没有父母兄弟,甚至连自己的姓都没有。"他凝视着罗烈,慢慢的接着道:"可是我从认得你那天开始,就一直把你当做我的朋友。"

罗烈目中已露出了被感动的表情,多年前的往事,忽然又一起涌上他的心头。

他仿佛又看见了一个孤独而倔强的男孩子,只穿着一件单衣服,在雪地上不停的奔跑。

那正是他第一次看见黑豹的时候。

他并没有问这孩子为什么要跑个不停,他知道一个只穿着件单衣的孩子,若不是这么样跑,就要被冻死。

他一句话都没有问,就脱掉身上的棉袄,陪着这孩子一起跑。

自从那一天,他们就变成了好朋友。

黑豹现在是不是也想起了这件事。

他还在凝视着罗烈,忽然问:"假如真是我逼着高登跳楼的,你不会杀了我替他报仇?"

罗烈并没有直接回答这句话,过了很久,才长长叹息:"他是我的朋友,你也是,所以,我一直都没有真的想知道究竟是谁杀了他的。"

黑豹忽然从桌上伸过手去,用力握住了他的手:"但我还想让你知道一件事。"

"你说。"

"这里本是个人吃人的地方,像高登那种人到这里来,迟早总是要被人吞下去的。"

黑豹的声音低沉而诚恳。

"为什么?"

"因为他也想吃人!"

罗烈看着他的手,沉默了很久,忽然又问道:"你呢?"

"我也一样。"黑豹的回答很干脆:"所以我若死在别人手里,也绝不想要你替我报仇。"

罗烈没有开口。

在这片刻的短暂沉默中,他忽然做出件非常奇怪的事。

他忽然打了个呵欠。

在黑豹说出那种话之后,他本不该打呵欠的,他自己也很惊讶为什么会突然觉得如此疲倦。

"抱歉。"他苦笑着说:"我吃得太饱了,而且也很累。"

"我看得出你昨天晚上没有睡好。"黑豹微笑着:"我也知道红玉不是个会让男人好好睡觉的女人。"

他微笑着拍了拍罗烈放在桌上的手:"所以你现在应该好好回去睡一觉,睡上三四个钟头,十二点左右,我再去吵醒你,接你回家去吃饭。"

"回你的家?"

"我的家,也就是你的。"黑豹笑着说:"你去了之后,我也许再也不会放你走了。"

百乐门饭店的大门是旋转式的,黑豹站在大门后,看着拉他来的黄包车夫将车子停在对面的树阴下,掏出了一包烟,眼睛却还是在盯着这边的大门。

他显然并没有要走的意思,也并不准备再接别的客人。

罗烈嘴角露出种很奇怪的微笑,他知道这地方还有个后门。

后门外的阳光也同样灿烂。

任何地方的阳光都是如此灿烂的,只可惜这世上却有些人偏偏终年见不到阳光。

生活在"野鸡窝"里的人,就是终年见不到阳光的,陈瞎子当然更见不到。

"野鸡"并不是真的野鸡,而是一些可怜的女人,其中大多数都是脸色苍白,发育不全的,她们的生活,甚至远比真正的野鸡还卑贱悲惨。

野鸡最大的不幸,就是挨上了猎人的子弹,变成人们的下酒物。

她们却本就已生活在别人的刀俎上,本就已是人们的下酒物。

她们甚至连逃避的地方都没有。

　　惟一能让她们活下去的,也只不过剩下了一点点可笑而又可怜的梦想而已。

　　陈瞎子就是替她们编织这些梦想的人。

　　在他嘴里,她们的命运本来都很好,现在虽然在受着折磨,但总有一天会出头的。

　　就靠着这些可笑的流言,每天为陈瞎子换来三顿饭和两顿酒,也为她们换来了一点点希望,让她们还能有勇气继续活在这火坑里。

　　七点五十五分。

　　这正是火坑最冷的时候,这些出卖自己的女人们,吃得虽少,睡得却多。

　　她们并不在乎浪费这大好时光,她们根本不在乎浪费自己的生命。

　　陈瞎子那间破旧的小草屋,大门也还是紧紧地关着的。

　　罗烈正在敲门。

　　他并没有上楼,就直接从饭店的后门赶到这里来。

　　那卖报的孩子说出"陈瞎子"三个字的时候,他就已发现黑豹目中露出的怒意和杀机。

　　门敲得很响,但里面却没有人回应。

　　"难道黑豹已经先来了一步?难道陈瞎子已遭了毒手?"

　　罗烈的心沉了下去,热血却冲了上来。

　　这使得他做了件他以前从未做过的事,他撞开了别人家的门。

　　这并不需要很有力,甚至根本没有发出很大的声音来。

　　木屋本就已非常破旧,这扇薄木板钉成的门几乎已腐朽得像是张旧报纸。

　　屋子窄小而阴暗,一共只有两间。

　　前面的屋里,摆着张破旧的木桌,就是陈瞎子会客的地方,墙上还挂着些他自己看不见的粗劣字画。

　　后面的一间更小,就是陈瞎子的卧房,每隔五六天,他就会带一个"命最好"的女人到里面去,发泄他自己的欲望,同时也替这女人再制造一点希望。

　　他替她们摸骨时,总喜欢摸她们的大腿和胸脯,来决定谁才是"命最好"的。

　　他虽然是个瞎子,但却是个活瞎子,一个活的男瞎子。

　　罗烈冲进去的时候,他还是活着,正坐在他的床边,不停的喘着气,显得出奇的紧张而不安。

"是什么人?"

"是我,罗烈。"罗烈已松了口气:"我还以为你出了事,你为什么不开门?"

陈瞎子笑了:"我怎么知道是你。"

他笑得实在太勉强,这里就算有个"命好"的女人,他也用不着如此紧张的。

罗烈忽然发现他的脚旁边,还有一双脚。

一双穿着破布鞋的脚,从床下面伸了出来,鞋底已经快磨穿了。

这里的女人绝不会穿这种鞋子的,这里的女人根本很少走路。

一个总是躺在床上的人,鞋底是绝不会被磨穿的。

"我每天总要等到十点钟以后才开门的。"陈瞎子还在解释,一双眼睛看来就像是两个黑黝黝的洞。

"十点钟以前你从不见客?"罗烈问。

陈瞎子摇摇头:"但你当然是例外,你是我的朋友。"他笑得更勉强:"走,我们到外面去坐,我还有半瓶茅台酒。"

他想站起来,拉罗烈出去,但罗烈却突然弯腰,拉出了床下的那双脚。

脚已冰冷僵硬,人也已冰冷僵硬。

"小猴子。"

小猴子就是那个卖报的孩子,这个"又聪明,又能吃苦,将来总有一天会窜起来的孩子",现在却已永远起不来了。

他一双眼睛已死鱼般凸出,咽喉上还有着紫黑色的指印,竟赫然是被人活生生扼死的。

陈瞎子也吓呆了,过了半晌,才往外面冲了出去,但罗烈已一把揪住了他衣襟!

"你杀了小猴子!"

"我……我……"陈瞎子的脸已因紧张而扭曲,只有一个杀人的凶手,脸上才会有这种紧张可怕的表情。

"你为什么要杀他?"罗烈厉声问。

其实他根本不必问的。

小猴子看到他跟黑豹之后,当然就立刻赶到这里来告诉陈瞎子,却又不敢告诉他,已在黑豹面前说出了他的名字。

"你生怕黑豹会从他身上追问出你来,所以就杀了他灭口?"

陈瞎子用力摇了摇头,喉咙里"格格"的发响,却说不出一个字来。

"你没有杀他?"罗烈怒喝。

陈瞎子额上的冷汗已雨点般流下,终于垂下了头,他知道现在说谎也已没有用了。

罗烈的手用力,几乎将他整个人都提起来:"他还是个孩子,你怎么忍心对他下这种毒手?"

"我不想杀他的,真的不想,可是……"陈瞎子灰白的脸上,那一双黑洞般的瞎眼睛里,显得说不出的空虚、绝望、和恐惧:"可是他若不死,我就得死,我……我还不想死。"

罗烈忍不住冷笑:"像你这么样活着,和死又有什么分别?"

"我知道我过的日子比狗都不如,又是个瞎了眼的残废。"陈瞎子的脸上突然布满了泪水:"但我却还是想活下去……每个人都有权想法子让自己活下去的,是不是?"

罗烈看着他,看着清亮的泪珠,泉水般从他的瞎眼中流出来。

世上还有什么比一个瞎子流泪更悲惨的事?

罗烈的手软了。

陈瞎子的声音,听来就像是平原上的饿狼垂死的呼号……

"我还不想死,我还想活下去!"

一个人为了让自己能活下去,是不是就有权伤害别人呢?

罗烈无法回答。

"你若遇见像我这样的情况,你怎么办?"陈瞎子又在问:"你难道情愿自己死?"

罗烈终于长长叹息:"我只想让你明白两件事。"他沉声道:"第一,小猴子也是人,他也有权活下去;第二,你杀了他,根本就没有用的。"

"为什么?"

"因为他已在黑豹面前,提起过你的名字。"罗烈突然放下陈瞎子,头也不回的走了出去。

他不想再回头去看陈瞎子,也不愿再看陈瞎子脸上的表情。

但他还是能想像得到。

窄巷里充满了一种混合着廉价脂粉,粗劣烟酒,和人们呕吐的恶臭气。

一个衣衫不整,脸色苍白的女人,正用一双涂着鲜红蔻丹的手,揉着她那双又红又肿的眼睛,在门口送客。

她看来最多只不过十三四岁,甚至还没有完全发育,她的客人却是个已有六十多的老头子。

老头子正扶着她的肩,在她耳旁低低的说着话,脸上带着种令人作呕的淫亵之色。

她居然还在吃吃的笑着,用手去捏这老头子的腿。

因为她也在活下去。

罗烈不忍再看,他已几乎忍不住要呕吐。

"像她和陈瞎子这样的人,为了要活下去,还会不择一切手段,何况别人呢?"

何况黑豹!

罗烈忽然发现,这世界上的确有一些谁都无法解答的问题存在。

究竟要怎么做才是对的? 究竟是谁对的?

他不能回答,也许根本就没有人能回答。

现在他只想赶快离开这里,因为他根本没法子解决这些人的困难和问题。

但就在这时,他又听见陈瞎子发出了一声垂死野兽般的呼号。

"我不知道……我什么都不知道……"

那小姑娘和老头子都回过头,脸上已露出吃惊的表情。

"砰"然的一声,那小木屋腐朽了的大门又被撞开了。

陈瞎子就像是一条负伤的野狗般冲了出来,跟跄狂奔。

"救命……"

罗烈不能不转回身,立刻就看见陈瞎子正向这边冲了过来。

他身后还跟着一个人。

这人身材瘦小,黝黑的尖脸上,带着种恶毒而危险的表情,手里紧握着尖刀。

甚至连罗烈都很少看见如此凶狠危险的人。

他也看见了罗烈,看见陈瞎子正奔向罗烈。

他的手突然一挥,刀光一闪,已刺入了陈瞎子的背脊。

陈瞎子只觉背上一阵刺痛,连惨呼声都未发出来,已倒了下去。

刀锋已从背脊后刺入了他的心脏。

那尖脸锐眼的瘦小男人面上立刻露出满意之色,但一双眼睛却还是在盯着罗烈。

他本来好像已准备走了,但却又突然停下来,手里又抽出柄尖刀。

现在他的人看来正如他手里的刀一样,短小、锋利、充满了攻击性。

罗烈慢慢的走过去。

"你就是拼命七郎?"

这人点点头,手里的刀握得更紧,他显然知道罗烈,没有想到罗烈也能认得出他。

可是他并没有说话,更没有退缩。

罗烈还是在往前走:"你想跟我拼命?"

拼命七郎狞笑着,喉管里忽然发出一种响尾蛇般的低嘶声。

就在这一瞬间,他的人已向罗烈冲了过来,刀光一闪,刺向罗烈的咽喉。

他的出手迅速、准确、致命!

罗烈仿佛想向后闪避,但突然间,他的掌缘已砍向对方握刀的手腕。

拼命七郎却像是根本没有看见他的动作,还是连人带刀一齐向他扑过来。

只要能把自己手里的这柄刀刺入对方的咽喉,就是他惟一的目的。

至于他自己是死是活,他根本就没有放在心上。

这才是拼命七郎真正最可怕的地方,甚至远比他的刀更可怕。

罗烈已不能不向后退,但突然间,他身子一转,右腿已从后面踢出去,踢在对方手腕上。

拼命七郎手里的刀已脱手飞出,他却连看都没有看一眼,反手又去拔刀。

但也就在这同一刹那间,罗烈已反身挥拳,痛击他的鼻梁。

他一低头,竟向罗烈肋下直扑了过来。

他的刀已拔出,用尽全身力气,直刺罗烈的肋骨间。

这一击虽然狠毒,但却已无异将自己整个人都卖给了罗烈。

他的刀纵然能刺入罗烈的肋骨,他自己的头颅也难免要被击碎。

除了他之外,没有人会用这种不要命的打法,也没有人肯用。

但罗烈的身子突然一闪,已让过了这柄刀,夹住了他的右臂。

他的人几乎已完全在罗烈怀里,他的臂已几乎被活生生的夹断。

但他还是咬着牙,用膝盖猛撞罗烈的小腹。

罗烈的手已沉下,切在他膝盖上,那种骨头碎裂的声音,令人听得心都要碎了。

冷汗已黄豆般从他脸上滚下来,可是他左手却又抽出柄刀,咬着牙刺向罗烈胸膛。

他这只手立刻也被罗烈握住,手腕上就像是突然多了道铁箍,连刀都已握不住。

他全身上下已完全被制住。

可是他还有嘴。

他突然狂吼一声,野兽般来咬罗烈的咽喉。

罗烈忍不住叹了口气,突然挥拳,迎面打在他鼻梁上。

他的人立刻被打得飞了出去,重重的跌在两丈外,黑瘦的尖脸上已流满了血。

但他还是在挣扎着,想再扑过来。

罗烈看着他,轻轻叹息:"每个人都拼命想法子要活下去,你为什么偏偏不想?"

拼命七郎爬起来,又跌倒,用一双充满怨毒的黑眼,狠狠的瞪着他,喉咙里还在低嘶着,突然狂吼:"你有种就过来杀了我。"

罗烈没有过去,也不想杀他。

抽刀拼命,窄巷杀人,这并不是罗烈愿意做的事,无论为了什么原因他都不愿做。

他慢慢的转过身,只想赶快离开这里。

但就在这一瞬间,他忽然发现拼命七郎整个人都像是完全变了。

这个不要命的人,看见罗烈转过身时,好像立刻松了口气,整个人都软了下去,眼睛里的凶狠恶毒之色,也变成种宽心的表情。

他知道罗烈已不会再杀他了,他知道自己已经可以活下去。

他那种不要命的样子,也只不过是为了生存而作出的一种姿态而已。

因为他知道自己若不这样做,也许会死得更快。

他要别人怕他,只不过是为了掩饰自己内心的恐惧——对死亡的恐惧,也同样是对生命的恐惧。

"难道这里真是个人吃人的世界?"

"难道一个人必须要伤害别人,自己才能够生存下去?"

罗烈的心仿佛在刺痛,忽然间,他对生活在这种世界里的人,有了种说不出的同情和怜悯——这种感觉跟他的厌恶同样深。

他忍不住又回头看了拼命七郎一眼,像刀锋般冷的一眼,却又带着种残酷的讥诮和怜悯。

拼命七郎看到了这种眼色,立刻发现这个人已完全看透了他。

这甚至远比刺他一刀更令他痛苦。

"姓罗的,你走不了的!"他突然又大吼:"你既然已来到这里,就已死定了!"

这句话他本不该说的。

但一个尊严受到伤害的人,岂非总是会说出一些不该说的话。

这时罗烈却已走出了窄巷,又走到阳光下。

阳光更灿烂,现在本就已接近一天中阳光最辉煌灿烂的时候。

现在正八点半。

第十三回　血　　腥

这里不是火坑,是地狱。

阳光也照不到这里,永远都照不到,这地方永远都是阴谋、潮湿、黑暗的。

波波倚着墙,靠在角落里,也不知是睡是醒。

她发誓绝不倒下去,可是她却已无法支持,昏迷中,她梦见了黑豹,也梦见了罗烈。

她仿佛看见黑豹用一把刀刺入了罗烈的胸膛。但流着血倒下去的人,忽然又变成了黑豹。

"黑豹,你不能死!"

她惊呼着睁开眼,黑豹仿佛又站在她面前了,她的心还在跳,她的腿还在发软。

她情不自禁扑倒在黑豹怀里。

黑豹的胸膛宽厚而坚实,她甚至可以感觉到他的心跳和呼吸。

这不是梦。

黑豹真的已站在她面前。

"我没有死,也不会死的。"他冷酷的声音中好似带着种无法描叙的感情。

这种感情显然也是无法控制的。

他已忍不住紧紧拥抱住她。

在这一瞬间,波波心里忽然也有了种奇妙的感觉,她忽然发觉黑豹的确是在爱着她的。

他抛弃了她,却又忍不住去找她回来,他折磨了她,却又忍不住要来看她。

这不是爱是什么?

只可惜他心里的仇恨远比爱更强烈,因为远在他懂得爱之前,已懂得了仇恨。

也许远在他穿着单衣在雪地上奔跑时,他已在痛恨着这世界的冷酷和无情。

"他究竟是个可怜的人?还是个可恨的人?"

波波分不清。

在这一瞬间,她几乎已完全软化,她喃喃的低语着,声音遥远得竟仿佛不是她说出来的。

"带我走吧,你也走,我们一起离开这地方,离开这些人,我永远再也不想看见他们。"

黑豹冷酷的眼睛,仿佛也将要被融化,在这一瞬间,他也几乎要放弃一切,忘记一切。

但他却还是不能忘记一个人,这世上惟一能真正威胁到他的一个人。

他这一生,几乎一直都活在这个人的阴影里。

"你也不想再看见罗烈?"他忽然问。

"罗烈?"

波波的心冷了下去,她不知道黑豹在这种时候为什么还要提起罗烈。

因为她还不了解男人,还不知道男人的嫉妒有时远比女人更强烈,更不可理喻。

"我已约了罗烈今天中午到这里来。"黑豹的声音也冷了下去:"你真的不想看见他。"

波波突然用力推开了他,推到墙角,瞪着他。

她忽然又开始恨他,恨他不该在这种时候又提起罗烈,恨他为什么还不了解她的感情。

"我当然想见他,只要能见到他,叫我死都没有关系。"

黑豹的脸也冷了下去:"只可惜他永远不会知道你就在这里,永远也不会知道那华丽的客厅下面还有这么样一个地方。"

他冷冷的接下去:"等你见到他时,他只怕也已永远休想活着离开这里了。"

"你约他来,为的就是要害他?"

黑豹冷笑。

"你害别人,向别人报复,都没关系。"波波突又大叫:"可是你为什么要害他?他又做过什么对不起你的事?"

"我随便怎么对他,都跟你完全没有关系!"黑豹冷笑着说。

"为什么跟我没有关系?他是我的未婚夫,也是我最爱的人,我……"

她的话没有说完,黑豹的手已捆在她脸上。

他冷酷的眼睛里,似已有火焰在燃烧,烧得他已完全看不清眼前的事。

爱情本就是盲目的,嫉妒更能使一个最聪明的人变得又瞎又愚蠢。

他的手掌不停的捆下去。

"你打死我好了,我死了也还是爱他的。"波波大叫着,昂着头,一双美丽的眼睛里,已充满了失望、愤怒、和痛苦。

"我恨你,恨死了你,我死了也只爱他一个人!"

黑豹的手掌已握成拳,像是恨不得一拳打断她的鼻梁。

可是他并没有下手,他突然转身,大步走了出去,用力关起了门。

波波咬着嘴唇,全身不停的发抖,终于忍不住用手掩着脸,失声痛哭了起来。

她恨黑豹,也恨自己。

她忽然了解了真正的仇恨是什么滋味,她发誓要让黑豹死在她手上。

爱和恨之间的距离,分别又有多少呢?

百乐门饭店四楼套房的卧室里面,也同样看不到阳光。

紫色的丝绒窗帘低垂着,使得这屋子里永远都能保持着黄昏时那种低暗的和平和宁静。

红玉还在睡,睡得很甜。

她漆黑的头发乱云般堆在枕上,她的脸也埋在枕头里,像是想逃避什么。

罗烈不想惊动她。

看见她,他又不禁想起了那个在门口送客的、睡眼惺忪的小女人。

"为什么她们这种人总是睡得特别多些?"

"是不是因为她们只有在沉睡中,才能享受到真正的宁静。"

罗烈轻轻叹息,他也决心要好好睡一下,即使睡两个小时也是好的。

他知道今天中午一定会有很多事要发生,他已渐渐开始了解黑豹。

被很薄、很轻。

他刚想躺下去,忽然觉得一阵寒意从脚底下升了上来。

在雪白的枕头上,正有一片鲜红的血慢慢的渗了出来。

他掀开被,就看见了一柄刀斜插在红玉光滑赤裸的背脊上。

刀锋已完全刺入她背脊,刀柄上缠着漆黑的胶布。

她温暖柔软的胴体,几乎已完全冰冷僵硬。

翻过她的身子,就可以看见她嘴角流出来的鲜血。

她那双迷人的眼睛里,还带着临死前的惊骇与恐惧,仿佛还在瞪着罗烈,问罗烈:

"他们为什么要杀我?为什么要杀我这样一个可怜的女人?"

罗烈也不知道。

他甚至不敢确定这究竟是不是黑豹下的毒手?黑豹本来没有理由要杀她的。

"难道她也知道一些别人不愿让我知道的秘密,所以才会被人杀了灭口?"

罗烈咬着牙,用他冰冷的手,轻轻的合起了她的眼皮。

他心里充满了悲伤和歉疚,也充满了怒意。

若不是因为他,这可怜的女人本不会死,她不明不白的做了为别人牺牲的工具——她活着的时候如此,死也是这么样死的。

罗烈握紧了双拳,他终于明白有些事是永远不能妥协的,在这种地方,有些人根本就不给你妥协的余地。

你想活着,就只有挺起胸来跟他们拼命。

他忽然发现拼命七郎并没有错,陈瞎子也没有错。

那么难道是他错了?

罗烈慢慢的放下红玉,慢慢的转过身,从衣橱背后的夹缝里,抽出了一个漆黑的小箱子。

他本来不想动这箱子的,但现在他已完全没有选择的余地。

九点十五分。

秦松走进三楼上的小客厅时,黑豹正用手支持着身子,倒立在墙角。

他的眼睛出神的瞪着前面,黝黑而瘦削的脸已似因痛苦而扭曲,从上面看下去,更显得奇怪而可怕。

他动也不动的倒立在那里，仿佛正想用肉体的折磨，来减轻内心的痛苦。

秦松吃惊的停下脚步。

他从未看见黑豹有过如此痛苦的表情，也从未看见黑豹做过如此愚蠢的事。

他只希望黑豹不要发现他已走进来，有些人在痛苦时，是不愿被别人看见的。

但黑豹却已突然开口："你为什么还不去买双新鞋子？"

秦松垂下头，看着自己的鞋子。

鞋子的确已很破旧，上面还带着前天雨后的泥泞，的确已经该换一双了。

但他却不懂得黑豹为什么会在这种时候，提起这种事。

黑豹已冷冷的接着道："聪明人就绝不会穿你这种鞋子去杀人！"

秦松眼睛里不禁露出崇敬之色，他终于已明白黑豹的意思。

破旧而有泥的鞋子，说不定就会在地上留下足迹。

他终于相信黑豹能爬到今天的地位，绝不是因为幸运和侥幸。

黑豹的细心和大胆，都同样令人崇敬。

"我进去的时候很小心。"秦松低着头："那婊子睡得就像是死人一样，连裤子都没有穿，好像随时都在等着罗烈爬上去。"

他很巧妙的转过话题，只希望黑豹能忘记他的这双鞋子，道："我一直等到她断气之后，才跑出去的。"

"你不该等那么久，罗烈随时都可能回去。"黑豹的声音仍然冰冷："杀人的时候，要有把握一刀致命，然后就尽快地退出去，最好连看都不要再去看一眼，看多了死人的样子，以后手也许就会变软。"

他今天的情绪显然不好，仿佛对所有的事都很不满意。

秦松永远也猜不出是什么事令他情绪变坏的，甚至猜不出他为什么要去杀红玉。

那绝不仅是为了要给罗烈一个警告和威胁。

这原因只有黑豹自己知道。

红玉说不定曾经在这里听过"波波"的名字，他不愿任何人在罗烈面前提起这两个字。

"守在后门外的印度人告诉我，罗烈是往野鸡窝那边去的。"秦松道："我想他一定是去找陈瞎子。"

"只可惜他已迟了一步。"黑豹冷笑。

他显然低估了罗烈的速度。

罗烈坐上那辆黄包车,他就已叫人找拼命七郎去对付陈瞎子,他算准罗烈无论如何一定会先回百乐门的。

但拼命七郎赶到那里时,罗烈却先到了。

在两军交战时,"速度"本就是致胜的最大因素之一。

"去对付陈瞎子的是谁?"秦松忍不住问。

"老七。"黑豹回答:"那时他就在附近。"

秦松笑了笑:"我只担心他会带个死瞎子回来,老七好像已经有一个月没杀过人了。"

他的笑容突然冻结在脸上,他正站在窗口,恰巧看见一辆黄包车载着满身鲜血淋漓的拼命七郎飞奔到了大门外。

黑豹也已发现了他脸上表情的变化:"你看见了什么?"

秦松终于长长叹了口气:"从今以后,老七只怕永远也不能杀人了。"

拼命七郎被抬上来后,只说了两个字:

"罗烈!"

然后他就晕了过去,他伤得远比胡彪更重。

"罗烈。"倒立着的黑豹已翻身跃起,紧握起双拳,突然大吼:"叫厨房里不要再准备中午的菜,到五福楼去叫一桌最好的燕翅席,今天我要好好的请他吃一顿。"

他想了想,又大声道:"再叫人到法国医院去把老二接出来,今天中午我要他作陪。"

老二正在养病,肺病。

他在法国医院养病已很久,远在金二爷还没有倒下去时就已去了,有人甚至在怀疑他不是真病,只不过不愿参加那一场血战而已。

无论谁都知道,褚二爷一向是很谨慎,很不愿冒险的人。

秦松忍不住皱了皱眉:"他病得好像很重,只怕不会来的。"

"这次他非来不可。"黑豹很少这么样激动:"还有老幺,今天他为什么一直到现在还没有露过面?"

"昨天晚上他醉了。"秦松微笑着回答:"一定又溜去找他那个小情人去了。"

红旗老幺的小情人是个女学生,胸脯几乎和她的脸同样平坦。

红旗老幺看上了她,也许只有一个原因——因为她看不起他。

她也同样看不起黑豹。

"那婊子对老幺就好像对奴才一样,好像老幺要亲亲她的脸,都得跪下来求她老半天。"秦松叹息着:"我真不懂老幺为什么偏偏要去找她。"

"因为男人都有点生得贱。"黑豹目中又露出痛苦愤怒之色:"老幺若还不死心,说不定总有一天会死在那女人脚下的。"

九点三十二分。

这大都市中最有权力的帮派里的红旗老幺,正捧着杯热茶,小心翼翼的送到书桌上。

杜青文正伏在桌上看书,似已看得入了神。

外面的小院子里,蔷薇开得正艳,风从窗外吹进来,带着一阵阵花香。

这屋子是红旗老幺花了很多心血才找来的,虽然不大,却很幽静。

因为杜小姐喜欢静。

她似乎已忘了她刚到这里来念书的时候,住的那女子宿舍,比十个大杂院加起来还吵十倍。

现在她正在看一本叫"人间地狱"的小说,里面描写的是一个洋场才子和妓女们的爱情。

她脸上的表情却比教士们在读圣经时还要严肃,就好像再也没有比看这本言情小说更重要、更伟大的事情了。

红旗老幺却在看着她,脸上的神情显得又骄傲、又崇拜、又得意。

"像我这样的人,想不到居然能找到这么样一个有学问的女才子。"每当他这么样想的时候,心就忍不住有一股火热的欲望冲上来。

那种感觉就好像有人在他小肚子里点着了一根火把似的。

"你太累了,应该休息了。"他忍不住道:"太用功也不好,何况,昨天晚上我喝得大醉,你一定被吵得没有睡好觉。"

"你既然知道自己吵得人家睡不着,现在就应该赶快回去。"杜小姐沉着脸,沉沉的说,却还是连看都没有看他一眼。

可是红旗老幺最喜欢的,偏偏就正是她这种冷冰冰的样子。

他忍不住悄悄的伸出手，去轻抚她的头发，柔声道："我是该走了，只不过我们还没有……"

"还没有怎么样？"杜青文突然回过头，瞪着他："你还想干什么？"

她薄薄的嘴唇，好像已气得在发抖，红旗老幺看着她的嘴，想到这张嘴因为别的缘故发抖时的样子，全身都热得冒了汗。

"你知道我想要什么的，却偏偏还是要故意逗我着急。"

"我逗你？我为什么要逗你？"杜青文冷笑："我一想到那种肮脏事就呕心。"

"你这个小妖精，一天到晚假正经。"红旗老幺喘息着，笑得就像只叫春的猫："其实你对那种肮脏事比谁都有兴趣。"

杜青文跳起来，一个耳光向他掴了过去。

可是她的手已被捉住。

她用脚踢，腿也被夹住，阴丹士林布的裙子翻起来露出了一双苍白却有力的腿。

他的手已伸到她大腿的尽头，然后就将她整个人都压在地上。

她用空着的一只手拼命推他的胸膛："你这只野狗、疯狗，你难道想在地上就……"

"地上有什么不好？"他的手更加用力："在地上我才能让你知道我的厉害，今天我就非要让你叫救命不可了。"

她也喘息着，薄而冷的嘴唇突然变得灼热，紧紧夹住的腿也渐渐分开。

他已撕开她衣襟，伏在她胸膛上，就像婴儿般吮吸着。

她的挣扎推拒已渐渐变为迎合承受，突然疯狂般抱住了他，指甲却已刺入他肉里，呻吟般喘息着低语："你这条小野狗，你害死我了？"

"我就是要你死，让你死了又活，活了又死。"他喘息的声音更粗。

她忍不住尖叫："我也要你死……要你死……"

"你若是真的要他死，倒并不是太困难的事。"窗外突然有人淡淡道："我随时都可以帮你这个忙的。"

红旗老幺就像是只中了箭的兔子般跳起来，瞪着这个人。

"你是谁？想来干什么？"

他还没有见过罗烈，也不知道昨天晚上的事。

罗烈微笑着，欣赏杜青文的腿："你一定练过芭蕾舞，否则像你这么瘦的人，怎么会有这么漂亮的一双腿。"

杜青文的脸红了,身子往后缩了缩,好像并没有把裙子拉下去盖住腿的意思。

红旗老幺一把揪住她的头发:"你认得这小伙子?他是什么人?"

"我认得他又怎么样?"杜青文又尖叫起来:"无论他是我的什么人,你都管不着,你算什么东西?"

她的裙子已褪到腰上,一双赤裸的腿已全露出来。

红旗老幺怒吼:"你这婊子,你是不是喜欢他看你的腿?"

"我就是喜欢让他看,我不但要他看我的腿,还要让他看我的……"

红旗老幺突然一巴掌掴在她的脸上。

她尖叫着,抬高了腿,用力踢他的小腹,他的手不停的落在她脸上,她的尖叫声渐渐微弱。

罗烈突然冷笑:"打女人的不算好汉,你有本事为什么不出来找我?"

红旗老幺狂吼一声,身子已跃起,跳在窗口的书桌上,一脚踢向罗烈的下巴。

他的动作矫健而勇猛,十三岁时,他就已是个出名可怕的打手,十二岁时就曾经徒手打倒过三个手里拿着杀猪刀的屠夫。

除了黑豹外,他从来也没有把别人看在眼里。

可是他一脚踢出后,就知道自己今天遇上了个可怕的对手。

这七八年来,他身经大小数百战,打架的经验当然很丰富,纵使在狂怒之下,还是能分得出对方的强弱。

他看见罗烈的人忽然间就已凭空弹起,落下去时已在两丈外。

红旗老幺深深的吸了口气,勉强让自己镇定下来,现在,他已看出这个人绝不是为了杜青文而来的。

像这么样的高手,绝不会无缘无故的找人打架,因为他自己也一样,只要一出手,就没有打算让对方活下去。

他开始仔细打量罗烈,最后终于确定他非但不认得这个人,而且从未见过。

"你刚到这里?"他忽然问。

"不错。"罗烈目中露出赞许之色,一个人在狂怒中还能突然镇定下来,并不是件容易事。

"我们之间,有没有仇恨?"

"没有。"

"你要找的人真是我?"

"不错,是你。"罗烈笑了笑:"这半个月来,你至少有十天晚上在这里。"

红旗老幺的心沉了下去:"你既然已注意了很久,今天想必不会放过我,是不是?"

罗烈叹了口气:"你在那女人面前就像是个呆子,我实在想不到你竟是这么聪明的人。"

"你是不是一定要我死?"

"至少也得打断你的一条腿。"他问得干脆,罗烈回答也同样干脆。

"你为了什么? 为了我是黑豹的兄弟?"

罗烈笑了。

他开始笑的时候,红旗老幺突然大喝一声,凌空飞扑了过去。

他并没有真的打算要问罗烈为什么。

他自己杀人时,也从不会回答这句话的,有时甚至连他自己都不知道自己是为了什么而杀人。

这次罗烈没有闪避,反而迎上去。

红旗老幺的拳击出,但罗烈的人却已从他肋下滑过,反手一个肘拳,打在他脊骨上。

他倒下,再跃起,右拳怒击。

可是罗烈已夹住他的臂,反手一拧,他立刻听见了自己骨头折断的声音。

一种令人只想呕吐的声音。

他没有吐出来。

罗烈的另一只手,已重重的打上了他的鼻梁。

他的脸立刻在罗烈铁拳下扭曲变形,这次他倒下去时,也已不能再站起来。

很可能永远也不能再站起来。

现在正是午饭的时候。

一只手伸进来,捧着个食盒,里面有一格装满了白米饭,其余的三个小格子,放的是油爆虾、熏鱼、油豆腐、小排骨,和一只鸡腿,两只鸡翅膀。

这些都是波波平时最爱吃的菜。

只有黑豹知道波波喜欢吃什么,这些难道都是黑豹特地叫人送来的。

不管怎么样,他心里至少还是没有忘记她。

波波的心却又在刺痛。

黑豹对她究竟是爱?还是恨?她对黑豹究竟是爱?还是恨?

这连她自己都分不清。

她并没有去接食盒,却将自己的身子,尽量紧贴在门后的角落里。

"饭来了,你不吃是你自己倒霉。"

门外有人在说,声音很年轻。

波波不响,也不动。

托着食盒的手缩了回去,却有双眼睛贴上了窗口。

他当然看不见角落里的波波,只看见了间空屋子。"关在里面的人难道已逃走?"

这虽然绝没有可能,但他却还是不放心。

他的责任太大。

波波若是真的溜走了,他只有死,是怎么样死法,他连想都不敢想。

门外立刻响起了开锁的声音。

波波连呼吸都已经停顿,但心跳却比平时加快了好几倍。

门已开了。

一个人手里握着根铁棍,试探着走了进来,还没有回头往后面看。

波波忽然从后面用力将他一推,人已靠在门上,"砰"的,关住了门。

这人好容易才站稳,回过头,吃惊的看着她:"你这是什么意思?"

"没有意思。"波波用自己的身子顶住了门,看着他。

他也跟小白一样,是个不难看的年轻人,看来并不太狡猾,也并不太凶狠。

也许正因为他是个老实人,所以才会被派到这不见天日的地窖里,做这种无足轻重的事,若是凶狠狡猾的人,早已"窜上"了。

波波看着他,忽然笑了。

她的脸虽然已青肿,而且很脏,可是她笑起来,还是那么甜蜜,那么可爱。

波波本就是个甜蜜可爱的女人。

"你叫什么名字?"

年轻人迟疑着,终于回答:"我叫蔡旺,别人都叫阿旺。"

"阿旺。"波波吃吃的笑了,又道:"以前我有一条小狗,也叫做阿旺,我总是喜欢抱着它,替它洗澡。"

阿旺已涨红了脸:"你让开路,我出去端饭过来,饭还是热的。"

"你站在那里不准动。"波波忽然板起了脸:"否则我就要叫了。"

"你要叫? 叫什么?"阿旺不懂。

波波道:"我把别人都叫过来,说你闯进这屋子里,关起门,要强奸我。"

阿旺的脸色变了。

他当然知道波波和黑豹的关系,无论谁动了黑豹的女人,那种可怕的后果他也知道。

波波眼珠子转了转,忽又笑道:"可是你只要老老实实的回答我几句话,我就让你走。"

阿旺叹了口气。

他并不会对付女人,也不会打女人,尤其是波波这种女人。

波波已开始问:"你当然不是一直都在这下面的,上面的事,你当然也知道一点。"

阿旺只有承认。

波波咬着嘴唇,试探着问道:"你在上面的时候,有没有听人说起罗烈这名字?"

阿旺居然一点也没有迟疑,就立刻点点头:"我听过。"

他显然还弄不清黑豹、罗烈和波波这三个人之间的关系。

波波的眼睛立刻发出了光。

"你几时听见的?"

"今天早上。"

"你听见别人在说他什么?"波波的心,跳得更快了。

阿旺道:"我听说今天中午有个很重要的客人要来,他好像就姓罗,叫罗烈。"

他显然也弄不清黑豹为什么要请这客人来的,红旗老幺被抬回来的时候,他已下来了。

"今天罗烈要来?"波波的心却已沉了下去。

阿旺又点点头:"听说是来吃中饭的。"

波波握紧了手,指甲已刺入肉里:"是黑豹请他来的?"

"不错。"阿旺道:"听说他十二点来,现在已过了十二点,他想必已在楼上。"

波波的背脊在发冷,全身都在发冷。

难道罗烈还不知道黑豹在怎么样对待她? 难道黑豹已使他相信他们还是朋友?

他们本来就是像兄弟一样的好朋友。

罗烈还没有看到真实的证据,当然不会相信黑豹要出卖他,更不会相信一个瞎子的话。

她知道罗烈对黑豹的感情,知道罗烈一向很重视这份感情。

可是她也知道,罗烈只要一走进这屋子,就休想再活着出去。

"你是不是知道他已经来了?"波波勉强控制着自己,不让声音发抖。

"好像是的。"阿旺道:"我刚才听见上面有人说:"客人已到,要准备开饭了。""

他显然不知道这是件关系多么重大的事,所以又补充着道:"而且上面的人好像都很忙,本来应该下来换班的人,到现在还没有来。"

上面的人当然很忙,黑豹想必已集中了所有的人,准备对付罗烈。

波波咬了咬牙,忽然用力撕开了自己的衣襟,露出了雪白结实的乳房。

阿旺又吃了一惊。

他从来也没有看过如此美丽的乳房,可是他不敢多看。

黑豹的女人,非但没有人敢动,连看都没有人敢多看一眼的。

"你……你这是什么意思?"阿旺扭过头,声音在发抖。

波波冷笑道:"我正想问你,你这是什么意思,你为什么要撕开我的衣裳?"

"我? 是我撕开了你的衣裳?"阿旺更吃惊。

"当然是你。"波波冷笑着:"难道我还会自己撕开自己的衣裳,让你看我?"

阿旺怔住。

这种事几乎连他自己都无法相信,别人当然更不会相信他的话。

波波又道:"我现在若是将别人叫来,你想结果会怎么样?"

阿旺连想都不敢想:"我……我跟你无冤无仇,你为什么要害我?"

他的脸上几乎已没有人色,声音抖得更厉害。

波波板着脸,冷冷道:"我不但要害你,而且要害死你。"

"为什么?"

"不为什么,也许只因为我喜欢害人。"波波眼珠子转了转,声音又变得很柔和："可是你假如肯帮我一个忙,我就饶了你。"

"你问我的话,我已全告诉你。"阿旺苦着脸道:"你还想要我干什么?"

"要你帮我逃出去。"

阿旺好像突然被人抽了一鞭,整个人都跳了起来:"你要我帮你逃出去?你……你……你一定是疯了。"

"我没有疯,我清醒得很。"

阿旺道:"那么你就应该知道,没有人能从这里逃出去的。"

"以前也许没有人能逃得出去,但今天却不同。"波波说。

"有什么不同?"

"今天上面的人都在忙着招呼客人,连应该来换班的人都没有来。"

阿旺已急得满头冷汗,"绝对不行。"

"绝对不行!"波波又在冷笑:"难道你想死?"

阿旺不想死,他还年轻。

波波冷笑道:"你也该知道,现在只要我一叫,你就只有死路一条,无论你怎么分辩,黑豹都不会饶了你的,他是个怎么样的人,你也应该知道。"

阿旺当然知道。

现在黑豹要杀一个人,就好像杀一条狗一样,根本用不着什么很好的理由。

阿旺用手背擦着汗:"就算我想要放你走,你也走不了。"

"是不是因为这里还有别人在看守?"

阿旺点点头。

"除了你之外,还有多少人?"波波又问。

平时看守的人并不多,因为这里根本用不着太多人看守。

"除了我之外,还有两个。"阿旺道:"可是其中有一个叫老铁的,是个杀人不眨眼的角色,我根本不是他对手。"

波波道:"假如我有法子对付他呢?"

阿旺还是在摇头:"就算你有法子对付他,就算你能走出这种地方,也没有用。"

"为什么?"

"因为这地窖的出口,就在客厅旁边,我们一走出去,立刻就有人发现的。"阿旺苦笑道:"所以就算我帮了你这个忙,我也还是只有死路一条。"

"黑豹和那姓罗的客人,现在都在客厅里?"

"有客人来的时候,饭一向都是开在客厅里的。"阿旺老实回答,他也还没有真正摸清波波的意思。

波波忽然笑了笑,道:"难道你以为我是真的想逃出去?"

"你不是?"阿旺更不懂了。

波波说道:"我只不过想上去找黑豹,告诉他,我已经立下决心不跟他斗了,决心要好好的跟着他。"

"你为什么不等他下来呢?"

"他现在还在气头上,说不定不肯下来的,可是只要一看见我,我再跟他说几句软话……"波波嫣然一笑:"你应该知道他还是喜欢我的,否则就不会特地要你送那几样我喜欢吃的菜来了。"

这一注她没有押错。

看阿旺的表情,波波就知道那些菜果然是黑豹特地关照人送来的。

她心里突然又涌起了种说不出的滋味,可是她不愿再想下去。

"所以只要我能见到他,就没有事了,你非但不会死,而且一定还有好处。"

阿旺迟疑着,显然已有点动心。

他并不是个很有理智的人,也并不会作正确的判断,事实上,他根本就没什么头脑。

有头脑的人,又怎么会在这暗无天日的地窖里,做送饭的工友。

波波一步也不肯放松:"你帮了我的忙,我当然也会帮你的忙,黑豹既然喜欢我,我在他面前说的话当然会有效。"

她微笑着,道:"所以只要我能上去,你也就有机会"窜上"了,你是个很聪明的人,当然想得通这道理。"

越笨的人,越喜欢别人说他聪明,这道理也是颠扑不破的。

阿旺眼睛里果然发出了光,却还在迟疑着:"可是老铁……"

波波突然大叫:"救命呀,救命……"

阿旺脸色又变了。

幸好波波又压低声音解释:"他们一来,我们两个人一起对付。"

这句话说完,她的人就倒了下去。

她的人一倒下,门就开了。

一阵脚步声响过,外面果然有两个人冲了进来,一个人身材又矮又壮,显然就是老铁。

他看了看倒地上的波波,厉声道:"这是怎么回事?"

话是问阿旺的,但他的眼睛,却还是盯在波波的乳房上。

很少有人看见过如此美丽的乳房。

阿旺的脸色发青,吃吃道:"她……她好像突然病了。"

老铁冷笑,道:"是她病了,还是你病了?"

"我……我没有病?"

老铁道:"你若没有病,怎么敢打她的主意?你知道她是什么人?"

他果然以为阿旺对波波非礼。

站在门口的一个麻子,眼睛也盯着波波的胸膛,冷笑道:"看不出这小子长得虽老实,胆子却不小。"

老铁道:"你先带他出去看住他,我问问这究竟是怎么回事。"

麻子还在晕迷着,留在这里面的人,多少总有点便宜占的。

波波的胸膛,现在就像是个完全不设防的城市,要占领这城市并不困难。

麻子虽然不愿意,但老铁显然是他们的老大,他不愿意也不行。

他只有将一肚子气出在阿旺身上,走过去伸手就给了阿旺个大耳光。

"我看你真是活得不耐烦了,还不跟我走?"

阿旺垂着头,走出去。

他也有一肚子气,可是他还不敢动手。

等他们走出去,老铁的眼睛里已像是要冒出火来,俯下身,伸出了手。

波波动也不动,就让他的手伸过来,握住了她的乳房。

无论谁都难免偶尔被狗咬一口的。

老铁整个人都软了,但两腿间却有个地方,起了种明显的变化。

波波突然用出全身力气,飞起一脚,向他这地方踢了过去。

老铁一声惨呼,整个人立刻虾米般弯了下去,用手捧住那地方。

波波已跳起来,按住他的头,用膝盖撞上去。

这次老铁连惨呼都没有发出来,他晕过去时,脸上就像是倒翻了瓶番茄酱。

第一声惨呼时,麻子刚押着阿旺走到通道尽头。

听见这声惨呼,他立刻转身奔回。

但这时阿旺已从靴筒里抽出柄匕首,一下子从他脊椎旁的后心上刺了进去。

阿旺虽然并不是凶狠的人,但毕竟已在这圈子里混了两年。

要怎么样用刀,他早已学会。

何况他对这麻子怀恨已不止一天,有一天他睡着的时候,忽然发现这麻子竟在解他的裤带。

他本就是个不难看的小伙子,男人本就不一定喜欢女人的。

麻子倒下去时,波波已奔出来。

阿旺拔出了刀,看见刀上血,手才开始发抖。

波波知道现在他正是最需要鼓励的时候,立刻赶过去握住他的手:"想不到你是这么勇敢的人,我一定永远忘不了你的。"

阿旺果然笑了,笑得虽勉强,却总是在笑:"我也想不到你真能对付老铁。"

波波嫣然道:"你若以为我是个弱不禁风的女人,你就错了,我也有两下子的。"

她对自己的身手,忽然又有了信心,觉得自己多多少少总可以帮罗烈一臂之力。

她拉紧了阿旺的手:"我们快上去。"

阿旺点点头,眼睛忍不住往她胸膛上看了两眼:"你的衣服……"

波波嫣然道:"你替我拉起来好不好?"

阿旺的脸又红了,正颤抖着伸出手,想去替她拉上衣服。

就在这时,突然有寒光一闪。

一柄斧头从后面飞过来,正好劈在阿旺的头顶上。

鲜血飞溅而出,红得可怕。

阿旺也连一声惨呼都没有发出来,就已倒下,倒在波波脚下。

波波的脸色也发青,抬起头,就看见一个长着满脸大胡子的人,正慢慢的走过来,手里还握住柄斧头……

第十四回　扭　转

十二点四十五分。

一个斯斯文文，眉清目秀的侍役，用一双很漂亮的手，在替罗烈斟酒。

他的手已从罗烈肩后伸过来，是用两只手捧住酒壶的。

黑豹虽然没有看他，却知道只要这两只手一分开，就会有条钢丝绞索勒上罗烈的咽喉。

他看过秦松被绞杀时的样子。

他相信陈静绝不会失手。

谁知道这时罗烈却突然站起来，从裤袋里拿出块手帕，擦了擦嘴。

然后他又坐下。

但这时机会已错过，酒已斟好，陈静的手只好收了回去。

他脸上并没有露出一丝失望之色。

他知道以后一定还会有机会，一杯酒很快就要喝完的。

黑豹也知道，他已准备只要酒一斟满，他就立刻要罗烈干杯。

这时陈静已走到他身后，在替他斟酒。

黑豹看到这双很漂亮的手从自己肩后伸出来，心忽然有了种很奇怪的想法……

就在这时，陈静的手已分开，手里的酒壶"当"的掉在桌上。

他手里已赫然多了条钢丝绞索，用一种无法想像的速度，往黑豹的脖子上勒了过来。

无论谁也想不到这一个变化，但陈静自己却也没有想到一件事。

他想不到自己也有失手的时候。

黑豹的反应，更快得令人无法想像。

他突然低下头，张开口，用牙齿咬住了那条钢丝绞索。

他的手又向后撞去，一个肘拳，打在陈静的小腹上。

陈静立刻疼得弯下了腰，"砰"的头撞着了桌子。

黑豹的另一只手,已闪电般劈下,劈在他左颈后的大动脉上。

陈静倒下去时,整个人都已软得像是个被倒空了的麻袋。

大藏静静的看着,脸上连一点表情都没有。

罗烈也在静静的看着,脸上也连一点表情都没有。

这变化他竟似并不觉得意外。

黑豹抬起了头,看着他们,脸上居然也完全没有表情。

三个人就这样静静的对面坐着,对着看看,谁也没有动,谁也没有开口。

客厅里忽然变得静寂如坟墓。

也不知过了多久,黑豹忽然自己倒了杯酒,向大藏举杯:"我敬你。"

大藏也举起了酒杯,道:"干杯?"

"当然干杯!"

"为什么干杯?"

"为你!"黑豹一饮而尽:"我佩服你。"

大藏笑了笑:"我也佩服你。"

"哦?"

"我想不到陈静会失手的。"大藏微笑着:"我对他一向很有信心。"

"我也想不到你敢冒这种险。"

"哦?"

"你自己也说过,无论谁要杀人,都不可能有百分之百的把握。"

大藏承认:"我说过。"

"你敢冒这种险,当然有原因。"

大藏也承认。

黑豹突然转过头,盯着罗烈:"原因就是你?"

罗烈笑了笑。

黑豹冷冷地道:"若不是有你在后面撑腰,他绝不敢冒这种险的,因为他也知道。只要陈静一失手,他们两个都非死不可。"

罗烈并不想否认,也不想开口。

黑豹盯着他,忽然问:"你们两个人,是什么时候认得的?"

"就在他回来的第二天。"回答的不是罗烈,是大藏。

"是他去找你的?"

大藏摇摇头:"他当然不会来找我,是我特地去拜访他的。"

"你怎么知道他回来了? 怎么会知道有他这么一个人?"

"我们组织'喜鹊'之前,我已到你的家乡去打听过你的底细。"大藏淡淡的笑着:"我一向是个很谨慎的人。"

石头乡里的人,当然都知道罗烈和黑豹的关系。

大藏又道:"所以我早就知道他是个什么样的人,只不过一直问不出他的行踪而已。"

"这次你怎么知道的?"

"陈瞎子。"大藏道:"你本不该忽视陈瞎子这个人的,你本不该忽视任何人的,无论什么样的人,都有他本身的价值。"

黑豹冷笑。

这是句很有哲学思想的话,这种思想他还不能完全接受。

对于人的价值,他也不能完全了解。

他已在不知不觉间受了金二爷的影响,他将大多数人都当做了他的工具。

罗烈道:"所以你也不该忽略梅子夫人的。"

黑豹终于动容:"你见过她? 她没有死?"

"她没有死。"罗烈道:"高登虽然是个杀人的枪手,但却绝不会杀一个完全没有反抗之力的女人。"

罗烈的眼睛,竟似带着种惋惜之色,看着黑豹,又接着道:"你不该低估高登的,也不该低估了梅子夫人。"

黑豹咬着牙:"难道也是她去找你的?"

"是她去找我的,她告诉了我很多事。"罗烈叹息着:"因为她对高登很感激,却无法报答,所以才将这份感激报答在我身上。"

黑豹的脸色发青:"说下去。"

"我并不是个越狱的逃犯,是她保我出来的。"罗烈正在说下去:"到了汉堡后,她很快就筹足了一笔钱,汉堡本就是个女人最容易赚钱的地方,尤其是懂得用手段的美丽女人,她的年纪虽然大了些,但却还是个很美的女人。"

黑豹冷笑:"她是个婊子,老婊子。"

"幸好这世界上偏偏有很多男人,都看不出女人的真实年纪,尤其是从异国来的女人。"

这的确是件很奇怪的事。

就在这大都市里,也有很多外国小伙子,找的却偏偏是些年纪已可做他妈的女人。

何况梅子夫人一向很懂得修饰,风度也一向很高贵,汉堡又恰巧有很多腰缠万贯的暴发户。

暴发户最喜欢找的,就是高贵的女人,比他们自己高贵的女人。

因为高贵的女人,可以使他们觉得自己也高贵了些,就正如小姑娘可以使老头子觉得自己年轻一样。

"她保出了我,就叫我赶快到这里来,因为她已看出你是绝不会放高登回去的。"

女人总有种神秘的第六感,总可以看出很多男人看不出的事。

黑豹握紧了双拳,直到现在,他才发觉自己的确疏忽了很多事。

"我本该亲手杀了那婊子的。"

"我来的时候,高登已死了。"罗烈黯然道:"我知道他一定是死在你手里的,他绝不是个会跳楼自杀的人。"

"你很了解他?"

"我了解他,就好像了解你一样。"罗烈看着黑豹:"可是,我想不到你竟变了,而且变得这么多、这么快、这么可怕。"

大藏忽然也叹了口气,说道:"这大都市就像是个大染缸,无论谁跳进这大染缸里来,都会改变的。"

他凝视着黑豹,又道:"可是他说的不错,你实在变得太多、太可怕了。"

黑豹冷笑,他只有冷笑。

"就因为我觉得金二爷的做法太可怕,所以才帮你除去了他。"大藏叹息道:"可是现在我忽然发现,你已变成了第二个金二爷。"

"所以你就想帮他除去我?"

"这不能怪我。"大藏淡淡道:"你自己也知道,你总有一天会要除去我的,因为我知道的秘密太多。"

"就因为你已准备对我下手,所以才先想法子杀了秦松。"

大藏点点头,道:"因为我知道秦松一直对你很忠实,如果杀了他,就等于毁了你自己一只左手一样。"

黑豹的额上,已凸出了青筋。

他现在才发现自己的错误,只可惜已太迟了。

发现得太迟的错误,往往就是致命的错误。

"你不该杀秦松,却杀了他,你本该杀了金二的,但你却让他活着。"大藏似也在惋惜。

"你总该知道,金二爷对人也有很多好处的,等大家发现你并不比金二爷好时,就会有人渐渐开始怀念他了。"

这当然也是个致命的错误,但黑豹本来并不想犯这个错误的。

"我也知道你为什么不杀他。"大藏忽然道:"你是为了波波。"

波波!

提起了这名字,罗烈和黑豹两个的心都在刺痛。

"无论如何,她总是金二爷的女儿,你若在她面前杀了金二爷,她才会真正的恨你一辈子。"大藏悠然道:"看来你并不想要她恨你。"

黑豹额上的青筋在跳动,忽然大声道:"她也是个婊子,可是我喜欢这婊子,为了她,我什么事都愿意做,我不像你,你才真正是条冷血的秃狗!"

大藏静静的听着,脸上一点表情也没有,黑豹骂的就好像根本不是他。

罗烈的脸却已铁青,额上也已因愤怒而暴出了青筋:"你喜欢她?你明明知道她是我的未婚妻,你却是我的朋友!"

黑豹怒吼着道:"我就喜欢她,无论你是她的什么人,我还是喜欢她!你若真的对她好,为什么不带她一起走?你以为那才是对她好?你知不知道寂寞是什么味道?"

罗烈的声音已嘶哑:"你喜欢她?她是不是也喜欢你?"

黑豹全身突然发抖,突然站起来,瞪着罗烈,眼睛里似已喷出了火。

野兽般的怒火。

罗烈也慢慢的站起来,瞪着他。

他们竟完全没有注意到客厅的楼梯上,已走出了两个人。

一个满脸胡子的大汉,带着个衣衫不整,苍白憔悴,却仍然美丽的女孩子。

波波。

她全身也在不停的发着抖,抖得就像是片秋风中的叶子。

黑豹刚才说的话,她全都已听见。

"我喜欢她……而且无论什么事情我都愿意为她去做……"

他说的是真话?

为什么他从不肯在她面前说真话?

"你喜欢她?她是不是也喜欢你?"

她知道黑豹无法回答这一句话,连她自己都无法回答。

看到他们站起来,像野兽互相对峙着,她的心已碎了。

这两个男人,都是她生命中最重要的男人,都是她永远也忘不了的男人。

他们本是朋友,但现在却仿佛恨不得能将对方一口吞下。

这是为了什么?

波波当然知道这是为了什么。

她本想冲出去,可是她的脚已无法移动,甚至连声音都发不出,只能站在那里,无声的干流着泪水。

她本该冲过去,冲到罗烈怀里,向他诉说这些年的相思和痛苦。

但现在她心里却忽然起了种说不出的矛盾。

一种她自己永远也无法了解,永远也无法解释的矛盾。

这是不是因为她已对黑豹有了种无法解释的感情?还是因为罗烈已变了?

罗烈也已不是她以前深爱着的那个淳朴忠厚正直的少年,也似已变成了陌生人。

她本来以为黑豹才是强者,本来以为罗烈已被他踏在脚下。

情况若真是这么样的话,她一定会不顾一切,去救罗烈——人,本来就是同情弱者的,尤其是女人,尤其是波波这种女人。

但现在她忽然发现,被踏在脚下的并不是罗烈,而是黑豹。

黑豹的眼睛像是一团火似的,罗烈的眼睛却冷酷如刀锋。

他盯着黑豹,忽然一伸手,手里已多了柄枪:"我本该一枪杀了你的,可是我不愿这样做。"

黑豹冷笑。

"这么样做太简单,太容易,我们的事,不是这么容易就能解决的。"罗烈也在冷笑,突然将手里的枪远远抛出去。

黑豹的瞳孔在收缩,整个人都似已收缩。

罗烈冷笑道:"你一直以为你可以打倒我,现在为什么不过来试试?"

他的冷静也正如刀锋。

他正在不断的给黑豹压力:"但你最好不要希望你的手下会来帮你,能帮你的人,都已死了,没有死的人,都已看出了你的真正价值。"

客厅外的一群人,果然全都静静的站着,就好像一群来看戏的人,冷冷的看着戏台上的两个角色在厮杀,无论谁胜谁负,他们都漠不关心。

"你不能怪他们,因为他们恨你本就没有感情,你在利用他们,他们也一样在利用你。"罗烈的压力更加重:"你现在已完全没有一个亲人,一个朋友,你现在就像是被你打倒的金二爷一样,已变成了一条众叛亲离,无家可归的野狗。"

他知道自己并没有击倒黑豹的把握,可是他一定要击倒黑豹。

所以他必需不断的压榨,将黑豹所有的勇气和信心都榨出来。

他早已学会了这种法子。

波波忽然发现罗烈真的变了。

每个人都会变的。

惟一永恒不变的,只有时间,因为时间最无情。

在这无情的时间推移中,每个人都会不知不觉的慢慢改变。

连树木山石,大地海洋都会因时间而改变,连沧海都会变成桑田,又何况人?

波波忽然发现罗烈竟也变得和黑豹同样残酷,同样可怕。

他对黑豹用的这种法子,岂非也正是黑豹对别人用的法子。

但黑豹毕竟是坚强的,他并没有被榨干,并没有崩溃。

至少别人还看不出他已在渐渐崩溃。

他不能等着自己崩溃,他此刻已必须出手。

但罗烈实在太冷静,就像是一块岩石,一座山,完全没有任何可以攻击的弱点。

大藏已悄悄的退开了。

他脸上还带着微笑,眼睛里充满了信心。

难道他已算准了罗烈必胜?

黑豹突然觉得一股无法抑制的怒火冲上来,他的人已跃起,越过了桌面,扑过去,看来就像是一条愤怒的美洲豹。

他的脚已飞起,踢向罗烈的咽喉。反手道!

这一脚本应该是虚招,他真正的杀着本该在手上。

但罗烈并不这么样想。

他知道黑豹绝不会用这种手法来对付他的,因为这种手法他远比黑豹更熟悉。

他退后,翻身,挥手猛砍黑豹的足踝。

黑豹怒吼,凌空一跳,左脚落地,右脚踢出。

罗烈再退,再挥手,但黑豹整个人已经凌空扑了下来。

他并没有用出奇诡的招式来,因为他也知道无论多奇诡的招式,都不能对付罗烈。

他用的是他那种野兽般的力量。

一种任何人都无法思想,无法思议的力量。

罗烈忽然发现自己错了,他本不该让黑豹太愤怒的,他发觉这种愤怒的火焰,已将黑豹身上每一分潜力都燃烧了起来。

就像是大地中突然喷出了石油,石油突然被燃烧,这种力量,是任何人都无法控制。

罗烈心突然起了种恐惧。

恐惧有时虽然能令人变得更坚强敏锐,但无论谁在恐惧中,都难免会判断错误。

罗烈已判断错误。

黑豹的右手横扫,猛劈他的左颈,他侧身闪避,出拳打向黑豹右肋下的空门。

谁知黑豹这一着根本没有发出,招式已改变,左拳已痛击在他小腹上。

反手道! 黑豹又用出了反手道!

这本是罗烈自己创出的手法,但是他的判断却有了致命的错误。

他认为黑豹绝不会使出这一着,却忘了一个人在愤怒时,就会变得不顾一切的。

钢铁般的拳头,已打在小腹上。

罗烈立刻疼得弯下腰,黑豹的右拳已跟着击出,打在他脸上。

他整个人都被打得飞了出去,仰面跌倒。黑豹已冲上去,一脚踢出。

这已是致命的一脚。但就在这时,他突然听见了一声惊呼:"你不能杀他!"

这是波波的声音。无论在什么时候,他都听得出波波的声音。

他的动作突然僵硬,整个都似已僵硬。他也知道这是自己的生死关头,他本不想听波波的话,可是他的感情却已无法被他自己控制。

那是种多么深邃,多么可怕的情感。

就在这一瞬间,罗烈已有了反击的机会。他突然出手,托住了黑豹的足踝一拧。

黑豹的人立刻跟着拧转,就像是个布袋般,被重重的摔在地上。

波波已冲出来,无论如何,罗烈毕竟是她思念已久的人,毕竟是她的未婚夫。

他们毕竟有过一段真情,她绝不能眼看着罗烈死在黑豹手里。

可是她冲出来时,黑豹已被击倒!已因她而被击倒!

她的人也立刻僵硬,僵硬得连动都不能动。

这时黑豹已挣扎着翻身,可是他的人还没有跃起,罗烈的拳头已打在他鼻梁上。

他眼前一阵黑暗,接着就听见自己肋骨被打断的声音。他知道自己完了。

但他还是忍不住去看了波波一眼,就在他倒下之前,还看了波波一眼。

他的眼睛里竟没有仇恨,也没有怨尤。

他的眼睛只有一种任何人也无法解释,无法了解的情感。

也许别人看不出,但波波却看得出。

黑豹已软瘫在地上。他挣扎着,起来了五次。五次都又被击倒。

现在他的人也已像是个空麻袋。

大藏长长吐出口气,知道这一战已结束,这一战的胜利者又是他。

他永远都不会失败的。因为他用的是思想,不是拳头。

罗烈已喘息着,奔向波波,搂住了波波的肩:"我知道你受了苦,可是现在所有的苦难都已过去了……完全过去了。"

波波也知道,也相信。可是她的眼泪反而流得更多。

这是不是欢喜的眼泪?她的仇人已被击倒,已永远无法站起来了。

但黑豹真的是她仇人?她是不是真的那么仇恨他?是不是真的要他死?

那满脸胡子的大汉已走过丢,手里还是紧握着那柄斧头。

大藏向他挥了挥手,指了指地上的黑豹。他知道罗烈绝不会在波波面前杀黑豹的,他必须替罗烈来做这件事。这满脸胡子的大汉,本是金二爷的打手,却也早已被他收买了。

他不但善于利用思想,也同样善于利用金钱。

这两件事加在一起,就结合成一种谁也无法抗拒的力量。

满脸胡子的大汉点点头。他当然明白大藏的意思,他手里的斧头已扬起。

他没有看见波波突然冲了出去,谁也没有想到她会突然冲出去,扑在黑豹身上。

就在这同一秒钟之间,利斧已飞出!

寒光一闪!利斧深深的砍入了波波的后心——这当然也是致命的一斧。

波波竟咬着牙,没有叫出来。

她只是用尽了全身的力量,紧紧的抱住了黑豹,就像是已下定决心,永远再也不松手。

可是她的手已渐渐发冷。她努力想睁大眼睛,看着黑豹,想多看黑豹几眼。

可是她的眼睑已渐渐沉重,渐渐张不开来。"我害了你……可是我……"

这句话她没有说完,可是也已用不着说完了。每个人都已明白她的意思。

"你喜欢她,她是不是也喜欢你?"这句话也已不需回答。

波波已用她自己的生命,回答了这句话。"我爱你!"

这句话也不知有多少人说过,也不知说了多少次,但却绝没有任何人能比她用这种方式说得更真实。天上地下,千千万万年,都绝不会有人比她说得更真实。

黑豹紧紧的咬着牙,一个字都没有说。

他只是用尽了全身力气,将波波抱了进来,挣扎着走出去,他已不愿再留在这里。

那满脸胡子的大汉,想过去拦住他。罗烈却突然道:"让他们走!"

他的脸也已因痛苦而扭曲,一种除了他自己之外,谁也无法了解的痛苦。

也许连他自己都无法了解,这究竟是伤心? 是嫉妒? 是失望? 还是一种人类亘古以来,就永远也不能消除的空虚和寂寞?

胡子大汉看了大藏一眼,像是在问:"是不是让他们走?"大藏也点点头。他知道现在已没有留住黑豹的必要,因为黑豹的心已死了。

一个心已死的人,绝不可能再做出任何威胁他的事。

这种人根本已不值得他重视。所以黑豹走了出去，抱着波波走了出去。

门外阳光灿烂，大地如此辉煌，生命也毕竟还是可爱的。可是他们的生命，却已结束。

大藏是不是会捧罗烈代替他的位置？大藏当然不会坐上第一把交椅的，因为他知道那是个很危险的地方。他永远都在幕后，所以他才是真正的胜利者。

罗烈将来是不是也会落得和黑豹、金二爷一样的结果？

这件事黑豹根本就没有去想，也不再关心；他关心的只有一件事，一个人。他怀抱中的人。

波波忽然轻轻呻吟了一声，说出了最后一句话。"扶起我的头来，我不要低着头死！"

她活着不肯低头，死也不肯低头。

黑豹扶起了她的头，让她面向着阳光。阳光如此灿烂，大地如此辉煌，可是他们……

黑豹本也绝不肯低头，绝不肯流泪的，可是现在，他的眼泪已一滴滴落在波波苍白的脸上。

图书在版编目（ＣＩＰ）数据

血鹦鹉／古龙著.—西安：太白文艺出版社,2001

ISBN 7－80605－992－X

Ⅰ.血… Ⅱ.古… Ⅲ.侠义小说—中国—当代

Ⅳ.Ⅰ247.5

中国版本图书馆 CIP 数据核字（2001）第 047607 号

血 鹦 鹉

古龙 著

太 白 文 艺 出 版 社 出 版 发 行

（西安北大街 131 号）

社长兼总编 陈华昌

新华书店经销 中牟华书印务有限公司印刷

880×1230毫米 32 开本 26.5 印张 4 插页 895 千字

2001 年 10 月第 1 版 2002 年 6 月第 2 次印刷

印数：5001～8000

ISBN 7—80605—992—X/Ⅰ·857

（上、下册）定价：45.00 元